JN096333

公務員合格ゼミ

これで合格

学校法人 公務員ゼミナール 編著

適 性

いいずな書店

まえがき

　昨今、働きがいのある職業として、また安定した職業として公務員が脚光を浴びています。特に、若者の非正規雇用の増加や格差の拡大が進行するなかで、自らの努力によってその身分が得られる公務員の人気は根強いものがあります。しかし一方、公務員の人員削減が進行する中で、その門はやはり狭いと言わざるを得ません。

　では、そのような難関をくぐり抜けるには、どのような勉強をしたらよいのか？

　これは公務員を希望する人に共通の悩みでしょう。実際、公務員試験をみると、あらゆる科目のあらゆる分野から出題されているように思え、どこから勉強の手をつけてよいか途方にくれてしまうかも知れません。

　本書はそのような悩みを持つ人への一助となるべく作られたものです。私たちは長年、公務員希望者を直接指導するなかで、受験生にとって最も効率よく、またわかりやすい勉強方法を追求してきました。本書にはその成果がふんだんに盛り込まれています。

　たとえば、各教科の内容は必要最低限のものにしぼり込まれていますが、これは長年、本試験の出題傾向を分析した結果に基づいています。また、解説は受験生の弱点・盲点を把握した上で書かれているため、類書にない懇切丁寧なものとなっています。

　どこを、どのように勉強すればよいのか——そう思ったら、本書を使ってみて下さい。最も確実な答えがそこにあるはずです。

　皆さんが本書を活用されて、合格の栄冠を勝ち取られることを願ってやみません。

公務員ゼミナール講師陣

 について(カバー参照)

　中小の市町村(一部を除く)・中小自治体の消防官(一部を除く)・刑務官・海上保安官・入国警備官は、高卒レベルの試験ですが、大卒でも受験できます。
　警察官は大卒(AまたはI類)と高卒(BまたはⅢ類)で区分が分かれていますが、他の「上級試験(大卒対象)」のように専門試験(行政法・刑法・民法など)がありません。
　以上の試験の受験対策にも、この公務員合格ゼミシリーズは対応しています。

本書の特色と使い方

（特　色）

試験の内容をわかりやすく紹介

　適性試験は、公務員試験独特の「変わった」試験です。どのような内容なのか、どういうところがポイントなのかをはじめにていねいに解説しています。

実際の出題形式で構成

　適性試験は慣れが必要な試験です。実際形式での練習が何より大切です。本書は、20回分も掲載していますので、試験直前の演習に最適です。

解答用紙も添付

　ふだん解答用紙を使わずに練習していると、本番では解答（マークシート）の記入に手間取って1〜2割は得点がおちてしまいます。必ず解答用紙を使用して練習して下さい。

（使い方）

適性試験の内容を理解しよう

　まず基礎編に目を通し、適性試験の重要性、特徴や基本的なテクニックを身につけて下さい。試験の中身がよくわからないままでは対策のたてようがありません。

毎日練習して慣れていこう

　次に実践編を、毎日1回分ずつやって下さい。特に試験直前には欠かさず練習してカンを養っておくことが大切です。詳しい練習の仕方は基礎編でふれていますので、そこをよく読んで下さい。

適性試験出題職種

事務適性試験が出題される職種

国家一般(高卒)／税務職	15分　120題	※技術系は出題なし
裁判所一般(高卒)	出題なし	
海上保安官・入国警備官 皇宮護衛官・刑務官	出題なし	
県庁(高卒・初級・Ⅲ類など) 政令都市の市役所 (高卒・初級・Ⅲ類など)	15分　120題	※一部の県庁・政令都市で出題あり ※技術系は出題なし
市町村役場(高卒程度など)	10分　100題	※一部の市町村は出題なし ※技術系は出題なし
消防官／警察官	出題なし	

「事務適性試験」と「性格適性試験」

　本書が対象にしているのは「事務適性試験（検査）」です。主に事務系の試験で課されており、技術系（土木など）や体力系（警察・消防など）の試験では出題されません。このほかにクレペリン検査などの心理学的な「性格適性試験(検査)」を「適性試験（検査）」と表記している場合もあります。募集要項でよく確認しましょう。

	主に課される試験	募集要項での説明
事務適性試験 (事務適性検査)	事務系職種の 一次試験	●正確に仕事を処理する事務能力を見るためのスピード検査 ●置換、照合、計算、分類などの比較的簡単な問題を限られた時間内にできるだけ数多く解答するスピード検査 ●事務職としての適応性を正確さ迅速さなどの作業能力から見る検査 ※所要時間は15分か10分
性格適性試験 (性格適性検査) (職務適性検査)	体力系試験 事務系職種の 二次試験	●職務遂行上必要な素質及び適性を見るための検査 ●職務遂行上必要な適性を有するかどうかについての心理学的検査 ●対人関係や職場への適応性を性格的な面から見る検査 ※所要時間は書いていないことが多い

目　次

Ⅰ　基礎編

Ⅱ　実践編

I　基礎編

Ⅰ-1　適性試験ガイダンス

A　適性試験とは

一次試験は
教養試験と適性試験の得点をプラスして合否判定

　適性試験（事務適性）は、教養試験と同じように得点として算定されます。教養試験でよい点を取っても、適性が及ばなかったばかりに不合格になる例は、毎年数多くあります。

　しかし、逆に言えば教養の得点を適性でカバーすることもできるのです。下記の「ある年の合否例」を見て下さい。教養の得点は低くても、適性の得点が高ければ合格できます。

ある年の合否例

国家一般（事務）		
教養 （基礎能力） 40点満点	適性 120点満点	合否
23	90	○
21	77	○
26	57	×
24	63	×

適性試験7～8点分が教養試験1点分に相当

　国家一般などでは下記の比率で一次試験の得点が算出されます。

教養の偏差値：適性の偏差値＝2：1

これをわかりやすく素点（1題1点としたときの点）に直すと、だいたい

教養試験の素点1点＝適性試験の素点7～8点

となります。

適性試験は、練習していないと60点くらいしか取れません。しかし、練習して100点取れるようになれば、（100点−60点）÷7≒6点、つまり教養試験に換算すると6点も得点がアップしたのと同じ効果があるのです。

標準的には80〜90点（120点満点）が目標点
36点を下回ると足切りに

　合格のための目標点は、職種によって異なります。近年、適性試験が難しくなっており、問題の難易度にもよりますが80〜90点が目標です。
　なお、国家一般・税務職では得点の3割（120点満点の場合36点）に「足切りライン」が設定されています。また、地方公務員も同様に4割付近に「足切りライン」が設定されています。これを下回ると、どんなに教養得点が良くても不合格になるので要注意です。

B　適性試験のやり方

3つの問題パターンの繰り返し

　適性の問題は、10題からなる問題が3パターンあり、それが4回繰り返されて合計120題となっています。なお市町村では下記のような組合せで合計100題となります。

120題パターン（国家一般・税務職、県・政令指定都市など）

No. 1 〜 No.10	Aパターンの出題	No.61 〜 No.70	Aパターンの出題
No.11 〜 No.20	Bパターンの出題	No.71 〜 No.80	Bパターンの出題
No.21 〜 No.30	Cパターンの出題	No.81 〜 No.90	Cパターンの出題
No.31 〜 No.40	Aパターンの出題	No.91 〜 No.100	Aパターンの出題
No.41 〜 No.50	Bパターンの出題	No.101 〜 No.110	Bパターンの出題
No.51 〜 No.60	Cパターンの出題	No.111 〜 No.120	Cパターンの出題

100題パターン（市町村など）

No. 1 〜 No.10	Aパターンの出題	No.51 〜 No.60	Aパターンの出題
No.11 〜 No.20	Bパターンの出題	No.61 〜 No.70	Bパターンの出題
No.21 〜 No.25	Cパターンの出題	No.71 〜 No.75	Cパターンの出題
No.26 〜 No.35	Aパターンの出題	No.76 〜 No.85	Aパターンの出題
No.36 〜 No.45	Bパターンの出題	No.86 〜 No.95	Bパターンの出題
No.46 〜 No.50	Cパターンの出題	No.96 〜 No.100	Cパターンの出題

間違えば間違うほど減点される

　適性試験は、スピードを競うものですから解答した数が多いほどよいのですが、同時に正確さを見るため「減点法」で素点が計算されるようになっています。

　したがって、例に示すように不正確なまま120題解くより、ていねいに100題を解いた方が得点は高くなります。

　もちろん難しい問題をとばしたりするのも厳禁です。とばした問題も「間違った数」として数えられますから、10題とばせば20点が減点されることになります。

適性試験の採点方法（減点法）

	解答した数	−	間違った数	×	2	=	適性の素点
（例）	120	−	20	×	2	=	80
	100	−	2	×	2	=	96

5分間の例題練習に全力を集中！ここで勝負は決まる

　まず最初に3パターンの「解き方」と例題が数題ずつ示されます。これを5分程度でやるよう指示されます。実際の問題部分には一切説明がありませんので、まずここでどういう問題なのかをつかんでおく必要があります。

　さて、例題を解き終わったら試験開始までボーッとしている人を試験会場でも見かけますが、実はここが勝負なのです。「どうやって解けば速いのか」「どのテクニックを使ったらよいか」をこの5分間で考えることが大切です。

スピードアップには小さなくふうの積み重ねが重要

　本番の試験は15分120題ですから、1題7.5秒で解答しなければなりません。速く解くための「アッというテクニック」は本書には載っていません。そんなものなどありはしないのです。

　実は、ほんのささいなくふうが勝負を決めるのです。それは1題、2題を解いただけでは全然速くなったと思わないようなものです。しかし1題につき0.5秒

速くなっただけでも、120題解くと120題×0.5秒＝60秒の余裕時間ができます。この積み重ねが得点アップにつながるのです。

解答用紙にマークするのも15分間のうち

それと大切なのは、マークシートの書き方です。限られた解答時間しかないので、ここも重要なポイントです。ていねいに書くことは大切ですが、機械が読み取れるようになっていればよいので、キレイに塗りつぶしたりする必要はありません。先のつぶれた鉛筆を用意しておき、線を引くだけでいいようにしておきましょう。

また間違えた箇所は消しゴムでちゃんと消す必要があります。

マークの実例

良い例	太い線をしっかりと引けばよい
読み取れない例	線が細い / マークの中央部分を通ってない
遅い例	きれいに塗りつぶしている

C　適性試験の練習方法

ふだんの練習に必要な3点セット

まず次のものを用意して下さい。

適性練習3点セット

●鉛筆・消しゴム
●解答用紙（コピーでも可）
●タイマー（15分たったら音が出て知らせるもの　キッチンタイマー
　　　　　　などが100円ショップ等で販売されている）

鉛筆はもちろんですが、消しゴムも用意をしておきましょう。間違えたときは、本番同様にちゃんと消しゴムでていねいに消しておきます。（速くていねいに消す技術も大切です！）

解答用紙は本書にもついていますが、何回も練習するためにできればコピーしてたくさん用意しておくとよいでしょう。

タイマーは各自購入して下さい。腕時計や置き時計では絶対にダメです。

必ず15分間を計ってトライ

さきに述べたようにまず5分間で例題をします。そしてタイマーを押して15分間きっちりはかりながら本間にとりくみます。

「腕時計などを見ながらだいたい15分ぐらい」などという練習では、集中力は育ちません。

また、最初のうちは到底120題まではいかないと思いますが、これを20分間かけて解いたり、ダラダラ最後までやったりしては、集中力が続かず効果がありません。15分間に神経を集中させることが大切です。

適性練習は毎日1回　時間を決めて

練習は毎日時間を決めてやるのがよいでしょう。「勉強」というより「訓練」ですので、欠かさず継続することが大切です。しばらく練習しないと能力が衰えてしまいます。

教養試験の勉強をした後にやると本番の試験（一次試験では、教養試験の後に適性試験がある）に近いコンディションが得られます。

　また1日に5回も6回もやっても集中力が持ちませんので、ふつうは1日1回にします。何回かしたい場合は、朝1回、夕1回のように間隔を開けた方がよいようです。

問題は繰り返しやって

　問題は20回分あります。第1回から順番に取り組んで、終わったら最初からまた繰り返してやりましょう。

　6〜7月から毎日やっていけば、ちょうど試験時期の8〜9月に3回目が終わるぐらいになります。

　特に本書は最近の傾向にあわせて、実際に出題された難しい問題を集めていますので、試験直前の練習に最適です。

I-2　　適性テクニック

　適性試験は大まかには５つのパターンに分かれます。ここでは、それらを速く解くための代表的なテクニックを紹介していきます。

　最近は、「計算＋置換」・「置換＋図形」といったミックス型がよく出題されていますが、次ページからのテクニックがどれも応用できるものです。

　まずは一通り目を通した上で、実際に問題を解いてテクニックに慣れていって下さい。

図　　形	同じ図形や、問題文で指示される図形を選ぶ
計　　算	問題文で指示された方法で四則計算を行う
照　　合	二つ以上の文章や記号列を見比べて、正しいものを選んだり、誤っている箇所を指摘する
置　　換	記号列を、置き換える記号等が指示された手引きによって正しく置き換えられたものを選ぶ
分　　類	記号列を、グループ分けが示されている手引きによって分類する

Ⅰ－2－1　図　形

　図形はどのパターンでも必ず出題される頻出分野です。とにかく、慣れること
が大切な分野です。

　応用パターンとしては、図形を分解したり組み合わせたりする問題や、図形を
指示に従って方眼用紙に書かせて同じものを選ぶパターンなどがあります。

◇例　　題◇

　左の図形と同じもので、向きだけが異なるものを選びなさい。

　　　　　　　　　　1　　　　2　　　　3　　　　4　　　　5

〔No. 1〕 　　　　　　　　　　　　　　　　　　　　　　〔No. 1〕 5

〔No. 2〕 　　　　　　　　　　　　　　　　　　　　　　〔No. 2〕 4

〔No. 3〕 　　　　　　　　　　　　　　　　　　　　　　〔No. 3〕 1

〔No. 4〕 　　　　　　　　　　　　　　　　　　　　　　〔No. 4〕 2

〔No. 5〕 　　　　　　　　　　　　　　　　　　　　　　〔No. 5〕 2

〔No. 6〕 　　　　　　　　　　　　　　　　　　　　　　〔No. 6〕 5

〔No. 7〕 　　　　　　　　　　　　　　　　　　　　　　〔No. 7〕 3

〔No. 8〕 　　　　　　　　　　　　　　　　　　　　　　〔No. 8〕 3

〔No. 9〕 　　　　　　　　　　　　　　　　　　　　　　〔No. 9〕 4

〔No. 10〕 　　　　　　　　　　　　　　　　　　　　　〔No. 10〕 2

ポイント① まず図形の土台を決める

　もとの図形を頭の中でクルクル回転させることが必要になりますが、まずどこを土台（下の位置）にするかを決めます。そしてその土台から見た、その他の部分の位置関係を決めていくことが大切です。

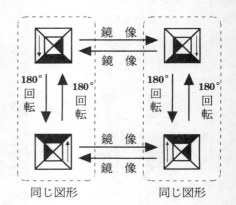

　回転させるときには180°回転させるとちょうど見た目の上下左右が逆転することに注意します。

　特に鏡像（鏡で見たように左右が逆になっているもの）に引っかかりやすいので、土台から見て右か、左かに注意します。

ポイント② 図形の特徴的な部分に注目する

　すぐに目につく角の部分や、特徴的な形に注目します。渦を巻くような図形では右回りか左回りかを考えます。

ポイント③ わかりにくいときはイメージ化する

　わかりにくい図形の時はイメージでとらえることです。身近な具体物や文字の形に置き換えると、回転させてもイメージがわかりやすいようです。

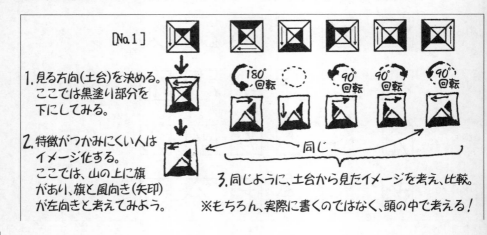

●図形の特徴的な部分をすばやく見つける!!

[No.3]

角などの特徴を手がかり
にするとわかりやすい。

角の■を左下におき、
天井(上)から■が下がっ
ている図形とわかる。

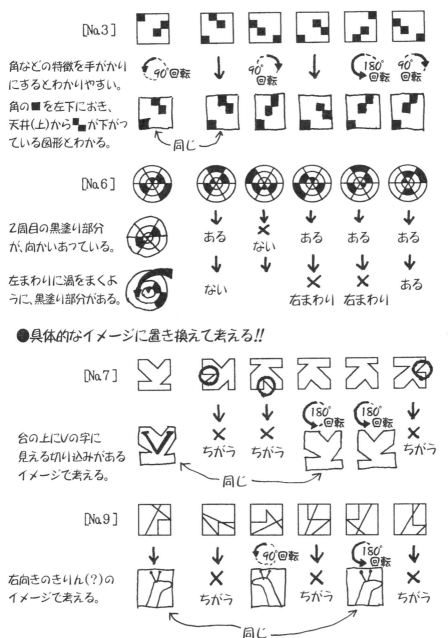

←同じ→

[No.6]

2周目の黒塗り部分
が、向かいあっている。

左まわりに渦をまくよ
うに、黒塗り部分がある。

●具体的なイメージに置き換えて考える!!

[No.7]

台の上にVの字に
見える切り込みがある
イメージで考える。

←同じ→

[No.9]

右向きのきりん(?)の
イメージで考える。

←同じ→

Ⅰ-2-2　計　算

　計算もどのパターンでも必ず出題される頻出分野です。とにかく、速く計算できるように練習することが大切です。

　応用パターンとしては、答えを手引きによって分類する「分類」パターンとのミックス型や、記号を手引きの数字や符号と置き換えて計算する「置換」パターンとのミックス型などがあり、実際出題の主流になっています。

◇例　　題◇

A　次の計算をしなさい。ただし答えは1～5以外になることはない。

[No. 1]　7 + 8 + 9 - 26 + 7　　　　　　　　　　[No. 1]　5

[No. 2]　5 + 14 - 18 + 15 - 14　　　　　　　　 [No. 2]　2

B　次の計算をし、その結果の下1ケタの数を答えなさい。

[No. 3]　3 × 13 - 9 × 3 + 13　　　　　　　　　[No. 3]　5

[No. 4]　54 × 2 ÷ 9 - 7 + 20　　　　　　　　　[No. 4]　5

[No. 5]　5 + 16 ÷ 4 ÷ 2 + 16　　　　　　　　　[No. 5]　3

C　次の計算をし、同じ答えの数値がどこにあるかを答えなさい。

	1	2	3	4	5	
[No. 6]　4 × 8 + 13 - 17	22	28	31	25	27	[No. 6]　2
[No. 7]　34 - 13 ÷ 3 × 6	6	12	13	14	8	[No. 7]　5

D　次の式が成り立つために、□の中に当てはまる数として適切なものはどれか答えなさい。

	1	2	3	4	5	
[No. 8]　27 ÷ □ × 8 = 24	7	3	8	9	5	[No. 8]　4
[No. 9]　□ × 36 ÷ 9 = 32	5	8	13	12	7	[No. 9]　2
[No.10]　□ ÷ 4 + 15 = 27	48	44	52	56	58	[No.10]　1

ポイント① 　四則計算の順番を再確認

　最初から順番に計算していくのがふつうですが、加減（足し算と引き算）と乗除（掛け算と割り算）が混ざっている場合は乗除を先にするのが四則計算の約束です。この大前提は忘れてはいけません。

　また移項する（＝の反対側に移す）ときは、足し算↔引き算、掛け算↔割り算と変わることも再確認しましょう。

$$
\underbrace{16 \times 4}_{64} \ - \ \underbrace{72 \div 4}_{18} \ = 46
$$

乗除計算が先

$$
A + 12 = B \qquad A \times 12 = B
$$
$$
A \quad = B - 12 \qquad A \quad = B \div 12
$$

移項するとき

ポイント② 　暗算が原則　　計算経過を書かない

　計算は基本的に暗算で行います。計算経過や計算結果をいちいち書くと、そのために時間をとられてしまいます。鉛筆を動かすのは、1～5のどの答えにしたかを書くときだけにします。

　「計算が苦手だから、最初のうちだけはメモをしながら……」というのでは、練習する意味はありません。苦手な人こそ、絶対に最初から書かないようにします。

　なお、「複数の式の計算をしなければならない」「計算結果を置換しなければならない」など、難しい問題形式の場合は、メモをするのはやむを得ないでしょう。

ポイント③ 　1ケタ計算でスピードアップ

　末尾の1ケタを答えるタイプでは、2ケタ目以上を計算するのは無意味です。加減の計算は、1ケタ目だけを計算していくと大幅なスピードアップができます。

　なお、途中で1－9のような計算になったときは、11－9というように10を補って計算します。

　また、乗除（掛け算、割り算）が混ざっている場合は、まずそれを先に計算し、それから1ケタの加減計算をするとよいでしょう。

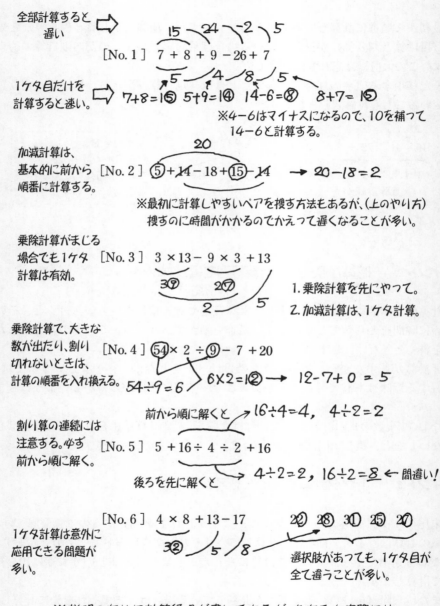

全部計算すると
遅い ⇨

$$15 \quad 24 \quad -2 \quad 5$$

[No. 1]　7 + 8 + 9 − 26 + 7

1ケタ目だけを
計算すると速い。 ⇨

5　　4　　8　　5

7+8=15　5+9=14　14−6=8　8+7=15

※4−6はマイナスになるので、10を補って
14−6と計算する。

加減計算は、
基本的に前から　[No. 2]　⑤ + 14 − 18 + ⑮ − 14　→　20−18=2
順番に計算する。

20

※最初に計算しやすいペアを捜す方法もあるが、(上のやり方)
捜すのに時間がかかるのでかえって遅くなることが多い。

乗除計算がまじる
場合でも1ケタ　[No. 3]　3 × 13 − 9 × 3 + 13
計算は有効。

39　　27

2　　5

1. 乗除計算を先にやって。

2. 加減計算は、1ケタ計算。

乗除計算で、大きな
数が出たり、割り
切れないときは、　[No. 4]　54× 2 ÷ 9 − 7 +20
計算の順番を入れ換える。

54÷9=6　　6×2=12　→　12−7 + 0 = 5

割り算の連続には
注意する。必ず　　　前から順に解くと → 16÷4=4,　4÷2=2
前から順に解く。　[No. 5]　5 +16÷ 4 ÷ 2 +16

後ろを先に解くと → 4÷2=2,　16÷2=8 ← 間違い!

[No. 6]　4 × 8 +13 − 17　　　22　28　30　25　20

1ケタ計算は意外に
応用できる問題が　　　　32　　5　8
多い。

選択肢があっても、1ケタ目が
全て違うことが多い。

※説明のために計算経過が書いてあるが、もちろん実際には
書きこまないこと! 暗算が速くなることが一番大切です!!

Ⅰ-2-3 置 換

　ポイントを押さえて、繰り返し練習することで、「慣れて」くるとスピードアップが図れる分野です。単独での出題の他、「計算」や「分類」などとのミックス型としてかなり出題がありますので、置換が得意になることはたいへん重要となっています。

─◇例　　題◇─

　A　次の数字を手引きによって置き換えた場合、正しいものはどれか。

手引き	5	3	4	7	2		R	K	B	T	S
	1	8	9	6	0		C	N	H	F	Q

		1	2	3	4	5
[No.1]	4 2 6	BSC	BTF	KSF	CSF	BSF
[No.2]	0 1 3	QNH	QBT	QCK	CBK	FCT
[No.3]	9 8 4	HNT	HNB	HCB	KNB	KNT

　　　　　　　　　　[No.1] 5　　[No.2] 3　　[No.3] 2

　B　左右の文字の組合せが手引きと同じものがいくつあるか答えなさい。

手引き	山-1	右-7	大-8
	下-9	海-2	林-4
	川-5	左-6	森-3

[No.4]	右川林左海	5 7 6 4 2	[No.4] 1
[No.5]	海森川下大	2 3 5 9 8	[No.5] 5
[No.6]	山海森左川	1 2 3 7 5	[No.6] 4

C　次の記号の組合せを手引きによって正しく置き換えたものものはどれか。

手引き		I	II	III	IV
	ア	P	R	K	Z
	イ	N	A	U	R
	ウ	T	S	H	I
	エ	Y	O	D	M

		1	2	3	4	5
[No. 7]	I ア－IV ウ－III エ	RID	RHO	RHD	PID	PIO
[No. 8]	III ウ－II エ－IV ア	UOZ	HOZ	USR	UOR	HSZ
[No. 9]	I ウ－III ア－I エ	YKT	TRO	YRT	TKO	TKY

　　　　　　　　　　　　[No. 7] 4　　　[No. 8] 2　　　[No. 9] 5

ポイント① 　覚えて一気に置換

　ひとつひとつ「置換する文字→手引き→置換後の文字→……」と見比べていては、全くスピードが上がりません。置換する文字は最初に一気に覚えて、あとは目線の動きは「手引き→置換後の文字」となるようにしましょう。

ポイント② 　覚えやすい方を覚える

　例題Bのように「置換前」「置換後」どちらから手引きを見てもいい場合は、分かりやすい方を覚えます。
　たとえば「数字」と「アルファベット」であれば「数字」を、「アルファベット」と「漢字」であれば「アルファベット」の方を覚えて置換します。

ポイント③ 　やっている問題をつねに指さし

　手引きを見て戻ってきたときに、いまやっている問題がわからなくなることがよく起こります。（もちろん１～２秒見れば、すぐにどの問題か分かりますが、その時間が無駄なのです。）最悪の場合、間違って問題をとばしてしまうミスにつながることもあります。

「手引き」が出てくるタイプの鉄則です。必ずいまやっている問題を指さしながら問題を解いていきます。

ポイント④　指折りで数えよう　メモはしない

　例題Bのように、正しく置換する文字を数えるタイプの問題の場合、正しく置換されている文字にいちいち○をつける人がいます。(間違っている文字に×をするのも同じことです)。これも遅くなるもとです。それぐらいは記憶し、いらないチェックは極力書かないことが大切です。

　数を数えなければいけない場合で、覚えきれない人は指を折って数えます。

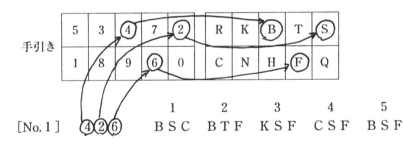

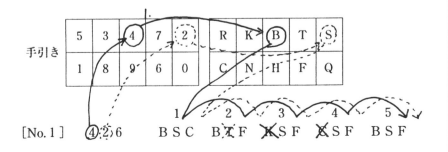

速く解くためには　1. 置換する文字を暗記する。
　　　　　　　　　2. 手引をみて、一挙に置換する。
　　　　　　　　　3. 選択肢と照合する。
　　　　　　　　　※今、解いている問題を必ず指でさしておく。

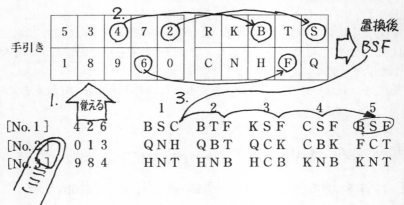

手引き

| 5 | 3 | ④ | 7 | ② | | R | K | Ⓑ | T | Ⓢ |
| 1 | 8 | 9 | ⑥ | 0 | | C | N | H | Ⓕ | Q |

置換後
BSF

	1	2	3	4	5
[No. 1] 4 2 6	BSC	BTF	KSF	CSF	ⒷⓈⒻ
[No. 2] 0 1 3	QNH	QBT	QCK	CBK	FCT
[No. 3] 9 8 4	HNT	HNB	HCB	KNB	KNT

どちらから置換しても解ける時は、簡単な方を暗記して置換する。
下の場合、数字の方が漢字よりも覚えやすいので、数字を覚えて置換。

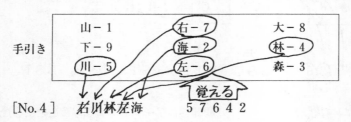

手引き

山－1	右－7	大－8
下－9	海－2	林－4
川－5	左－6	森－3

覚える

[No. 4]　右川林左海　　5 7 6 4 2

※説明のために置換後の文字列や選択肢に○等が書いてあるが、
　もちろん実際には書きこまないこと!!

Ⅰ-2-4　照　合

　照合には大きく分けて、「正本」と「副本」という２つの文章の照合をする「文章パターン」と、同じ記号列を１～５の選択肢から選ばせる「記号パターン」とがあります。「文章パターン」のほうが苦手の人が多いようです。

　例題のような基本パターンそのままの出題が多く、複雑な応用パターンはあまり出ません。

◇例　　題◇

A　正本と副本を照合し、副本の１～５のいずれに間違いがあるか、答えなさい。

	1	2	3	4	5	1	2	3	4	5
[No.1]	突然変異がちょう	によってど環境の	首の長い条件に適	個体が生応するの	まれそれで生き残	突然変位がちょう	によってど環境の	首の長い条件に適	個体が生応するの	まれそれで生き残
[No.2]	彼が１４画家とし	年間にわて立つ決	たる税関意を固め	史の生活たのは４	をやめて１歳のと	彼が１４画家とし	年間にわて立つ決	たる税関意を固め	史の生活たのは４	をやめて１歳のと
[No.3]	解毒作用えること	があり有ができる	害なアンがそれを	モニアを血液中に	尿素に変放出する	解毒作用えること	があり有ができる	害なアンがそれを	モニアを血液中へ	尿素に変放出する

[No.1]　1　　　[No.2]　4　　　[No.3]　4

B　正本と副本を照らし合わせ、誤っている文字の数を答えなさい。ただし、一つも誤っていない場合は、５を答えとする。

	正　本	副　本
[No.4]	郵便局と民間との競争条件の	郵便局と民間との競争条件を
[No.5]	ブリュッセルのルネッサンス	ブリュッセルのルネッサンス
[No.6]	たんなる物理的空間にすぎな	たんなる物理的空関にすぎな

[No.4]　1　　　[No.5]　5　　　[No.6]　3

C　左に示した文字列と全く同一のものを右側の１～５から選びなさい。

		1	2	3	4	5
[No.7]	AGE-3571TX	ACE-3517TX	AGE-3571TX	ACE-3571TX	AGF-3517TM	ACF-3571TM
[No.8]	GTU-6844CR	GTV-6448CR	GTU-6844GR	GTU-8644GR	GIU-6844CP	GTU-6844CR

[No.7]　2　　　[No.8]　5

D　左に示した文字だけからなるものを右側の 1 ～ 5 から選びなさい。

		1	2	3	4	5
[No.9]	川田有下右	田山川下	左川田下	口田下川	右下田川	田下有上
[No.10]	みそらしと	しとをそ	しとらそ	しらめそ	そあらと	みとをし

[No.9] 4　　[No.10] 2

ポイント①　似た漢字、助詞、同音語を重点チェック

「文章パターン」では、ふつうに読んで「アレ、この文章意味が通らない！」と気づくような副本はでてきません。

　書き換えられる（誤りとなる）語はだいたい決まっています。つくりやへんが似た漢字（例えば、右・左、検・険・剣・倹、問・間・聞など）や同音語（異常・異状、感心・関心・歓心、終了・修了など）などが出てきたら集中して見比べます。また助詞の置き換え（私が←→私も←→私へ←→私に　など）も、要チェックです。

ポイント②　字ではなく、図形として認識する

　もうひとつのやり方として、文章を読まず「漢字やひらがなを図形」と見て解く方法もあります。文章の入っているマスごとに、図形として認識していけばよいでしょう。

　文章を読むとどうしても頭の中で「自動的に」正しい文章に訂正されてしまい、間違いがわからなくなる場合もあります。問題を解いているときにどうしても間違いが見つからないときなども、この方法を使ってみて下さい。

　もちろん「○▼×□」などの記号の場合も、「まる、さかさくろさんかく、ばつ、……」などと考えていては時間がかかって仕方ありません。読まずに図形として認識して照合しましょう。

ポイント③　もとの記号列を覚えて一気に照合

「記号パターン」のときは、「置換」と同様にもとの記号列を覚えて、一気に照合します。いちいち選択肢ごとにもとの記号列と見比べるようなことでは、スピードが上がりません。

ただし、どうしても全部を暗記できないような場合は、覚えられる範囲（最初から5文字とか、数字の部分だけとか）で照合し、覚えた範囲で一致した選択肢だけを、もう一度もとの記号列と見比べていくとよいでしょう。

ポイント④　問題文を必ずよく読む

適性の練習に慣れてくると、問題文をあまり読まなくなってきます。

そのために「わかったつもりになって」本番になってとんでもない間違いをすることがありますので、毎回きっちり読むことも大切です。これはどのパターンの出題についても言えることです。

例えば、「文章パターン」では以下のような問題文がでてきます。

---

①照合して、間違っている欄を答えなさい。……誤りは1ヶ所必ずある

②照合して、誤っている欄を答えなさい。
　ただし、誤っていない場合は5を答えとする。　……誤りがない場合もある

③照合して、誤っている欄を答えなさい。
　ただし、複数誤っている場合は若い番号の方を答えとする。
④照合して、誤っている欄（字）の数を答えなさい。　……誤りが2ヶ所以上ある場合もある

●文章パターンでは…　　置き換えられやすい文字を徹底的に
　　　　　　　　　　　　照合していくのがコツ。

ポイント1
同音異義語　→変異・変移・変位→長い・永い→個体・固体・古体

突然変異	によって	首の長い	個体が生	まれそれ
がちょう	と環境の	条件に適応するの	で生き残

突然変位	によって	首の長い	個体が生	まれそれ
がちょう	ど環境の	条件に適	応するの	で生き残

[No.1]

ポイント2　　環・還　　適・滴・摘
同じ部首・つくりをもつ漢字　→関・間・聞・問・開・閉　→活・括

[No.2]

彼が14	年間にわ	たる税関	史の生活	をやめて
画家とし	て立つ決	意を固め	たのは4	1歳のと

彼が14	年間にわ	たる税関	史の生活	をやめて
画家とし	て立つ決	意を固め	たのは4	1歳のと

更・史・丈・央

ポイント3
似た形の文字　め・の・あ・ぬ
　　　　　　　　　ン・ソ→ア・ヤ・フ

[No.3]

解毒作用	があり有	害なアン	モニアを	尿素に変
えること	ができる	がそれを	血液中に	放出する

解毒作用	があり有	害なアン	モニアを	尿素に変
えること	ができる	がそれを	血液中へ	放出する

中に・中へ・中は

ポイント4
助詞　　ことが・ことも・ことは

●記号パターンでは　　全部覚えて一挙に照合するのがコツ
　　　　　　　　　　　下の場合のように全部を覚えきれない時は、前半
　　　　　　　　　　　だけ覚えて照合し、一致した時に残りを照合する。

覚えた部分　　照合
　　　　　　　1　　　×　　　2　　　○
[No.7] AGE-357TX　ACE-3517TX　AGE-3571TX　ACE-3571TX　AGF-3517TX　ACF-3571TM
　　　　　　　　　　　　3.残りの部分を照合。

　　　　　　　1　　×　　2　×　　4　×　　5　×　　6　○
[No.8] GTU-6844CR　GTV-6448CR　GTU-6844GR　GTU-8644GR　GIU-6844CP　GTU-6844CR
　　　　　　　　　3×

Ⅰ-2-5　分　　類

　分類パターンは問題が簡単なこともあって、単独ではほとんど出題されなくなりました。たまに出題される場合でも、置換や計算とのミックス型のことが多いようです。

◇例　　題◇

A　次の数字とアルファベットの組合せを手引きによって分類しなさい。

手引き				
1	P～V	157～475	857～984
2	E～L	97～322	591～713
3	K～T	489～588	742～842
4	A～I	331～524	730～932
5	U～Z	480～612	655～853

[No. 1]　　S－513　　　　　　　　　　　　　　[No. 1]　3
[No. 2]　　G－377　　　　　　　　　　　　　　[No. 2]　4
[No. 3]　　U－902　　　　　　　　　　　　　　[No. 3]　1

B　次の文字列が、手引きのどの欄に含まれているかを答えなさい。

手引き	1	2	3	4	5
	ひりとめつ まほろてよ	もえけはみ うあならあ	はめきちと ひりとねつ	もほるてま のるくにり	まほろつよ うあならお

[No. 4]　　まほろてよ　　　　　　　　　　　　[No. 4]　1
[No. 5]　　うあならお　　　　　　　　　　　　[No. 5]　5
[No. 6]　　のるくにり　　　　　　　　　　　　[No. 6]　4

ポイント①　簡単な方から見比べる

　例題Aのような場合は、簡単な方から照合します。

　例えばアルファベット順と数字順では、数字順の方がわかりやすいのでまず数字で当てはまる欄を探し、それが一致したらアルファベットが当てはまっているかどうか調べていきます。

ポイント②　アルファベット順を書き出す

　難問になるのが、「アルファベット順」や「あいうえお順」で当てはめをするタイプです。とくに後半部分はみんな弱いようです。（‘S’と‘P’のどちらが先か、‘り’と‘よ’のどちらが先か、すぐにわかりますか？）

　練習してすぐに分かるようになることが大切ですが、どうしても覚えられない人は例題の練習時間中に受験票などに「ＡＢＣＤＥＦＧ…」「あかさたなはまやらわ」を書いておくという手もあります。もし本問中に困ったときは、パッとこれを見ればよいわけです。

ポイント③　置換と照合のテクニックも応用

　分類パターンにも必ず手引きがついていますから、いまやっている問題を指さししておくことが大切です。（→置換ポイント③）

　また、分類するものはもちろん一回で覚えて何回も見直さないようにします（→照合ポイント③）

●手引きが区間表示(157〜475, P〜V, か〜の 等)の場合

　　1. 簡単な方(下の場合は数字)であてはまるものを見つける。

　　2. もう一方(下の場合はアルファベット)があてはまるか確かめる。

　　※アルファベット(又は「あかさたなはまやらわ」)を別紙(受験票)
　　　に書いておくのも有効。もちろん試験開始後に書くこと。

手引き				
1	P〜V	157〜475	857〜984
2	E〜L	97〜322	591〜713
3	K〜T	489〜588	742〜842
4	A×I	331〜524	730〜932
5	U×Z	480〜612	655〜853

ABCDEFGHIJK
LMNOPQRSTUV
WXYZ

2.　　1.

[No. 1]　S−513

[No. 2]　G−377

手引きモノの鉄則　指さしを忘れないこと!

●手引きに全て表示されている場合

　　1. まず最初の数文字で見当をつける。

　　2. 似た記号例があれば、全文字を照合する。実際出題では
　　　一文字しか違わないパターンが多いので注意。

　　※後ろの数文字から見ていった方が、見つけやすい場合もある。

手引き	1	2	3	4	5
	ひりとめつ	もえけはみ	はめきちと	もほるてま	まほろつよ
	まほろてよ	うあならあ	ひりとねつ	のるくにり	うあならお

[No. 4]　まほろてよ

[No. 5]　うあならお　　後ろから見ていった方がしぼりやすい。

25

Ⅱ　実践編

トレーニング 1

計算・分類・図形

Ⅰ　まず各検査のやり方を、5分間で以下の例題をよく読んで理解して下さい。
Ⅱ　本問（次ページから）の解答時間は15分間です。

検査Ⅰ

次の問題を計算して、その答えと同じ数字を選びなさい。
例えば【例題1】は計算すると答えは37となり同じ数は2にあるので、正答は2となる。

		1	2	3	4	5	
【例題1】	$44 \div 22 \times 23 - 20 + 11$	40	37	46	34	43	【例題1】2
【例題2】	$5 \times 51 \div 17 + 12 \times 2$	45	33	39	36	42	【例題2】3

検査Ⅱ

次の数字が手引きのどの欄に分類されるかを探し、答えのある箇所を答えなさい。ただしどこにも該当しない場合は、「ない」を選びなさい。
例えば【例題3】では、「452」はどこにも該当しないので「ない」が答えとなり、正答は3となる。

	A	B	C
Ⅰ	589～612 285～311	583～588 166～186	697～745 279～284
Ⅱ	479～492 127～165	493～540 613～674	269～278 331～371
Ⅲ	372～413 17～23	312～330 106～126	24～105 414～444
Ⅳ	746～799 687～696	541～582 457～478	187～268 1～16

		1	2	3	4	5	
【例題3】	452	Ⅱ A	Ⅳ B	ない	Ⅲ C	Ⅱ B	【例題3】3
【例題4】	113	Ⅲ B	Ⅱ A	Ⅰ A	Ⅳ C	Ⅲ C	【例題4】1

検査Ⅲ

左側の図形と同じ形のものを答えなさい。ただし、図形は裏返さないものとする。
例えば【例題5】では、2が同じ図形であるので、正答は2となる。

		1	2	3	4	5
【例題5】						
【例題6】						

【例題5】　2　　　【例題6】　5

	1	2	3	4	5
[No. 1]	$19 \times 2 - 68 \div 4 - 4$	14	7	20	17	8
[No. 2]	$11 - 63 \div 7 - 3 \times 2$	−3	2	6	11	−4
[No. 3]	$40 \div 10 + 6 \div 16 \times 64$	28	34	40	31	37
[No. 4]	$16 - 54 \div 9 + 7 + 4$	24	21	27	31	37
[No. 5]	$17 + 56 \div 4 \div 2 + 8$	34	30	32	35	42
[No. 6]	$12 - 18 + 12 \times 5 \div 2$	27	24	18	21	30
[No. 7]	$6 - 72 \div 2 \div 4 + 22$	21	23	25	19	27
[No. 8]	$2 \times 2 \times 8 + 4 \times 7$	58	60	62	50	68
[No. 9]	$10 \times 5 - 40 \div 8 - 3$	48	36	42	45	39
[No. 10]	$6 \times 2 \times 3 + 12 - 14$	34	46	44	36	42

	A	B	C
I	331〜336 924〜928	798〜838 660〜672	82〜145 520〜572
II	648〜659 921〜923	929〜997 573〜579	146〜152 733〜738
III	588〜617 863〜867	739〜797 618〜647	201〜330 426〜501
IV	868〜920 337〜415	153〜200 839〜853	673〜732 502〜519

		1	2	3	4	5
[No. 11]	321	III C	IV A	I A	ない	II B
[No. 12]	582	III A	IV B	I C	IV C	ない
[No. 13]	862	ない	III A	IV A	I B	IV B
[No. 14]	785	II C	IV C	III B	I B	III A
[No. 15]	106	IV B	II C	III C	I C	ない
[No. 16]	474	IV A	III C	I C	ない	I A
[No. 17]	859	III A	IV A	IV B	I B	ない
[No. 18]	536	II B	I C	III A	III C	IV C
[No. 19]	363	I A	III C	ない	IV A	III A
[No. 20]	705	IV C	I B	II A	III B	III A

	1	2	3	4	5
〔No. 21〕					
〔No. 22〕					
〔No. 23〕					
〔No. 24〕					
〔No. 25〕					
〔No. 26〕					
〔No. 27〕					
〔No. 28〕					
〔No. 29〕					
〔No. 30〕					

トレーニング1　計算・分類・図形

		1	2	3	4	5
[No. 31]	$19 - 3 \times 4 \times 2 - 4$	3	−9	0	5	−3
[No. 32]	$80 \div 20 \times 3 + 7 + 3$	24	20	22	10	12
[No. 33]	$4 \times 12 - 2 \times 12 + 21$	47	46	45	43	44
[No. 34]	$9 + 18 \times 3 - 7 - 22$	34	40	42	36	38
[No. 35]	$24 - 4 \times 4 \times 2 + 14$	6	10	16	7	9
[No. 36]	$27 \div 3 \div 3 - 4 + 19$	28	23	18	20	13
[No. 37]	$22 + 13 \times 5 - 2 \times 8$	71	80	77	74	83
[No. 38]	$20 + 2 \times 7 \times 2 - 3$	39	43	33	49	45
[No. 39]	$6 \times 76 \div 19 + 18 - 7$	32	38	35	29	41
[No. 40]	$3 \times 66 \div 6 - 51 \div 3$	14	6	15	12	16

	A	B	C
I	487〜518 784〜854	897〜969 523〜659	184〜188 660〜675
II	519〜522 193〜237	970〜984 420〜477	170〜183 985〜997
III	275〜380 167〜169	381〜419 238〜267	381〜380 692〜751
IV	752〜783 676〜691	855〜896 478〜486	145〜166 268〜274

		1	2	3	4	5
[No. 41]	991	II B	I B	ない	II C	IV B
[No. 42]	683	I B	IV A	I C	III C	ない
[No. 43]	168	III A	I C	ない	II A	IV C
[No. 44]	593	ない	I A	II A	I B	IV B
[No. 45]	212	II C	III B	II A	III A	IV C
[No. 46]	339	III B	III C	III A	IV C	ない
[No. 47]	189	ない	II A	III A	II C	IV C
[No. 48]	573	II A	II B	III B	I B	ない
[No. 49]	457	III B	ない	I A	III C	II B
[No. 50]	133	ない	III A	II C	IV C	I A

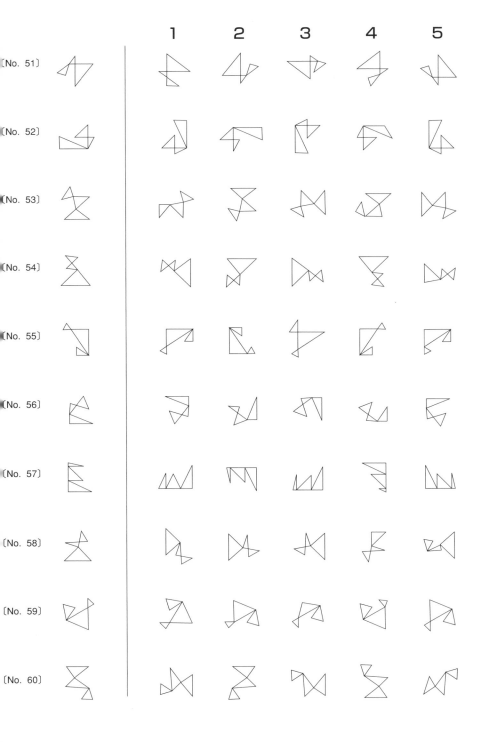

1

	1	2	3	4	5
[No. 61] $6 + 12 - 18 + 63 \div 9$	14	9	7	17	11
[No. 62] $11 \times 3 + 40 \div 2 \div 4$	40	36	32	38	34
[No. 63] $9 + 36 \div 12 + 3 \times 6$	27	24	18	21	30
[No. 64] $3 \times 16 - 50 - 11 + 9$	0	5	−4	2	−2
[No. 65] $8 \times 6 - 5 + 12 \times 2$	57	67	54	64	59
[No. 66] $4 \times 60 \div 20 + 3 \times 13$	54	42	45	51	48
[No. 67] $2 \times 6 + 5 \times 4 \times 2$	52	60	56	58	54
[No. 68] $17 - 6 \times 2 \times 2 + 4$	9	5	−7	2	−3
[No. 69] $96 \div 3 \div 4 - 6 \div 3$	3	−3	0	−6	6
[No. 70] $2 \times 2 \times 2 + 9 \times 6$	52	62	47	57	66

	A	B	C
I	125〜203 204〜277	878〜889 405〜435	921〜972 719〜726
II	890〜920 621〜661	22〜124 976〜981	982〜996 727〜752
III	436〜584 278〜316	317〜321 588〜602	776〜877 325〜333
IV	585〜587 753〜775	662〜718 973〜975	322〜324 345〜404

		1	2	3	4	5
[No. 71]	582	IV A	III A	III B	ない	IV C
[No. 72]	619	ない	III A	IV B	II A	III B
[No. 73]	135	II B	ない	I A	IV C	IV A
[No. 74]	895	I B	II A	III C	IV B	ない
[No. 75]	309	ない	III B	III C	IV C	III A
[No. 76]	965	II A	II C	ない	I C	II B
[No. 77]	329	I A	III C	IV A	III B	IV C
[No. 78]	264	IV A	IV C	I A	II B	III B
[No. 79]	506	I B	III B	IV C	III A	ない
[No. 80]	343	IV A	ない	I B	IV C	IV B

	1	2	3	4	5
[No. 81]					
[No. 82]					
[No. 83]					
[No. 84]					
[No. 85]					
[No. 86]					
[No. 87]					
[No. 88]					
[No. 89]					
[No. 90]					

	1	2	3	4	5
[No. 91] $2 \times 2 \times 9 - 4 \div 2$	34	35	38	36	37
[No. 92] $3 \times 2 \times 4 + 3 \times 15$	72	63	69	66	75
[No. 93] $2 - 20 \div 4 + 24 + 19$	41	35	30	40	37
[No. 94] $56 \div 14 - 5 \times 16 \div 8$	-2	-8	4	8	-6
[No. 95] $7 \times 3 + 24 \div 2 - 7$	25	23	24	22	26
[No. 96] $2 + 56 \div 7 + 6 \times 4$	40	34	32	36	38
[No. 97] $2 \times 21 - 84 \div 7 \div 3$	36	28	24	34	38
[No. 98] $35 \div 5 + 95 \times 8 \div 19$	41	38	50	47	44
[No. 99] $2 \times 2 \times 7 + 2 - 23$	4	-2	1	-5	7
[No.100] $5 \times 3 \times 3 + 57 \div 19$	49	45	47	48	46

	A	B	C
I	602~674 439~461	361~377 60~212	855~901 677~687
II	693~784 538~565	462~480 960~972	566~601 481~537
III	378~438 845~854	834~844 902~938	252~266 973~984
IV	785~833 267~360	939~959 675~676	213~239 240~248

		1	2	3	4	5
[No.101]	324	III A	ない	IV A	I B	III C
[No.102]	249	ない	I B	III C	IV C	IV A
[No.103]	708	IV A	II A	I A	I C	IV B
[No.104]	859	III A	IV A	III B	III C	I C
[No.105]	573	II A	II B	ない	II C	III A
[No.106]	689	I A	I C	II C	II A	ない
[No.107]	647	II C	II A	I C	IV B	I A
[No.108]	788	ない	II A	IV A	IV B	III A
[No.109]	217	I B	IV A	IV C	ない	III C
[No.110]	511	II A	II C	II B	IV A	ない

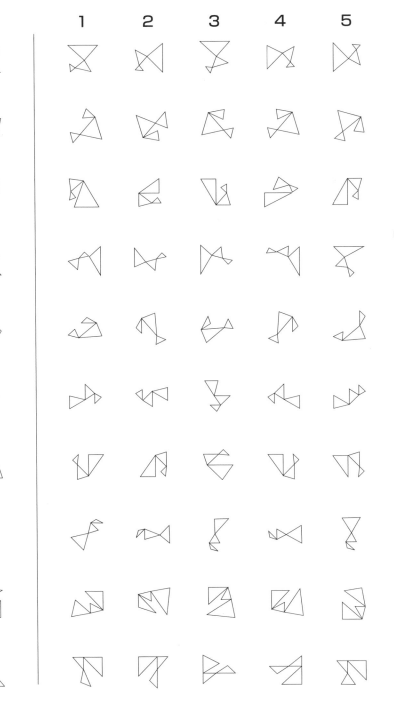

[No. 1]	4	[No. 31]	2	[No. 61]	3	[No. 91]	1
[No. 2]	5	[No. 32]	3	[No. 62]	4	[No. 92]	3
[No. 3]	1	[No. 33]	3	[No. 63]	5	[No. 93]	4
[No. 4]	2	[No. 34]	1	[No. 64]	3	[No. 94]	5
[No. 5]	3	[No. 35]	1	[No. 65]	2	[No. 95]	5
[No. 6]	2	[No. 36]	3	[No. 66]	4	[No. 96]	2
[No. 7]	4	[No. 37]	1	[No. 67]	1	[No. 97]	5
[No. 8]	2	[No. 38]	5	[No. 68]	5	[No. 98]	4
[No. 9]	3	[No. 39]	3	[No. 69]	5	[No. 99]	5
[No. 10]	1	[No. 40]	5	[No. 70]	2	[No.100]	4
[No. 11]	1	[No. 41]	4	[No. 71]	2	[No.101]	3
[No. 12]	5	[No. 42]	2	[No. 72]	1	[No.102]	1
[No. 13]	1	[No. 43]	1	[No. 73]	3	[No.103]	2
[No. 14]	3	[No. 44]	4	[No. 74]	2	[No.104]	5
[No. 15]	4	[No. 45]	3	[No. 75]	5	[No.105]	4
[No. 16]	2	[No. 46]	3	[No. 76]	4	[No.106]	5
[No. 17]	5	[No. 47]	1	[No. 77]	2	[No.107]	5
[No. 18]	2	[No. 48]	4	[No. 78]	3	[No.108]	3
[No. 19]	4	[No. 49]	5	[No. 79]	4	[No.109]	3
[No. 20]	1	[No. 50]	1	[No. 80]	2	[No.110]	2
[No. 21]	3	[No. 51]	2	[No. 81]	3	[No.111]	1
[No. 22]	2	[No. 52]	5	[No. 82]	4	[No.112]	4
[No. 23]	1	[No. 53]	3	[No. 83]	2	[No.113]	3
[No. 24]	5	[No. 54]	4	[No. 84]	5	[No.114]	5
[No. 25]	4	[No. 55]	1	[No. 85]	3	[No.115]	2
[No. 26]	3	[No. 56]	1	[No. 86]	5	[No.116]	4
[No. 27]	5	[No. 57]	3	[No. 87]	4	[No.117]	1
[No. 28]	1	[No. 58]	2	[No. 88]	2	[No.118]	5
[No. 29]	2	[No. 59]	5	[No. 89]	1	[No.119]	3
[No. 30]	4	[No. 60]	4	[No. 90]	5	[No.120]	4

●目標点数…………… **100**点

●あなたの得点…1回目　　　　　　点

●あなたの得点…2回目　　　　　　点

トレーニング **2**

照合・計算・図形

Ⅰ　まず各検査のやり方を、5分間で以下の例題をよく読んで理解して下さい。

Ⅱ　本問（次ページから）の解答時間は15分間です。

検査 Ⅰ

次の正本と副本を照合して、副本中の1〜5の欄のいずれに間違いがあるかを答えなさい。
例えば【例題1】では、4の欄の「内」の字が正本と違うので、正答は4となる。

【正本】		【副本】				
		1	2	3	4	5
【例題1】	フンセン氏は会談後国王提案について国外にとどまる議	フンセン氏	は会談後国	王提案につ	いて国内に	とどまる議
【例題2】	CO₂の排出が経済成長に必然的に伴うものという考え	CO₂の排	泄が経済成	長に必然的	に伴うもの	という考え

【例題1】　4　　【例題2】　2

検査 Ⅱ

次の記号を手引きを見て置き換えて計算し、その結果と同じ数値を選びなさい。
例えば【例題3】は、40÷10×6となるので計算結果は24となり、正答は5となる。

手引き	＋	－	×	÷
	∈ ≧ ⊂	⊃ ∧ ≦	⊃ < ∋	∨ ∪ ∩

		1	2	3	4	5	
【例題3】	40∩10⊃6	22	46	18	10	24	【例題3】　5
【例題4】	42∨6<3	27	21	10	23	84	【例題4】　2

検査 Ⅲ

左側の図形と同じ形のものを答えなさい。ただし、図形は裏返さないものとする。
例えば【例題5】では、5が同じ図形であるので、正答は5となる。

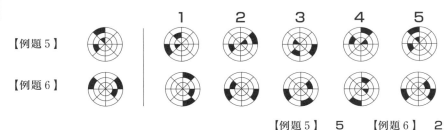

【例題5】　5　　【例題6】　2

2
トレーニング2　照合・計算・図形

39

	【正本】	【副本】 1	2	3	4	5
〔No. 1〕	育児も分担 してと早くも良き夫ぶりをアピールしいろい	育児も分担	してと早く	もよき夫ぶ	りをアピール	ルしいろい
〔No. 2〕	安保理の議席は若干増やしてよいが常任理事国は増やす	安保理の議	席は若千増	やしてよい	が常任理事	国は増やす
〔No. 3〕	市場の歪みを指摘する意見もあり郵便貯金等の存在が市	市場の歪み	を指南する	意見もあり	郵便貯金等	の存在が市
〔No. 4〕	海外招待選手のベルンハルトランガーら8人が続き大会	海外招待選	手のベルン	ハリトラン	ガーら8人	が続き大会
〔No. 5〕	毎週金曜日の紙面部長 会で約30人が激しく論戦を交わ	毎週金曜日	の紙面部長	会で約30	名が激しく	論戦を交わ
〔No. 6〕	EUが削減できるといっているのはこれからエネルギー	ECが削減	できるとい	っているの	はこれから	エネルギー
〔No. 7〕	さらに来年3月と10月にも首脳会議を開き実行されな	さらに来年	3月と10	月には首脳	会議を開き	実行されな
〔No. 8〕	今後経営効率化やサービス水準の向上を国民 に分かりや	今後経営効	率化やサー	ビス水準の	向上を国民	も分かりや
〔No. 9〕	共通の基本認識の上に立って今後の地球温暖化防止の取	共通の基本	認識の上に	立って今後	の地球温暖	化妨止の取
〔No. 10〕	他方独占の下では経営効率化に対するインセンティブ機	他方独占の	下では経営	効率化に対	するインセ	ンティブ機

手引き	+	−	×	÷
	∋ ≦ ⊂	∩ ⊇ ∪	∧ < ∈	⊆ ∨ ≧

		1	2	3	4	5
〔No. 11〕	$7 \subseteq 10 \wedge 20$	20	17	14	37	50
〔No. 12〕	$2 \subseteq 2 \in 10$	40	4	14	2	10
〔No. 13〕	$18 \vee 9 \in 6$	12	27	15	16	18
〔No. 14〕	$2 \wedge 9 \ni 8$	26	10	29	3	27
〔No. 15〕	$4 \wedge 3 < 2$	30	24	3	6	9
〔No. 16〕	$2 < 12 \vee 4$	4	20	6	86	18
〔No. 17〕	$2 \in 7 \cup 4$	18	7	56	10	5
〔No. 18〕	$7 \leqq 15 \geqq 5$	21	9	10	27	17
〔No. 19〕	$7 \ni 2 < 11$	20	25	27	29	99
〔No. 20〕	$24 \geqq 3 \in 3$	24	27	30	11	36

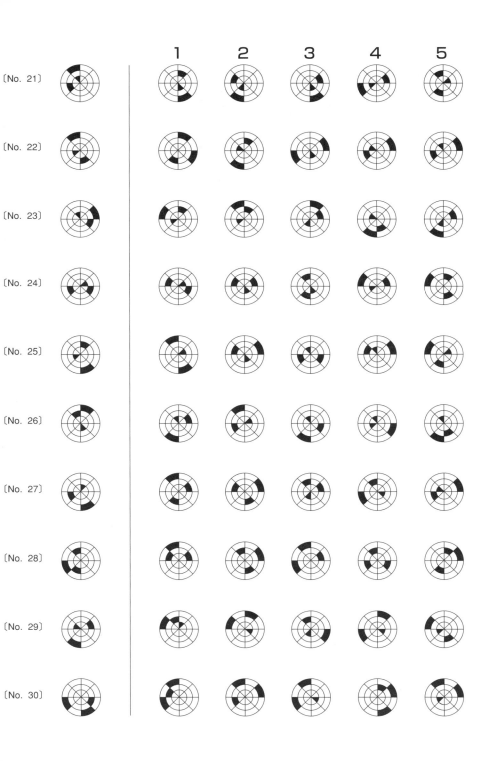

1 2 3 4 5

〔No. 21〕

〔No. 22〕

〔No. 23〕

〔No. 24〕

〔No. 25〕

〔No. 26〕

〔No. 27〕

〔No. 28〕

〔No. 29〕

〔No. 30〕

2

トレーニング2 照合・計算・図形

	【正本】	【副本】 1	2	3	4	5
〔No. 31〕	国民に理解されたことが力を得られた理由だと思うなど	国民に理解	されたこと	が力を得ら	れた理由だ	と想うなど
〔No. 32〕	これを民間が政令指定都市あての大量郵便のみに現在の	これを民間	が政令指定	都市あての	多量郵便の	みに現在の
〔No. 33〕	1月の臨時会議ではCIS全体にとって最適な経済貿易	1月の臨時	会議ではC	JS全体に	とって最適	な経済貿易
〔No. 34〕	岡田監督になって一番変わったことは選手たちに規律を	岡口監督に	なって一番	変わったこ	とは選手た	ちに規律を
〔No. 35〕	テレビの大型化などによる伸びをそのまま将来に投影す	テレビの大	形化などに	よる伸びを	そのまま将	来に投影す
〔No. 36〕	民間金融機関の不良債権問題が依然として尾を引いてお	民間金融機	関の不良績	権問題が依	然として尾	を引いてお
〔No. 37〕	白番の趙治勲名人が挑戦者小林光一九段に二五〇手までの	日番の趙治	勲名人が挑	戦者小林光	一九段に二	五〇手まで
〔No. 38〕	民主活動家魏京生氏が腰のまわりに帯状のヘルペスがで	民主活動家	魏京生氏が	腰のまわり	に帯状のハ	ルペスがで
〔No. 39〕	農薬や化学肥料の売り手でもある農協の過半数が有機農	農薬や化学	肥料の売り	手でもある	農協の過半	数が有気農
〔No. 40〕	運輸部門についても総需要の増大が1995年から20	運輸部門に	ついても総	需要の増大	が1985	年から20

手引き	+	−	×	÷
	≧ ⊃ ∩	∧ ⊂ ∋	＞ ∈ ⊆	∪ ≦ ＜

		1	2	3	4	5
〔No. 41〕	60＜ 4 ∪ 5	4	60	3	45	20
〔No. 42〕	11∪15＞30	20	18	56	4	22
〔No. 43〕	5 ∈ 3 ∋ 8	7	16	19	10	23
〔No. 44〕	3 ⊆14⊂ 2	40	42	31	44	19
〔No. 45〕	12⊆ 3 ⊂ 7	29	11	22	35	33
〔No. 46〕	78∈ 2 ∪ 6	29	6	33	26	70
〔No. 47〕	8 ＞ 3 ⊃10	1	21	28	34	30
〔No. 48〕	2 ⊆ 5 ＞ 2	23	20	8	5	9
〔No. 49〕	8 ∈ 5 ∧14	26	32	54	27	35
〔No. 50〕	2 ＞11∧ 5	19	80	17	18	55

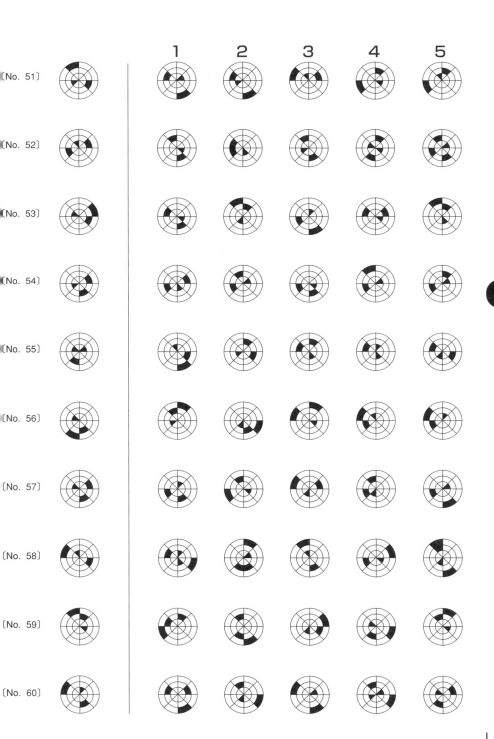

【正本】   【副本】

	1	2	3	4	5
〔No. 61〕 どのように政府として取り組むのかが課題で具体的には	どのように	政府として	取り組むの	かが課題で	具態的には
〔No. 62〕 エネルギー需要の動向をそのまま伸ばすと技術的に削減	エルネギー	需要の動向	をそのまま	伸ばすと技	術的に削減
〔No. 63〕 統一地方選の繰り下げはこれに時期を合わせたもので十	統一地方選	の繰り上げ	はこれに時	期を合わせ	たもので十
〔No. 64〕 低く設定しているとともに金利のピーク時に資金シフト	低く設定し	ているとと	もに金利が	ピーク時に	資金シフト
〔No. 65〕 チベットの状況は中国よりさらに何倍もひどく訪米する	チベットの	情況は中国	よりさらに	何倍もひど	く訪米する
〔No. 66〕 子供が欲しいねという話はよくしていたので妊娠には驚	子供が欲し	いねという	話は良くし	ていたので	妊娠には驚
〔No. 67〕 考え方は違うがこの問題で両国の友好関係を傷つけては	考え方は違	うがこの門	題で両国の	友好関係を	傷つけては
〔No. 68〕 海の家は使っていたのかという質問には横川常務が相応	海の家は使	っていたの	かという質	問には横河	常務が相応
〔No. 69〕 大事なのはどこに焦点を当ててしぼるかを議論すること	大事なのは	そこに焦点	を当ててし	ぼるかを議	論すること
〔No. 70〕 これは旧ソ連時代は一体だったCIS加盟諸国の経済が	これは日ソ	連時代は一	体だったC	IS加盟諸	国の経済が

手引き	+			−			×			÷		
	∋	∨	⊇	>	∈	≦	≧	∧	⊆	∪	∩	⊂

	1	2	3	4	5
〔No. 71〕 $5 \subseteq 3 \ni 15$	25	30	23	1	36
〔No. 72〕 $10 \ni 3 \subseteq 5$	31	65	25	8	18
〔No. 73〕 $2 \geqq 2 \wedge 5$	15	9	18	5	20
〔No. 74〕 $7 \wedge 3 > 15$	25	6	5	36	60
〔No. 75〕 $3 \wedge 2 \geqq 3$	20	9	18	3	2
〔No. 76〕 $96 \cap 4 \ni 3$	36	89	72	27	8
〔No. 77〕 $10 \supseteq 3 \geqq 11$	43	24	2	41	49
〔No. 78〕 $7 \subseteq 2 \geqq 2$	12	7	3	20	28
〔No. 79〕 $30 \wedge 3 \cap 10$	43	1	30	9	37
〔No. 80〕 $2 \wedge 3 \vee 5$	30	11	1	12	10

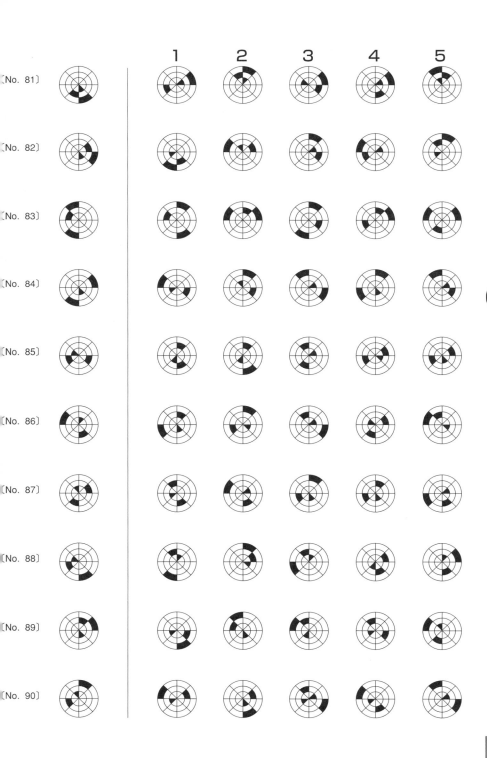

〔No. 81〕

〔No. 82〕

〔No. 83〕

〔No. 84〕

〔No. 85〕

〔No. 86〕

〔No. 87〕

〔No. 88〕

〔No. 89〕

〔No. 90〕

	【正本】	【副本】 1	2	3	4	5
〔No. 91〕	郵便貯金金利については金融自由化の進展に伴い既に市	郵便貯蓄金	利について	は金融自由	化の進展に	伴い既に市
〔No. 92〕	都側と記者クラブ側から延べ百十人が参加し料金は一人	都側と記者	クラブ側か	らのべ百十	人が参加し	料金は一人
〔No. 93〕	こうした措置は他のCIS加盟国には貿易に大きな不利	こうした惜	置は他のC	IS加盟国	には貿易に	大きな不利
〔No. 94〕	その後近藤委員が議長に茅陽委員が議長代理に選任され	その後近藤	委員が議長	に茅陽委員	が議長代行	に選任され
〔No. 95〕	三事業を国から切り離せば私は公務員だろうが非公務員	三事業を国	から切り離	せば私は公	務員だろう	が非公務員
〔No. 96〕	一部の加盟国で打開しCIS全体の再統合に弾みをつけ	一部の加盟	国で打閉し	CIS全体	の再統合に	弾みをつけ
〔No. 97〕	大手証券各社による総会屋への利益供与事件は企業に対	大手証券各	社による総	会屋への利	益共与事件	は企業に対
〔No. 98〕	来日中のイタリアのプロディ首相は23日都内で記者会	来日中のイ	タリアのプ	ロディ首相	は23日都	内で記者会
〔No. 99〕	だが実際に各農家での栽培面積は高くても七〇％にとど	だが実際に	各農家での	栽培面積は	高くても七	〇％にどと
〔No.100〕	衆院落選組のくら替え組については自民党もすでに二人	衆院落撰組	のくら替え	組について	は自民党も	すでに二人

手引き	+	−	×	÷
	⊃ ＞ ⊇	⊂ ∋ ∨	≧ ＜ ∧	⊆ ∈ ≦

		1	2	3	4	5
〔No.101〕	$72 \in 4 \subseteq 6$	24	6	3	48	62
〔No.102〕	$32 \subseteq 8 < 6$	10	24	21	18	34
〔No.103〕	$78 \geqq 2 \subseteq 6$	25	45	70	7	26
〔No.104〕	$56 \wedge 2 \leqq 7$	56	42	13	70	16
〔No.105〕	$14 > 2 \geqq 6$	35	26	22	24	6
〔No.106〕	$5 \supseteq 9 \subseteq 3$	17	8	32	15	10
〔No.107〕	$2 \wedge 3 < 2$	5	3	8	12	11
〔No.108〕	$65 \leqq 13 \geqq 5$	1	47	26	10	25
〔No.109〕	$10 \geqq 2 \supset 10$	18	33	30	80	10
〔No.110〕	$10 \subseteq 5 < 8$	23	42	50	10	16

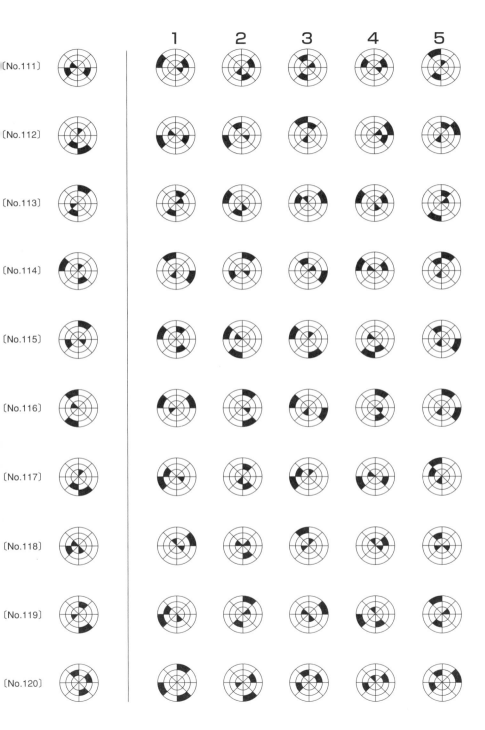

トレーニング2 正答

[No. 1]	3	[No. 31]	5	[No. 61]	5	[No. 91]	1
[No. 2]	2	[No. 32]	4	[No. 62]	1	[No. 92]	3
[No. 3]	2	[No. 33]	3	[No. 63]	2	[No. 93]	1
[No. 4]	3	[No. 34]	1	[No. 64]	3	[No. 94]	4
[No. 5]	4	[No. 35]	2	[No. 65]	2	[No. 95]	5
[No. 6]	1	[No. 36]	2	[No. 66]	3	[No. 96]	2
[No. 7]	3	[No. 37]	1	[No. 67]	2	[No. 97]	4
[No. 8]	5	[No. 38]	4	[No. 68]	4	[No. 98]	3
[No. 9]	5	[No. 39]	5	[No. 69]	2	[No. 99]	5
[No. 10]	5	[No. 40]	4	[No. 70]	1	[No.100]	1
[No. 11]	3	[No. 41]	3	[No. 71]	2	[No.101]	3
[No. 12]	5	[No. 42]	5	[No. 72]	3	[No.102]	2
[No. 13]	1	[No. 43]	1	[No. 73]	5	[No.103]	5
[No. 14]	1	[No. 44]	1	[No. 74]	2	[No.104]	5
[No. 15]	2	[No. 45]	1	[No. 75]	3	[No.105]	2
[No. 16]	3	[No. 46]	4	[No. 76]	4	[No.106]	2
[No. 17]	4	[No. 47]	4	[No. 77]	1	[No.107]	4
[No. 18]	3	[No. 48]	2	[No. 78]	5	[No.108]	5
[No. 19]	4	[No. 49]	1	[No. 79]	4	[No.109]	3
[No. 20]	1	[No. 50]	3	[No. 80]	2	[No.110]	5
[No. 21]	3	[No. 51]	1	[No. 81]	5	[No.111]	4
[No. 22]	5	[No. 52]	3	[No. 82]	1	[No.112]	3
[No. 23]	2	[No. 53]	2	[No. 83]	2	[No.113]	5
[No. 24]	3	[No. 54]	2	[No. 84]	3	[No.114]	2
[No. 25]	2	[No. 55]	4	[No. 85]	1	[No.115]	5
[No. 26]	5	[No. 56]	5	[No. 86]	2	[No.116]	2
[No. 27]	4	[No. 57]	1	[No. 87]	4	[No.117]	1
[No. 28]	1	[No. 58]	4	[No. 88]	3	[No.118]	4
[No. 29]	3	[No. 59]	3	[No. 89]	1	[No.119]	5
[No. 30]	4	[No. 60]	2	[No. 90]	4	[No.120]	3

●目標点数…………**110**点

●あなたの得点…1回目＿＿＿＿点

●あなたの得点…2回目＿＿＿＿点

48

計算・置換・図形

Ⅰ　まず各検査のやり方を、5分間で以下の例題をよく読んで理解して下さい。
Ⅱ　本問（次ページから）の解答時間は15分間です。

検査Ⅰ

次の問題を計算し、同じ計算結果となる式がどの欄に含まれているかを答えよ。
例えば【例題1】は計算すると答えは54となる。これは、手引きの1に含まれている 9×6 の答えと等しい。したがって、1が正答となる。

手引き	1	2	3	4	5
	9×6	$27 + 12$	$24 + 10$	$34 \div 2$	2×23
	$7 + 13$	$24 + 3$	$4 + 29$	$85 \div 17$	$5 + 18$
	$30 - 8$	$28 + 23$	$23 + 6$	$26 + 18$	$12 + 18$

【例題1】　　$75 \times 18 \div 25$ 　　　　　　　　　　　　　　【例題1】　　1

【例題2】　　$5 \times 5 + 9$ 　　　　　　　　　　　　　　　　【例題2】　　3

検査Ⅱ

漢字と数字(またはかな)の対応が、手引きに示されたとおりになっている個数がいくつあるかを答えなさい。
例えば【例題3】では「火－1」「栗－8」「売－3」の3つが手引きどおりに置き換えられているので、正答は3となる。

手引き				
笹－9	牧－2	雑－0	村－6	栗－8
票－7	林－4	火－1	売－3	沈－5

【例題3】　　　火村栗林売　１０８９３　　　　　　　　【例題3】　　3

【例題4】　　　牧火林沈栗　２１４５８　　　　　　　　【例題4】　　5

検査Ⅲ

左側の図形と同じ形のものを答えなさい。ただし、図形は裏返さないものとする。
例えば【例題5】では、2が同じ図形であるので、正答は2となる。

	1	2	3	4	5
【例題5】					
【例題6】					

　　　　　　　　　　　　　　　　　【例題5】　2　　【例題6】　4

手引き	1	2	3	4	5
	27 + 14	15 × 4	18 + 11	32 − 14	10 − 7
	3 × 12	24 + 21	11 × 2	6 + 10	21 + 22
	8 × 3	16 + 22	60 ÷ 2	36 + 18	5 × 10

〔No. 1〕　9 × 2 × 3

〔No. 2〕　25 + 20 ÷ 4

〔No. 3〕　2 × 15 + 11

〔No. 4〕　39 ÷ 3 + 16

〔No. 5〕　81 − 7 × 3

〔No. 6〕　12 × 3 ÷ 2

〔No. 7〕　9 ÷ 26 × 52

〔No. 8〕　17 × 4 − 18

〔No. 9〕　51 − 9 × 3

〔No. 10〕　15 × 96 ÷ 32

手引き	太 − 5	理 − 2	川 − 6	口 − 3	山 − 4
	羊 − 1	衣 − 9	幼 − 0	木 − 8	半 − 7

〔No. 11〕　川半幼理木　6 1 0 2 8

〔No. 12〕　山太木理半　2 3 8 4 1

〔No. 13〕　幼羊衣半木　0 2 6 7 5

〔No. 14〕　口太川衣羊　0 6 5 9 1

〔No. 15〕　衣理幼口山　9 2 0 3 4

〔No. 16〕　山理太衣半　2 4 5 8 1

〔No. 17〕　川幼口羊半　5 0 3 7 1

〔No. 18〕　理山口太幼　2 4 0 5 3

〔No. 19〕　口幼太羊山　3 0 6 1 4

〔No. 20〕　幼羊半衣理　0 1 7 9 4

〔No. 21〕

〔No. 22〕

〔No. 23〕

〔No. 24〕

〔No. 25〕

〔No. 26〕

〔No. 27〕

〔No. 28〕

〔No. 29〕

〔No. 30〕

手引き	1	2	3	4	5
	16 + 25	5 × 4	48 ÷ 8	11 + 25	42 ÷ 14
	8 − 7	3 × 18	2 × 17	4 + 31	29 + 19
	4 × 4	6 × 4	57 ÷ 3	9 × 7	3 × 19

〔No. 31〕 78 ÷ 26 × 16

〔No. 32〕 3 × 13 + 24

〔No. 33〕 4 ÷ 7 × 42

〔No. 34〕 29 + 4 × 7

〔No. 35〕 12 ÷ 3 + 12

〔No. 36〕 19 ÷ 27 × 81

〔No. 37〕 61 − 49 ÷ 7

〔No. 38〕 9 + 18 + 7

〔No. 39〕 18 + 48 ÷ 3

〔No. 40〕 90 ÷ 2 ÷ 15

手引き					
	壮－あ	目－つ	北－へ	技－お	万－て
	下－な	末－き	上－く	任－め	心－ぬ

〔No. 41〕 末技下心万　てあなめき

〔No. 42〕 心任壮上技　あぬめくお

〔No. 43〕 末技任下北　なおめくへ

〔No. 44〕 下万心北任　なてぬへめ

〔No. 45〕 技心万末目　おつてなめ

〔No. 46〕 下任末技北　くめきあへ

〔No. 47〕 末上北任壮　きなくあめ

〔No. 48〕 目末任心上　つきあぬく

〔No. 49〕 任末上壮技　めてくおあ

〔No. 50〕 下任末目北　なめきつへ

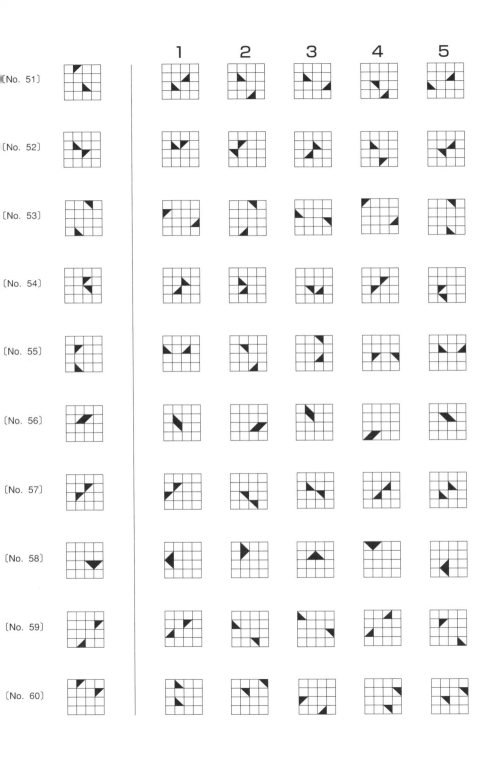

手引き	1	2	3	4	5
	17×2	$72 \div 9$	$61 - 18$	$6 + 19$	$46 \div 23$
	$41 - 27$	$32 - 26$	10×6	$30 + 27$	$23 + 18$
	10×2	$90 \div 6$	2×26	4×9	$42 \div 2$

〔No. 61〕　$56 \div 4 + 20$

〔No. 62〕　$48 \times 15 \div 12$

〔No. 63〕　$51 - 15 \times 3$

〔No. 64〕　$96 \div 3 \div 16$

〔No. 65〕　$49 \div 7 + 34$

〔No. 66〕　$39 + 9 \times 2$

〔No. 67〕　$34 - 38 \div 2$

〔No. 68〕　$52 \div 2 - 12$

〔No. 69〕　$17 \times 2 + 9$

〔No. 70〕　$5 \div 19 \times 76$

手引き	千 - 0	問 - 5	学 - 7	晴 - 6	字 - 1
	十 - 2	止 - 4	子 - 3	関 - 8	静 - 9

〔No. 71〕　字静問学十　7 6 8 1 2

〔No. 72〕　十千字問晴　2 4 7 8 9

〔No. 73〕　子問晴止十　3 5 6 0 2

〔No. 74〕　字静十晴学　7 9 3 6 1

〔No. 75〕　十字静子止　2 1 6 5 4

〔No. 76〕　千静字十学　2 9 1 0 7

〔No. 77〕　十問学字静　2 5 7 1 9

〔No. 78〕　子関止学千　3 8 4 7 0

〔No. 79〕　問関学十静　8 3 7 0 6

〔No. 80〕　千問関学子　0 3 8 1 3

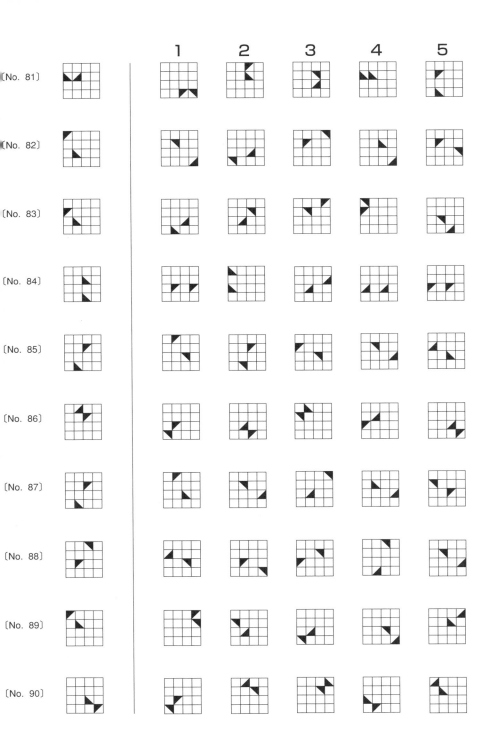

手引き	1	2	3	4	5
	48 ÷ 3	72 ÷ 3	84 ÷ 3	81 ÷ 3	6 + 6
	16 × 2	12 + 21	32 − 12	36 ÷ 9	2 × 26
	31 − 13	23 × 2	12 × 5	2 + 20	55 ÷ 11

〔No. 91〕 $2 + 3 × 6$

〔No. 92〕 $21 × 2 − 15$

〔No. 93〕 $16 × 12 ÷ 8$

〔No. 94〕 $18 + 7 × 2$

〔No. 95〕 $48 ÷ 16 + 25$

〔No. 96〕 $56 ÷ 7 ÷ 2$

〔No. 97〕 $4 × 12 − 32$

〔No. 98〕 $21 ÷ 7 × 4$

〔No. 99〕 $4 × 4 × 2$

〔No.100〕 $90 ÷ 15 + 16$

手引き	化ーま　　木ーせ　　林ーし　　村ーほ　　生ーき
	貝ーゆ　　本ーて　　具ーつ　　花ーも　　色ーは

〔No.101〕 村生木林色　ほきせしは

〔No.102〕 村本化生具　ほてまきつ

〔No.103〕 化花木色村　もまてはし

〔No.104〕 村具生貝本　ほゆきはつ

〔No.105〕 化村本木林　ましてせほ

〔No.106〕 林生貝色具　しほゆはつ

〔No.107〕 村林色具花　ほしはゆも

〔No.108〕 具花本村化　つもてきま

〔No.109〕 化林具村色　まほつしは

〔No.110〕 花木貝林化　もせつしま

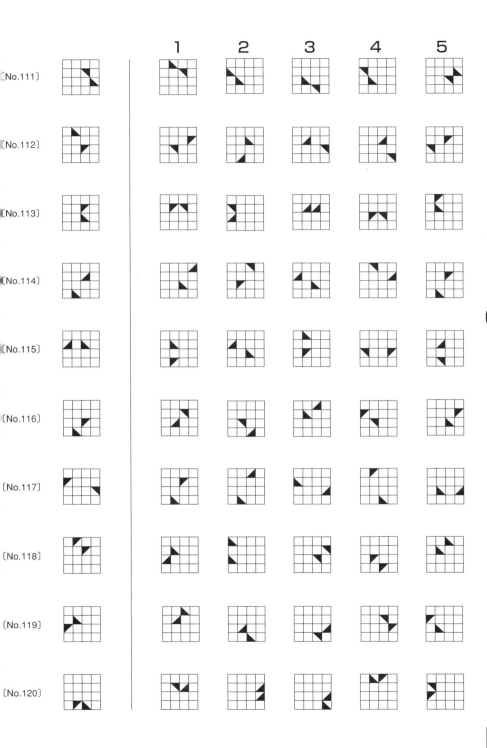

[No. 1]	4	[No. 31]	5	[No. 61]	1	[No. 91]	3
[No. 2]	3	[No. 32]	4	[No. 62]	3	[No. 92]	4
[No. 3]	1	[No. 33]	2	[No. 63]	2	[No. 93]	2
[No. 4]	3	[No. 34]	5	[No. 64]	5	[No. 94]	1
[No. 5]	2	[No. 35]	1	[No. 65]	5	[No. 95]	3
[No. 6]	4	[No. 36]	5	[No. 66]	4	[No. 96]	4
[No. 7]	4	[No. 37]	2	[No. 67]	2	[No. 97]	1
[No. 8]	5	[No. 38]	3	[No. 68]	1	[No. 98]	5
[No. 9]	1	[No. 39]	3	[No. 69]	3	[No. 99]	1
[No. 10]	2	[No. 40]	5	[No. 70]	1	[No.100]	4
[No. 11]	4	[No. 41]	1	[No. 71]	1	[No.101]	5
[No. 12]	1	[No. 42]	2	[No. 72]	1	[No.102]	5
[No. 13]	2	[No. 43]	3	[No. 73]	4	[No.103]	1
[No. 14]	2	[No. 44]	5	[No. 74]	2	[No.104]	2
[No. 15]	5	[No. 45]	2	[No. 75]	3	[No.105]	3
[No. 16]	1	[No. 46]	3	[No. 76]	3	[No.106]	4
[No. 17]	2	[No. 47]	1	[No. 77]	5	[No.107]	4
[No. 18]	3	[No. 48]	4	[No. 78]	5	[No.108]	4
[No. 19]	4	[No. 49]	2	[No. 79]	1	[No.109]	3
[No. 20]	4	[No. 50]	5	[No. 80]	3	[No.110]	4
[No. 21]	3	[No. 51]	5	[No. 81]	2	[No.111]	4
[No. 22]	1	[No. 52]	3	[No. 82]	3	[No.112]	1
[No. 23]	2	[No. 53]	1	[No. 83]	1	[No.113]	4
[No. 24]	3	[No. 54]	2	[No. 84]	5	[No.114]	2
[No. 25]	5	[No. 55]	3	[No. 85]	3	[No.115]	5
[No. 26]	4	[No. 56]	1	[No. 86]	2	[No.116]	4
[No. 27]	2	[No. 57]	4	[No. 87]	4	[No.117]	3
[No. 28]	4	[No. 58]	5	[No. 88]	5	[No.118]	3
[No. 29]	5	[No. 59]	2	[No. 89]	4	[No.119]	2
[No. 30]	1	[No. 60]	4	[No. 90]	1	[No.120]	5

●目標点数…………**80**点

●あなたの得点…1回目　　　　　　　点

●あなたの得点…2回目　　　　　　　点

計算・照合・図形

Ⅰ　まず各検査のやり方を、 5 分間で以下の例題をよく読んで理解して下さい。
Ⅱ　本問（次ページから）の解答時間は15分間です。

検査Ⅰ

次の問題を計算して、答えを手引きにしたがって分類しなさい。ただし、 2 箇所以上該当する場合は、番号の若い方に分類する。
例えば【例題1】は計算すると答えは48となる。これは1と4に該当するが1の方が番号が若いので、 1 が正答となる。

手引き	1	12の倍数である
	2	奇数で 3 の倍数である
	3	奇数で 3 の倍数でない
	4	偶数で 4 の倍数である
	5	偶数で 4 の倍数でない

【例題1】　　$16 + 4 \times 2 \times 4$ 　　　　　　　　　　　　　【例題1】　　1

【例題2】　　$17 \times 3 - 26 \div 2$ 　　　　　　　　　　　　　【例題2】　　5

検査Ⅱ

次の正本と副本を照合して、副本中の 1 ～ 4 の欄のいずれに間違いがあるかを答えなさい。
ただし、いずれも間違いがない場合は、5 を正答とする。
例えば【例題3】では、 2 の欄の「小」の字が正本と違うので、2 が正答となる。

【正本】					【副本】			
1	2	3	4		1	2	3	4
【例題3】新藤さんはか	つて軍国少年	だった自分を	反省するため		新藤さんはか	つて軍国小年	だった自分を	反省するため
【例題4】コラムを書く	松田さんが取	材に行った東	京麩町の篠山		コラムを書く	松田さんが取	材に行った東	京麩町の篠山

【例題3】　2　　　【例題4】　4

検査Ⅲ

次の図形を点線で線対象になるように広げたのと同じものが、手引きのどの欄に含まれるか答えなさい。ただし、図形は裏返さないものとする。

例えば【例題5】では、 を広げると となり、手引きの2の図形と同じなので、

正答は2となる。

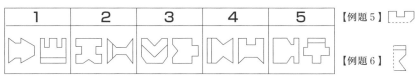

【例題5】　2　　　【例題6】　4

手引き		
1	5の倍数に1を足したものである
2	5の倍数から1を引いたものである
3	8の倍数に2を足したものである
4	8の倍数から2を引いたものである
5	いずれでもない

〔No. 1〕 $77 \times 3 \div 7 + 18$

〔No. 2〕 $6 \div 7 \times 28 - 6$

〔No. 3〕 $7 \times 2 \times 2 - 14$

〔No. 4〕 $39 - 2 \times 2 \times 8$

〔No. 5〕 $32 \div 2 + 23 \times 2$

〔No. 6〕 $2 \times 20 \div 5 + 16$

〔No. 7〕 $16 \div 12 \times 24 - 14$

〔No. 8〕 $2 \times 3 \times 6 - 5$

〔No. 9〕 $98 \times 2 \div 14 - 11$

〔No. 10〕 $4 \times 13 - 35 \div 5$

	【正本】 1	2	3	4	【副本】 1	2	3	4
〔No. 11〕	局長も一社員	も等しく取材	対象であり内	容には一切注	局長も一社員	も等しく取材	対象であり内	容には一切注
〔No. 12〕	よじ登ろうと	している塩塚	君に手を差し	のべたが電車	よじ登ろうと	していた塩塚	君に手を差し	のべたが電
〔No. 13〕	女子ゴルフの	紀文クラシック	第1日は2	3日奈良県万	女子ゴルフの	紀文クラツック	第1日は2	3日奈良県万
〔No. 14〕	東京生まれだ	が夫の転勤で	4年前から京	都に住んでい	東京生まれだ	が夫の転勤で	4年前から京	都に住んでい
〔No. 15〕	北京市当局は	合法的に居住	し経済活動な	どに従事する	北京市当局が	合法的に居住	し経済活動な	どに従事する
〔No. 16〕	一部の加盟国	で打開しCIS	全体の再統	合に弾みをつ	一部の加盟国	で打開しCIS	全体の再総	合に弾みをつ
〔No. 17〕	調べによると	名倉町長は町	道予定地にか	かる乗馬学校	調べによると	名倉町長は町	道予定地にか	かる垂馬学校
〔No. 18〕	素案の中では	最も積極的な	シナリオを選	んだが欧州連	泰案の中では	最も積極的な	シナリオを選	んだが欧州連
〔No. 19〕	日本は戦争に	負けるという	父に反抗して	こづかいを寄	日本は戦争に	負けるという	父に反対して	こづかいを寄
〔No. 20〕	冷たく人情の	ない人だとい	う印象を持っ	ていたが実際	冷たく人情の	ない人だとい	う印象を待っ	ていたが実際

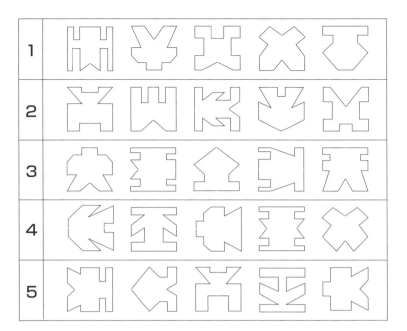

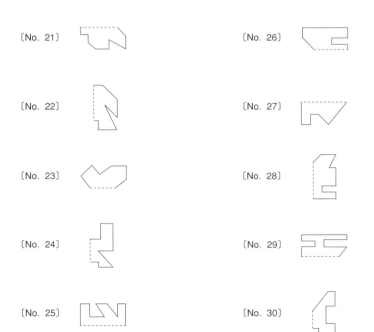

〔No. 21〕

〔No. 26〕

〔No. 22〕

〔No. 27〕

〔No. 23〕

〔No. 28〕

〔No. 24〕

〔No. 29〕

〔No. 25〕

〔No. 30〕

手引き	1	15の倍数である
	2	偶数で6の倍数である
	3	偶数で6の倍数でない
	4	奇数で5の倍数である
	5	奇数で5の倍数でない

〔No. 31〕　$4 \times 7 - 30 \div 6$

〔No. 32〕　$3 \times 4 \times 2 + 1$

〔No. 33〕　$21 \div 3 + 14 \times 2$

〔No. 34〕　$88 \div 2 \div 4 + 9$

〔No. 35〕　$36 \div 9 \div 2 + 16$

〔No. 36〕　$6 \div 12 \times 24 + 3$

〔No. 37〕　$3 \times 3 \times 2 - 7$

〔No. 38〕　$45 \div 5 + 12 \div 2$

〔No. 39〕　$90 \div 3 \div 15 + 16$

〔No. 40〕　$56 \div 7 \div 2 + 10$

	【正本】 1	2	3	4	【副本】 1	2	3	4
〔No. 41〕	中間報告が示	した厚生省環	境庁などによる	環境安全省	中間報告に示	した厚生省環	境庁などによ	る環境安全省
〔No. 42〕	これに対して	情報は主権者	である市民の	ものであり放	これに対して	情報は主権者	である市民の	のもであり放
〔No. 43〕	京都会議の成	功に向けて様	々な運動の相	乗効果が出る	京都会議の成	巧に向けて様	々な運動の相	乗効果が出る
〔No. 44〕	原告は情報公	開で得たこれ	らの資料をも	とにこれほど	原吉は情報公	開で得たこれ	らの資料をも	とにこれほど
〔No. 45〕	日本新聞協会	の調査による	と紙面審査の	機構を持つ新	日本新聞協会	の調査による	と紙面審査の	機構を持つ新
〔No. 46〕	チベット支援	の非政府組織	などがホワイ	トハウスに隣	チベット支援	の非政府組織	などがホワイ	トハウスに隣
〔No. 47〕	農薬や化学肥	料の売り手で	もある農協の	過半数が有機	農薬と化学肥	料の売り手で	もある農協の	過半数が有機
〔No. 48〕	小林九段は厚	い勢力をもと	に不安定な白	石の攻めに出	小林九段は厚	い勢刀をもと	に不安定な白	石の攻めに出
〔No. 49〕	社外モニター	制やメディア	専門欄の新設	といった他の	社外モニター	制やメディア	専門欄の新設	といった他の
〔No. 50〕	本部長ら幹部	は都内で会談	し党内論議を	踏まえて近く	木部長ら幹部	は都内で会談	し党内論議を	踏まえて近く

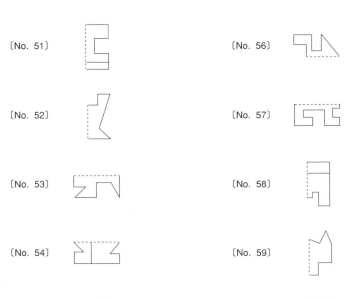

[No. 51]

[No. 52]

[No. 53]

[No. 54]

[No. 55]

[No. 56]

[No. 57]

[No. 58]

[No. 59]

[No. 60]

手引き		
1	4の倍数に1を足したものである
2	4の倍数から1を引いたものである
3	9の倍数に2を足したものである
4	9の倍数から2を引いたものである
5	いずれでもない

〔No. 61〕 2 × 4 × 3 − 15

〔No. 62〕 40 ÷ 26 × 13 − 13

〔No. 63〕 9 × 5 − 16 ÷ 2

〔No. 64〕 30 ÷ 15 × 4 + 14

〔No. 65〕 2 × 2 × 7 − 12

〔No. 66〕 29 − 9 × 4 + 23

〔No. 67〕 90 ÷ 2 ÷ 9 + 14

〔No. 68〕 2 × 13 − 54 ÷ 9

〔No. 69〕 9 + 17 × 3 − 22

〔No. 70〕 7 × 8 − 36 ÷ 9

	【正本】				【副本】			
	1	2	3	4	1	2	3	4
〔No. 71〕	さらにより広	範な国民的な	取組が巻き起	こるよう適切	さらにより広	範な国民的な	取組がまき起	こるよう適切
〔No. 72〕	国際競争力を	維持するため	には政府だけ	でなく国民全	国際競争力を	維持するため	には政府だけ	てなく国民全
〔No. 73〕	大半が紙面審	査か記事審査	という名称だ	が委員会制を	大半が紙面番	査か記事審査	という名称だ	が委員会制を
〔No. 74〕	静岡県熱海市	のあたみ石亭	で行われてい	た朝日新聞社	静岡県熱海市	のあみた石亭	で行われてい	た朝日新聞社
〔No. 75〕	一つの番組を	作るのに慣れ	ない市民リポ	ーターは撮り	一つの番組を	作るのに貫れ	ない市民リポ	ーターは撮り
〔No. 76〕	二十数名の衆	院落選者がく	ら替えして参	院に立候補	二十数名の衆	院落選者がく	ら替えして衆	院に立候補す
〔No. 77〕	総会屋に対す	る利益供与事	件で警視庁捜	査四課と暴力	総会屋に対す	る利益供与事	件で警察庁捜	査四課と暴力
〔No. 78〕	内部チェック	でなく読者か	らみたよりよ	い紙面を作る	内部チェッタ	でなく読者か	らみたよりよ	い紙面を作る
〔No. 79〕	週刊誌に広告	を出し報道局	長の国会証人	喚問の問題性	週刊誌に広告	を出し報道局	長の国会証人	換問の問題性
〔No. 80〕	放送局の免許	権を握る郵政	省の解体と民	営化が行政改	放送局の免許	権を置る郵政	省の解体と民	営化が行政改

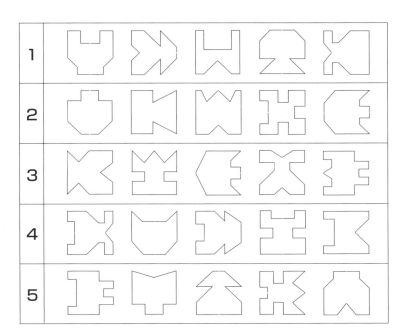

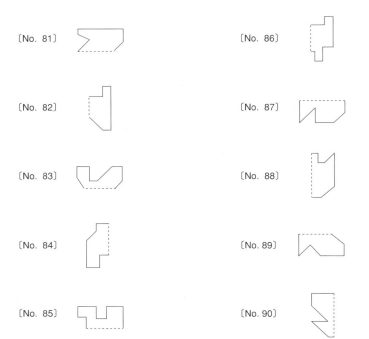

[No. 81]

[No. 82]

[No. 83]

[No. 84]

[No. 85]

[No. 86]

[No. 87]

[No. 88]

[No. 89]

[No. 90]

手引き		
1	14の倍数である	
2	偶数で4の倍数である	
3	偶数で4の倍数でない	
4	奇数で7の倍数である	
5	奇数で7の倍数でない	

〔No. 91〕　$7 \times 12 \div 4 + 7$

〔No. 92〕　$3 \times 4 \times 3 + 6$

〔No. 93〕　$17 \times 3 - 19 \times 2$

〔No. 94〕　$2 \times 11 + 4 \times 6$

〔No. 95〕　$17 \times 2 + 38 \div 19$

〔No. 96〕　$2 \times 3 \times 5 + 2$

〔No. 97〕　$32 \div 4 + 42 \div 7$

〔No. 98〕　$48 \div 8 + 10 \times 3$

〔No. 99〕　$18 \times 38 \div 19 - 15$

〔No.100〕　$84 \div 12 \times 4 + 19$

	【正本】 1	2	3	4	【副本】 1	2	3	4
〔No.101〕	ディレクター	だった篠田さ	んは番組を担	当した四年間	ディレクター	だった篠田さ	んは番組を担	当した四年間
〔No.102〕	実際にCO2	の削減に効果	があり人々が	その実施に手	実際にCO2	の削減に効果	があり人々が	その実旋に手
〔No.103〕	百人ほどの報	道陣が待ち受	ける会見場に	入ってきたの	百人ほどの報	道陣が待ち受	ける会見場へ	入ってきたの
〔No.104〕	だが実際に各	農家での栽培	面積は高くて	も七〇%にと	だが実際に各	農家の栽培	面積は高くて	も七〇%にと
〔No.105〕	郵政省との話	し合いは95	年春に実現し	過去の話し合	郵政省との話	し合いは95	年春に実現し	過去の話し会
〔No.106〕	証券不祥事を	機に損失補て	んが証取法で	禁止された後	証券不祥事を	機に損失補て	んが証取報で	禁止された後
〔No.107〕	捜査当局から	の情報が少な	く現場の情報	探しに比重が	捜査当局から	の情報が少な	く現場の情報	深しに比重が
〔No.108〕	その後染色な	ど品質面の検	討を続けてい	たが今回のI	その後染色な	ど品質面の検	討を続けてい	たが今回のI
〔No.109〕	十数年前都立	大の総長が事	務局を務める	教科書問題を	十数年前都立	大の総長が事	務局を務める	教科書問題が
〔No.110〕	シリーズでは	パシフィック	リーグチャン	ピオンの西武	シリーズでは	パツフィック	リーグチャン	ピオンの西武

1					
2					
3					
4					
5					

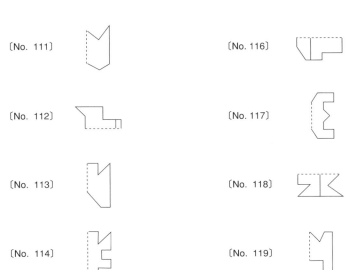

[No. 111]

[No. 116]

[No. 112]

[No. 117]

[No. 113]

[No. 118]

[No. 114]

[No. 119]

[No. 115]

[No. 120]

[No. 1]	1	[No. 31]	5	[No. 61]	1	[No. 91]	1
[No. 2]	3	[No. 32]	4	[No. 62]	2	[No. 92]	1
[No. 3]	2	[No. 33]	4	[No. 63]	1	[No. 93]	5
[No. 4]	5	[No. 34]	3	[No. 64]	5	[No. 94]	3
[No. 5]	4	[No. 35]	2	[No. 65]	4	[No. 95]	2
[No. 6]	2	[No. 36]	1	[No. 66]	4	[No. 96]	2
[No. 7]	3	[No. 37]	5	[No. 67]	2	[No. 97]	1
[No. 8]	1	[No. 38]	1	[No. 68]	3	[No. 98]	2
[No. 9]	5	[No. 39]	2	[No. 69]	3	[No. 99]	4
[No. 10]	5	[No. 40]	3	[No. 70]	4	[No.100]	5
[No. 11]	5	[No. 41]	1	[No. 71]	3	[No.101]	2
[No. 12]	2	[No. 42]	4	[No. 72]	4	[No.102]	4
[No. 13]	2	[No. 43]	2	[No. 73]	1	[No.103]	3
[No. 14]	5	[No. 44]	1	[No. 74]	2	[No.104]	5
[No. 15]	1	[No. 45]	5	[No. 75]	2	[No.105]	4
[No. 16]	3	[No. 46]	5	[No. 76]	3	[No.106]	3
[No. 17]	4	[No. 47]	1	[No. 77]	3	[No.107]	4
[No. 18]	1	[No. 48]	2	[No. 78]	1	[No.108]	5
[No. 19]	3	[No. 49]	5	[No. 79]	4	[No.109]	4
[No. 20]	3	[No. 50]	1	[No. 80]	2	[No.110]	2
[No. 21]	3	[No. 51]	5	[No. 81]	2	[No.111]	1
[No. 22]	4	[No. 52]	1	[No. 82]	4	[No.112]	4
[No. 23]	1	[No. 53]	5	[No. 83]	3	[No.113]	2
[No. 24]	5	[No. 54]	2	[No. 84]	1	[No.114]	3
[No. 25]	4	[No. 55]	1	[No. 85]	4	[No.115]	5
[No. 26]	2	[No. 56]	4	[No. 86]	5	[No.116]	3
[No. 27]	3	[No. 57]	3	[No. 87]	1	[No.117]	2
[No. 28]	5	[No. 58]	4	[No. 88]	2	[No.118]	1
[No. 29]	1	[No. 59]	2	[No. 89]	3	[No.119]	5
[No. 30]	2	[No. 60]	5	[No. 90]	5	[No.120]	4

●目標点数……………**90**点

●あなたの得点…1回目　　　　　　点

●あなたの得点…2回目　　　　　　点

計算・置換・図形

I　まず各検査のやり方を、5分間で以下の例題をよく読んで理解して下さい。
II　本問（次ページから）の解答時間は15分間です。

検査 I

次の問題を計算し、答えと同じ数値を選びなさい。
例えば【例題1】は計算すると答えは8となるので、選択肢の4が正答となる。

	1	2	3	4	5		
【例題1】　□÷ 7 × 21 = 24	12	6	14	8	9	【例題1】	4
【例題2】　24 ÷ □ ÷ 3 = 4	2	7	3	6	4	【例題2】	1

検査 II

次の記号を手引きによって置き換えたものとして正しいのはどれか。ただし、正しく置き換えたものがない場合は5を正答とする。
例えば【例題3】では3が正しく置き換えられているので、正答は3となる。

手引き		い	ろ	は	に
	I	Y	Q	X	D
	II	J	K	R	T
	III	F	A	B	V
	IV	H	L	G	S

		1	2	3	4
【例題3】	I に・IVに・I ろ・I は	D S B X	T S Q Y	D S Q X	T S B Y
【例題4】	II に・I に・IVい・I ろ	R D H Q	T D L Q	R D H K	T D L K

【例題3】　3　　【例題4】　5

検査 III

左側の図形を指示された角度（角度は円弧の矢印で示される）だけ回したときの形として正しいものはどれか。
例えば【例題5】では、左に180°回転するので、正答は1となる。

	1	2	3	4	5
【例題5】					

（行）

| 【例題6】 | | | | | | | |

【例題5】　1　　【例題6】　4

5

トレーニング5　計算・置換・図形

	1	2	3	4	5
[No. 1] $\Box \div 11 + 7 = 10$	27	16	37	22	33
[No. 2] $3 \times \Box - 3 = 33$	9	7	18	12	22
[No. 3] $32 - \Box \times 4 = 8$	6	4	8	16	12
[No. 4] $6 \times \Box - 26 = 16$	13	2	6	5	7
[No. 5] $3 + \Box \times 2 = 31$	9	12	17	14	21
[No. 6] $54 \div \Box \div 2 = 3$	27	18	9	16	6
[No. 7] $3 \times \Box \times 3 = 36$	1	6	4	9	12
[No. 8] $11 + 42 \div \Box = 17$	21	7	22	16	18
[No. 9] $7 \div 3 \times \Box = 21$	9	2	4	6	1
[No. 10] $\Box \div 5 + 11 = 15$	25	22	15	20	27

手引き	い	ろ	は	に
I	K	M	R	H
II	L	W	D	E
III	F	P	C	Z
IV	Y	I	U	J

	1	2	3	4
[No. 11] IIIろ・IIIは・Iろ・IVは	PCWU	PDWU	PDMU	PCMU
[No. 12] Iは・IIIろ・IIIい・IIIに	RPEZ	RPEC	RPFC	RPFZ
[No. 13] IIろ・IIは・IVろ・Iい	WPIK	LDIU	LDIK	WPIU
[No. 14] IIに・IVい・Iい・IIは	EYKD	DYKE	DYME	EYMD
[No. 15] Iは・IIIに・IIは・Iろ	FZDM	RZDM	FZCM	RZCM
[No. 16] Iに・Iい・Iろ・IIろ	EKMW	HLMW	HKMW	HKWM
[No. 17] IVは・Iい・Iに・IVい	UKHY	UKHF	ULHF	ULHY
[No. 18] IVい・Iろ・IVろ・IIは	IMJD	JMID	YMID	YWID
[No. 19] IIに・IVい・IIは・IVに	EPDJ	EPDI	EYDI	EYDJ
[No. 20] Iは・IVに・IVろ・IIIに	DJIZ	RJIZ	RZIJ	RIJZ

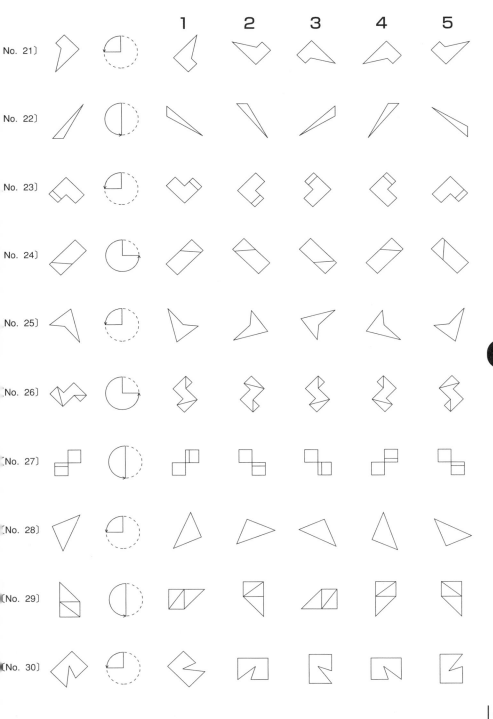

No. 21〕

No. 22〕

No. 23〕

No. 24〕

No. 25〕

No. 26〕

No. 27〕

No. 28〕

No. 29〕

No. 30〕

1   2   3   4   5

	1	2	3	4	5
[No. 31] $84 \div \square \div 7 = 6$	1	4	2	7	3
[No. 32] $\square \div 9 \times 5 = 20$	36	18	27	45	20
[No. 33] $31 - \square \times 4 = 7$	6	2	9	7	5
[No. 34] $2 \times \square \times 2 = 28$	11	6	7	2	8
[No. 35] $4 + 24 \div \square = 16$	3	6	4	2	12
[No. 36] $3 \times \square \div 8 = 12$	28	32	16	24	18
[No. 37] $2 + 2 \times \square = 30$	16	9	12	14	21
[No. 38] $17 - 3 \times \square = 11$	5	1	4	7	2
[No. 39] $\square \times 7 \div 11 = 28$	37	33	21	28	44
[No. 40] $2 \times \square \times 7 = 42$	5	3	6	1	4

手引き		い	ろ	は	に
	I	★	▲	○	◆
	II	◎	∴	▽	□
	III	☆	◇	▼	∵
	IV	■	△	●	※

	1	2	3	4
[No. 41] II い・II は・III は・IV は	◎△▲●	◎▽▲●	◎▽▼●	○▽▼●
[No. 42] III に・II い・I は・IV に	∵○◎※	∴○◎※	∵○○※	∴○◎※
[No. 43] II に・III に・I は・I ろ	□∵○▲	■∵○▲	■∵○▼	□∵○▼
[No. 44] III ろ・I ろ・I は・II い	◇▲◎○	◇▲○○	◇▼○○	◇▼◎○
[No. 45] I い・I は・IV に・II ろ	★●※∴	★※○∴	★○※∵	★○※∴
[No. 46] III い・IV ろ・I は・IV に	★△○※	☆▽○※	☆△◎※	★▽◎※
[No. 47] II ろ・IV ろ・III ろ・I い	∴△◇★	∴◇△★	∵◇▽☆	∴△◇☆
[No. 48] III い・IV い・II は・II い	★■△◎	★■▽◎	☆■▽◎	☆■△◎
[No. 49] II ろ・I は・IV は・III は	∵○●▼	∵○●▲	∴●○▼	∴○●▼
[No. 50] I に・IV に・II ろ・III ろ	◇※∴◆	◇※∵◆	◆※∵◇	◆※∴◇

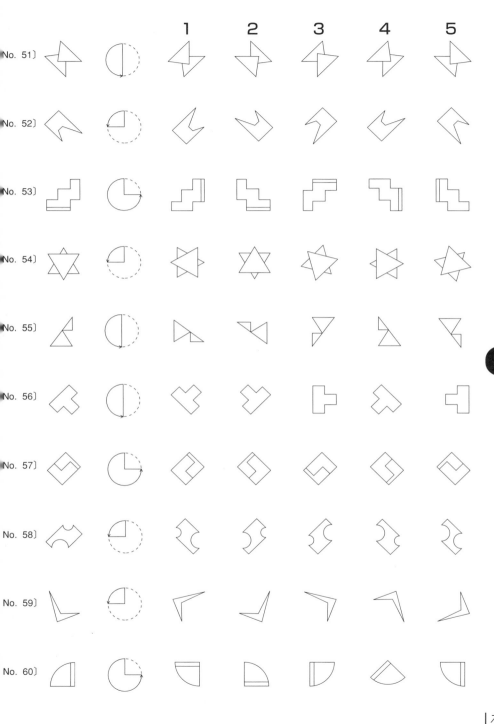

	1	2	3	4	5
[No. 61] $52 \times 3 \div \square = 12$	11	13	26	17	16
[No. 62] $78 \div \square \div 2 = 13$	6	5	3	4	2
[No. 63] $22 \div \square \times 8 = 16$	9	11	15	7	4
[No. 64] $6 + 5 \times \square = 21$	7	2	4	3	5
[No. 65] $\square + 35 \div 7 = 13$	11	6	2	3	8
[No. 66] $4 \times 24 \div \square = 12$	8	12	4	16	2
[No. 67] $3 \times \square - 10 = 17$	4	6	9	2	3
[No. 68] $35 \div 14 \times \square = 10$	7	5	3	4	9
[No. 69] $24 \div 2 \div \square = 3$	2	3	12	6	4
[No. 70] $23 - \square \div 7 = 19$	28	14	42	16	34

手引き		い	ろ	は	に
	I	U	Z	Y	N
	II	A	O	S	B
	III	X	K	W	I
	IV	E	V	J	P

	1	2	3	4
[No. 71] Iに・IVは・IIに・Iは	N J B V	N J B Y	N I B V	N I B Y
[No. 72] IIろ・IIIは・IVは・IVに	S W J P	S Y J P	O Y J I	O W J I
[No. 73] IIIは・IIIい・Iい・IIろ	W K U O	J X U A	J X U O	W K U A
[No. 74] IVろ・IIIい・IIIろ・Iは	V X K Y	W X K Y	W X V Y	V X V Y
[No. 75] IVい・IIIろ・Iい・IIに	E K A B	E K A P	E K U B	E K U P
[No. 76] IIは・IIろ・Iい・IVに	B O U P	B O U I	S O U I	S O U P
[No. 77] Iは・IIIい・IIに・IIは	Y E B S	Y E W S	Y X W S	Y B X S
[No. 78] IVい・IVろ・Iい・IIIは	E W U V	E V W U	E V U W	E U V W
[No. 79] IIIい・IIIろ・IIは・IVに	X K S P	I K W P	I K S B	X K W B
[No. 80] Iは・Iい・Iろ・IIに	S U Z B	Y U Z B	Y U O B	S U O B

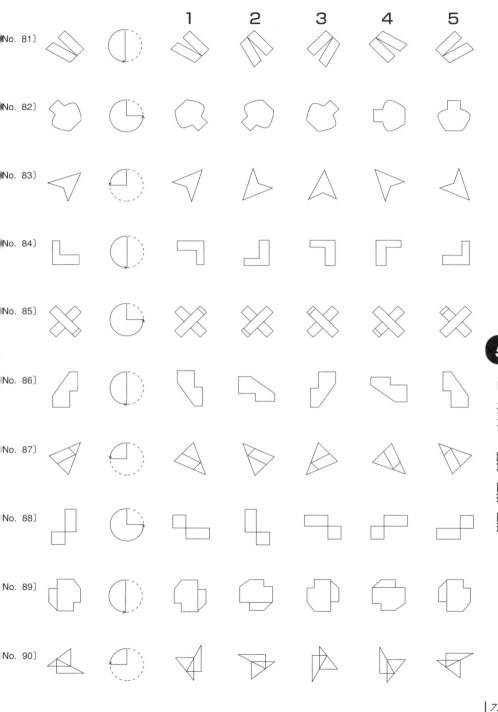

	1	2	3	4	5
〔No. 91〕 $5 + 28 \div \square = 9$	11	7	4	14	2
〔No. 92〕 $\square \times 4 \times 2 = 24$	4	6	2	3	1
〔No. 93〕 $\square \times 3 - 5 = 37$	16	17	14	8	21
〔No. 94〕 $3 \times \square + 4 = 31$	18	12	7	6	9
〔No. 95〕 $9 \times 6 \div \square = 18$	3	6	12	9	18
〔No. 96〕 $2 \times \square + 8 = 30$	16	11	9	8	13
〔No. 97〕 $28 \times 2 \div \square = 8$	12	7	14	4	3
〔No. 98〕 $5 \times \square - 14 = 16$	6	1	4	5	8
〔No. 99〕 $14 + \square \times 3 = 35$	11	9	5	12	7
〔No.100〕 $2 \times \square - 3 = 15$	6	8	9	4	2

手引き		い	ろ	は	に
	I	☆	※	∴	■
	II	▼	◎	△	□
	III	○	∵	◇	●
	IV	▽	★	▲	◆

	1	2	3	4
〔No.101〕 IIろ・IIIろ・IIIい・Iろ	◎∵○※	∵◎○※	◎∵▼※	∵◎▼※
〔No.102〕 IVに・IIIに・IIに・IVい	◆●□▽	☆●□▽	☆●■◇	◆●■◇
〔No.103〕 IIIい・IIい・IVは・Iい	○●▲◆	○▼▲☆	○●▲☆	○▼▲◆
〔No.104〕 IVろ・IIに・IVに・Iろ	★□◆∵	∵△◆※	∵△◆∵	★△◆※
〔No.105〕 IIろ・IIIは・IIは・IIい	∵◇△○	◎◇△○	◎◇△▼	◎▽△▼
〔No.106〕 IIIは・Iに・Iろ・IIは	▲∴※△	◇∴△※	▲■※△	◇■△※
〔No.107〕 Iは・Iに・IIろ・IIい	∴◎■▼	△■◎○	△◎■○	∴■◎▼
〔No.108〕 Iろ・IIは・Iい・IIろ	□△☆∵	※△◆∵	※△◆◎	□△◆◎
〔No.109〕 IIIい・IIIろ・IIは・Iは	○◎□∴	○∵△∴	○◇△∴	○◇□∴
〔No.110〕 IIに・Iに・IVに・IVは	●▽◆▲	□■◆▲	●■☆▲	□▽☆▲

No.111]

No.112]

No.113]

No.114]

No.115]

No.116]

No.117]

No.118]

No.119]

No.120]

[No. 1]	5	[No. 31]	3	[No. 61]	2	[No. 91]	2
[No. 2]	4	[No. 32]	1	[No. 62]	3	[No. 92]	4
[No. 3]	1	[No. 33]	1	[No. 63]	2	[No. 93]	3
[No. 4]	5	[No. 34]	3	[No. 64]	4	[No. 94]	5
[No. 5]	4	[No. 35]	4	[No. 65]	5	[No. 95]	1
[No. 6]	3	[No. 36]	2	[No. 66]	1	[No. 96]	2
[No. 7]	3	[No. 37]	4	[No. 67]	3	[No. 97]	2
[No. 8]	2	[No. 38]	5	[No. 68]	4	[No. 98]	1
[No. 9]	1	[No. 39]	5	[No. 69]	5	[No. 99]	5
[No. 10]	4	[No. 40]	2	[No. 70]	1	[No.100]	3
[No. 11]	4	[No. 41]	3	[No. 71]	2	[No.101]	1
[No. 12]	4	[No. 42]	3	[No. 72]	5	[No.102]	1
[No. 13]	5	[No. 43]	1	[No. 73]	5	[No.103]	2
[No. 14]	1	[No. 44]	2	[No. 74]	1	[No.104]	5
[No. 15]	2	[No. 45]	4	[No. 75]	3	[No.105]	3
[No. 16]	3	[No. 46]	5	[No. 76]	4	[No.106]	5
[No. 17]	1	[No. 47]	1	[No. 77]	5	[No.107]	4
[No. 18]	3	[No. 48]	3	[No. 78]	3	[No.108]	5
[No. 19]	4	[No. 49]	4	[No. 79]	1	[No.109]	2
[No. 20]	2	[No. 50]	4	[No. 80]	2	[No.110]	2
[No. 21]	3	[No. 51]	2	[No. 81]	4	[No.111]	1
[No. 22]	4	[No. 52]	1	[No. 82]	3	[No.112]	2
[No. 23]	2	[No. 53]	5	[No. 83]	4	[No.113]	4
[No. 24]	5	[No. 54]	4	[No. 84]	1	[No.114]	3
[No. 25]	3	[No. 55]	3	[No. 85]	2	[No.115]	2
[No. 26]	5	[No. 56]	2	[No. 86]	3	[No.116]	1
[No. 27]	4	[No. 57]	4	[No. 87]	5	[No.117]	4
[No. 28]	5	[No. 58]	1	[No. 88]	1	[No.118]	5
[No. 29]	5	[No. 59]	5	[No. 89]	3	[No.119]	2
[No. 30]	1	[No. 60]	2	[No. 90]	1	[No.120]	3

●目標点数……………**100**点

●あなたの得点…1回目 _____ 点

●あなたの得点…2回目 _____ 点

トレーニング 6

図形・照合・計算

Ⅰ　まず各検査のやり方を、5分間で以下の例題をよく読んで理解して下さい。
Ⅱ　本問（次ページから）の解答時間は15分間です。

検査Ⅰ

左側の図形と同じ形のものを答えなさい。ただし、図形は裏返さないものとする。
例えば【例題1】では、2が同じ図形であるので、正答は2となる。

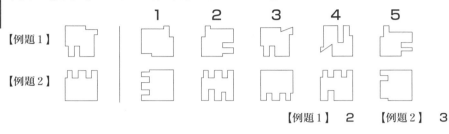

【例題1】　2　　【例題2】　3

検査Ⅱ

次の正本と副本を照合して、副本中の何ヶ所の欄に間違いがあるかを答えなさい。ただし、ひとつの欄の中では、2文字間違いがあっても1ヶ所と数える。
例えば【例題3】では、1つ目の欄の「頸」の字と、3つ目の欄の「て」の2ヶ所が正本と違うので、2が正答となる。

【正本】

頸椎の痛み	が激しく頭	を一人で上	げることも	できないと
共通の首相	候補と政権	構想を持っ	た政党やグ	ループの選

【副本】

頸椎の痛み	が激しく頭	を一人て上	げることも	できないと
供通の首相	候捕と政権	講想を持っ	た政党やク	ループが選

【例題3】　2　　【例題4】　5

検査Ⅲ

次の問題を記号の部分は手引きに示された方法で計算し、答えの一の位の値を答えなさい。
例えば【例題5】では、14♠10は和を求めて14＋10＝24、28♥32は差(絶対値)を求めて32−28＝4、2◆12は小さい数は2となるので、24÷4−2＝4となり、正答は4となる。

手引き	♠	2つの数の和
	♥	2つの数の差
	♣	2つの数のうち大きい数
	◆	2つの数のうち小さい数

【例題5】　　(14♠10)÷(28♥32)−(2◆12)　　　　　　　　【例題5】　4
【例題6】　　(18◆13)＋(6♣2)×(17♥9)　　　　　　　　【例題6】　1

6

トレーニング6　図形・照合・計算

79

	【正本】					【副本】			
〔No. 11〕	特に全国紙	やブロック	紙など各紙	の紙面の比	較に力を入	特に全国氏	やブロック	紙など各紙	の紙白の比	較に力を人
〔No. 12〕	ＦＡ宣言を	せずに残留	し来季から	複数年契約	を結ぶこと	ＦＡ宣言を	せずに残留	し来委から	復数年契約	を結ぶこと
〔No. 13〕	審査で重視	する内容の	上位は記事	の正確度価	値判断の適	審査で重覬	する内容の	上位は記事	の正確度価	値判断の滴
〔No. 14〕	高度経済成	長を推進し	清潔なイメ	ージが強い	からで一種	高度経済成	長を推進し	静潔なイメ	ージが強い	からで一種
〔No. 15〕	途上国を巻	き込むため	にも日本と	してのきち	んとした態	途上国を巻	きこむため	には日本と	してのきさ	んとした能
〔No. 16〕	テレビカメ	ラが京都市	右京区太秦	の大林朗さ	んをとらえ	テレビカメ	フが京都市	右京区太秦	の大林郎さ	んをとろえ
〔No. 17〕	新聞社内の	紙面討議を	紙上で公開	するという	国内初の試	新聞社内の	紙面試議を	紙上で公開	するという	国内始の試
〔No. 18〕	1打差の3	位に尾崎直	道と福沢義	光がつけさ	らに1打差	1打差の3	位に尾崎直	道と福澤義	光がつけさ	らに1打差
〔No. 19〕	実現可能な	あるターゲット	に向け	てベストな	政策措置の	実現可態な	あるターケット	へ向け	てベストな	政策惜置の
〔No. 20〕	地球温暖化	の深刻さ対	策の緊急性	など地球温	暖化防止に	池球温暖化	の深劾さ対	策の堅急性	など地球温	暖化防止に

手引き	♠	2つの数の和
	♥	2つの数の差
	♣	2つの数のうち大きい数
	♦	2つの数のうち小さい数

〔No. 21〕　(3 ♠ 4)×(24 ♥ 23)×(16 ♦ 5)

〔No. 22〕　(48 ♣ 36)÷(31 ♥ 28)−(7 ♠ 6)

〔No. 23〕　(16 ♠ 24)÷(16 ♥ 11)+(4 ♦ 17)

〔No. 24〕　(17 ♥ 12)÷(31 ♥ 13)×(54 ♣ 37)

〔No. 25〕　(7 ♦ 5)×(23 ♥ 18)+(6 ♥ 12)

〔No. 26〕　(39 ♠ 57)÷(8 ♦ 11)÷(4 ♣ 1)

〔No. 27〕　(3 ♦ 11)×(12 ♥ 8)×(4 ♠ 3)

〔No. 28〕　(36 ♠ 27)÷(7 ♣ 3)×(5 ♦ 9)

〔No. 29〕　(54 ♣ 37)÷(6 ♦ 9)+(11 ♥ 8)

〔No. 30〕　(6 ♠ 5)÷(9 ♣ 4)×(7 ♠ 11)

6

トレーニング6　図形・照合・計算

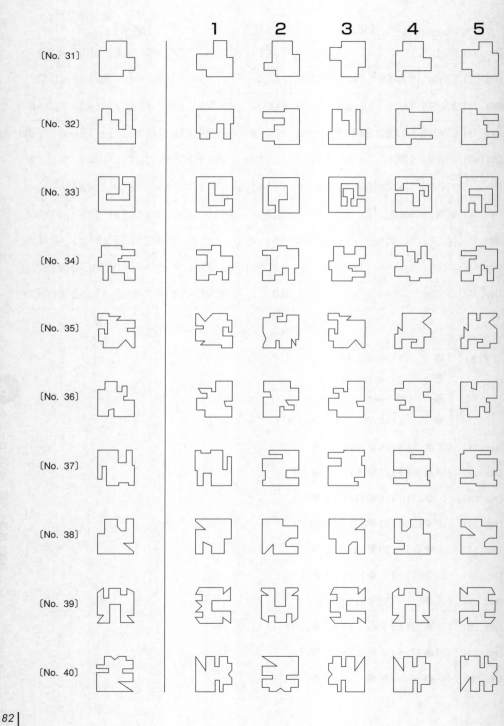

[No. 31]

[No. 32]

[No. 33]

[No. 34]

[No. 35]

[No. 36]

[No. 37]

[No. 38]

[No. 39]

[No. 40]

1 2 3 4 5

【正本】

〔No. 41〕	郵政三事業	の国営維持	のほか分割	や統合が示	された建設
〔No. 42〕	内閣広報官	から本年6	月に実施し	た「地球温	暖化問題に
〔No. 43〕	朴政権で首	相だった金	鍾泌自民連	総裁は金大	中氏の参加
〔No. 44〕	朝日本代表	が合宿して	いる静岡県	内からFW	西沢が大阪
〔No. 45〕	京都市や京	都新聞社な	どが出資し	昨年4月	に開局した
〔No. 46〕	臨時首脳会	議を開いて	経済問題を	中心に組織	の抜本的な
〔No. 47〕	問題が起き	てから紙面	審査機構や	メディア欄	が検証する
〔No. 48〕	地上放送課	長は四年前	に郵政省が	調査したの	は報道局長
〔No. 49〕	取締役は総	会屋グルー	プ代表に資	金提供を始	めた当時の
〔No. 50〕	社の上層部	の関与はと	いう質問に	は本人の権	限で処理を

【副本】

郵政三事業	の国営維持	のほか分割	や綜合が示	された健設
内閣広報官	から本年6	月に実施し	た『地球温	暖化問題に
札政権で首	相たった金	鍾秘自民連	総裁は金太	中氏の参加
朝日本代表	が合宿して	いる静岡県	内からFM	西沢が大坂
京都市や京	都新聞社な	どが出資し	て昨年4月	に開局した
臨時自脳会	擬を開いて	経済門題を	中心に組識	の抜本的に
問題がおき	てから紙面	審議機構や	メディア蘭	が倹証する
地止放送課	張は四年前	に郵便省が	調査つたの	は報導局長
取締役は総	会屋グルー	プ代表に資	本提供を始	めた当時の
社の上曽部	の関巧はと	いう質問に	は本人の潅	限で処理の

手引き

♣	2つの数の和
♦	2つの数の差
♠	2つの数のうち大きい数
♥	2つの数のうち小さい数

〔No. 51〕 $(16 ♦ 13) × (7 ♠ 3) + (9 ♣ 5)$

〔No. 52〕 $(56 ♠ 49) × (2 ♥ 4) ÷ (8 ♠ 3)$

〔No. 53〕 $(36 ♦ 32) ÷ (2 ♥ 9) × (6 ♠ 3)$

〔No. 54〕 $(17 ♠ 15) - (48 ♥ 53) ÷ (4 ♦ 12)$

〔No. 55〕 $(7 ♣ 8) - (29 ♦ 41) × (1 ♥ 5)$

〔No. 56〕 $(19 ♦ 17) + (11 ♠ 9) × (9 ♦ 12)$

〔No. 57〕 $(30 ♠ 27) ÷ (7 ♣ 8) + (19 ♥ 24)$

〔No. 58〕 $(9 ♣ 4) × (3 ♥ 7) - (9 ♣ 5)$

〔No. 59〕 $(37 ♥ 35) ÷ (3 ♣ 2) + (21 ♦ 4)$

〔No. 60〕 $(4 ♥ 8) × (17 ♦ 14) × (2 ♥ 7)$

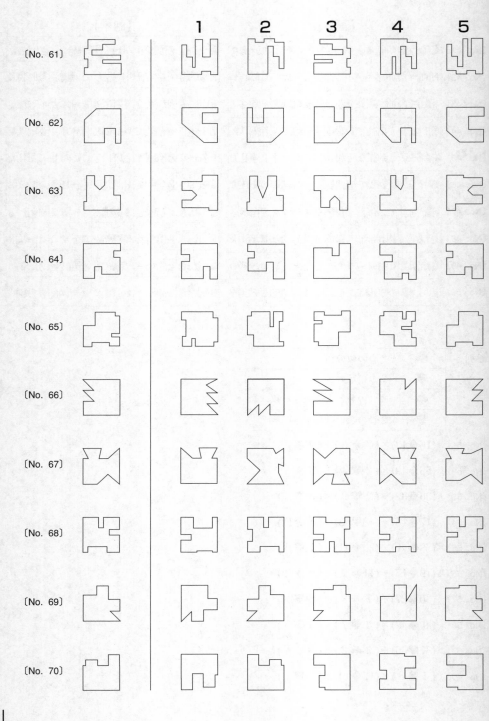

	【正本】						【副本】				
〔No. 71〕	地球温暖化	の影響対策	の必要性京	都会議の意	義などにつ		地球温暖化	の影郷対策	が必要性京	都会議の意	議などにつ
〔No. 72〕	２３日午後	４時ごろ横	浜市青葉区	荏田町の東	急田園都市		２３日午后	４時ごろ横	浜市青葉区	任田町の東	急田園都市
〔No. 73〕	例えば温暖	化ガス全体	で５％削減	するとした	場合メタン		例えば温暖	化ガス全体	で５％削減	するとした	場合メクン
〔No. 74〕	木村社長は	今朝がた会	見でおわび	申し上げた	ばかりです		本村社長は	今朝がた会	目でおわび	申し上げる	ばかりです
〔No. 75〕	プロディ首	相は急激な	変化ではな	く安心でき	る変化の方		プロディ首	相は急檄な	変化ではな	く安心でき	る変化の方
〔No. 76〕	大阪市西成	区に住む永	沼由扶子さ	んは番組へ	の出演や情		大阪市西盛	区に住む永	沼由夫子さ	んの番組へ	の出演や情
〔No. 77〕	午前九時立	会人の岩田	達明九段が	酒井九段の	前日の封じ		午前九時立	合人の岩田	達明九段が	酉井九段の	前日の耐じ
〔No. 78〕	サッカーの	日本代表チ	ームは２６	日W杯フランス	大会出		サッカーの	日本代表テ	ームは２６	日W杯フラ	ンス大会出
〔No. 79〕	関西レベル	においてそ	れぞれ官民	がこぞって	参画する支		関東レベル	においてそ	れぞれ管民	がこぞって	参加する支
〔No. 80〕	橋本龍太郎	首相は首相	官邸で来日	中のイタリ	アのプロデ		橋本竜太郎	首相は首相	官定で来日	中のイリタ	アのフロデ

手引き

♠	２つの数の和
♥	２つの数の差
♣	２つの数のうち大きい数
♦	２つの数のうち小さい数

〔No. 81〕 (6 ♠ 2)×(14 ♥ 8)−(15 ♣ 13)

〔No. 82〕 (4 ♦ 7)×(12 ♥ 9)×(2 ♦ 8)

〔No. 83〕 (1 ♣ 4)+(17 ♣ 11)×(21 ♥ 18)

〔No. 84〕 (43 ♠ 17)÷(5 ♣ 2)÷(4 ♦ 9)

〔No. 85〕 (2 ♦ 5)×(12 ♠ 7)+(3 ♠ 1)

〔No. 86〕 (9 ♥ 11)×(13 ♠ 2)÷(4 ♠ 2)

〔No. 87〕 (5 ♣ 2)+(14 ♠ 4)÷(3 ♦ 7)

〔No. 88〕 (30 ♣ 24)÷(11 ♥ 9)÷(3 ♠ 2)

〔No. 89〕 (72 ♣ 61)÷(9 ♦ 13)×(7 ♥ 4)

〔No. 90〕 (7 ♠ 3)×(6 ♥ 3)+(13 ♦ 17)

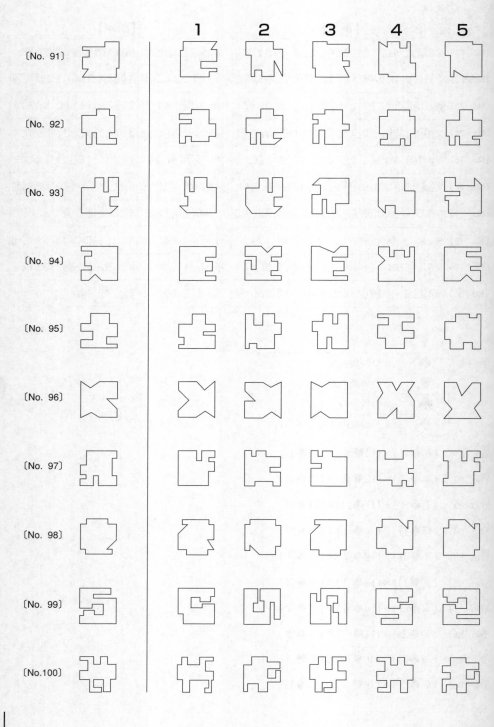

〔No. 91〕

1 2 3 4 5

〔No. 92〕

〔No. 93〕

〔No. 94〕

〔No. 95〕

〔No. 96〕

〔No. 97〕

〔No. 98〕

〔No. 99〕

〔No.100〕

	【正本】					【副本】			
〔No.101〕	東京都が都	庁内の記者	クラブに加	盟する記者	を接待し一	東京都が都	庁内の記箸	クラブに加	入する記者	を接持し一
〔No.102〕	ボランティ	アの市民リ	ポーターや	情報特派員	は同時にケ	ボヲンティ	アの市民ク	ホーターや	晴報特派員	が同時にケ
〔No.103〕	紀藤は23	日今季取得	したフリー	エージェン	トFAの権	己藤は23	日今季取得	したフリー	エージャン	トFAの権
〔No.104〕	世界第11	位の経済大	国の基盤を	造れたのは	朴正熙大統	世界第11	位の経済大	国の基盤を	作れたのは	朴正熙大統
〔No.105〕	リーグ優勝	に続いて本	拠神宮球場	での優勝を	決め野村監	リーク優勝	に続いて本	処神宮球場	での憂勝を	決め野村監
〔No.106〕	誤報や報道	被害をなく	すようマス	コミ全体と	して改善し	誤報や胞道	彼害をなく	すようマス	コミ全休と	して改善し
〔No.107〕	ラナリット	前第一首相	とともに国	外に逃れた	ままの国会	ラナリッド	前第一首長	とともに国	外に避れた	ままの国会
〔No.108〕	COP3の	時点で先進	国としてす	べきことを	せず途上国	GOP3の	時点で先進	国としてす	べきことを	せず途中国
〔No.109〕	テレビの大	型化などに	よる伸びを	そのまま将	来に投影す	テレビの太	形化などに	よるのびを	そのまま未	来に投影す
〔No.110〕	国会で安全	保障問題や	田中金脈ロ	ッキード事	件などを追	国会で安金	保章問題や	田中全脈ロ	ッキード事	件などを遂

手引き

♣	2つの数の和
♦	2つの数の差
♠	2つの数のうち大きい数
♥	2つの数のうち小さい数

〔No.111〕　$(16♣28) ÷ (16♦14) ÷ (2 ♥ 9)$

〔No.112〕　$(18♠14) ÷ (11♦ 9) × (8 ♠ 4)$

〔No.113〕　$(8 ♣ 6) × (9 ♠ 7) ÷ (18♦ 9)$

〔No.114〕　$(2 ♥ 4) + (13♦ 9) × (21♥13)$

〔No.115〕　$(4 ♥13) ÷ (23♦15) × (13♣11)$

〔No.116〕　$(3 ♥ 9) - (8 ♣ 6) ÷ (26♦19)$

〔No.117〕　$(23♣19) ÷ (7 ♠ 5) ÷ (3 ♥ 6)$

〔No.118〕　$(4 ♠ 1) × (21♦ 9) - (17♥15)$

〔No.119〕　$(11♦ 8) + (9 ♣ 7) × (3 ♠ 1)$

〔No.120〕　$(12♠ 6) ÷ (3 ♥ 8) + (9 ♣ 8)$

6

トレーニング6　図形・照合・計算

トレーニング6 正答

[No. 1]	1	[No. 31]	5	[No. 61]	5	[No. 91]	4
[No. 2]	5	[No. 32]	2	[No. 62]	2	[No. 92]	1
[No. 3]	4	[No. 33]	1	[No. 63]	1	[No. 93]	3
[No. 4]	3	[No. 34]	5	[No. 64]	4	[No. 94]	4
[No. 5]	2	[No. 35]	5	[No. 65]	3	[No. 95]	4
[No. 6]	1	[No. 36]	3	[No. 66]	2	[No. 96]	2
[No. 7]	2	[No. 37]	1	[No. 67]	3	[No. 97]	5
[No. 8]	5	[No. 38]	2	[No. 68]	5	[No. 98]	2
[No. 9]	4	[No. 39]	3	[No. 69]	1	[No. 99]	4
[No. 10]	2	[No. 40]	3	[No. 70]	3	[No.100]	5
[No. 11]	3	[No. 41]	2	[No. 71]	3	[No.101]	3
[No. 12]	2	[No. 42]	1	[No. 72]	2	[No.102]	5
[No. 13]	2	[No. 43]	4	[No. 73]	1	[No.103]	2
[No. 14]	1	[No. 44]	2	[No. 74]	3	[No.104]	1
[No. 15]	4	[No. 45]	1	[No. 75]	1	[No.105]	3
[No. 16]	4	[No. 46]	5	[No. 76]	4	[No.106]	3
[No. 17]	2	[No. 47]	5	[No. 77]	3	[No.107]	5
[No. 18]	1	[No. 48]	5	[No. 78]	1	[No.108]	2
[No. 19]	5	[No. 49]	1	[No. 79]	5	[No.109]	4
[No. 20]	3	[No. 50]	4	[No. 80]	4	[No.110]	4
[No. 21]	5	[No. 51]	5	[No. 81]	3	[No.111]	1
[No. 22]	3	[No. 52]	4	[No. 82]	4	[No.112]	2
[No. 23]	2	[No. 53]	2	[No. 83]	5	[No.113]	4
[No. 24]	5	[No. 54]	1	[No. 84]	3	[No.114]	4
[No. 25]	1	[No. 55]	3	[No. 85]	2	[No.115]	2
[No. 26]	3	[No. 56]	5	[No. 86]	5	[No.116]	1
[No. 27]	4	[No. 57]	1	[No. 87]	1	[No.117]	2
[No. 28]	5	[No. 58]	5	[No. 88]	3	[No.118]	3
[No. 29]	2	[No. 59]	4	[No. 89]	4	[No.119]	1
[No. 30]	2	[No. 60]	4	[No. 90]	3	[No.120]	1

●あなたの得点…1回目 _____ 点

●目標点数…………**90**点

●あなたの得点…2回目 _____ 点

計算・置換・図形

Ⅰ　まず各検査のやり方を、5分間で以下の例題をよく読んで理解して下さい。
Ⅱ　本問（次ページから）の解答時間は15分間です。

検査Ⅰ

手引きの中から数を取り出して、指示に従って計算をし、その答えと同じ数字を選びなさい。ただし、①・②……は、手引きの中の列の番号を表す。
例えば【例題1】では、①の列を用いて、「bとdをたしたもの」は 7 + 4 =11、「偶数をたしたもの」は 4 + 2 = 6 となり、指示に従って11× 6 =66となるので、正答は **5** となる。

手引き	①	②	③	④	⑤
a	1	5	6	4	13
b	7	11	3	2	3
c	3	9	4	9	9
d	4	7	5	7	2
e	2	4	3	1	6

	1	2	3	4	5
【例題1】①：bとdをたしたものから、偶数をたしたものをかける	72	63	68	65	66
【例題2】④：aとdの小さい方に、一番大きな数をかける	30	33	36	39	42

【例題1】 **5**　　　【例題2】 **3**

検査Ⅱ

左側のアルファベット（またはかな）と記号の組合せを、手引き2に示す指示に従って手引き1の表をみて置き換え、右側の文字列と照合し、正しく置き換えられている数を答えなさい。
例えば【例題3】では、「P∪」は「Ｉ」、「F⊂」は「Ｇ」、「N⊃」は「Ｋ」、「S∪」は「Ｘ」、「L∩」は「Ｉ」と置き換えられる。これを、右側の文字列と照合すると4文字が一致するので、正答は **4** となる。

手引き1			
Y	C	D	A
X	L	F	G
S	I	K	N
Q	P	O	T

手引き2	
∪	1つ上のマスの文字
∩	1つ下のマスの文字
⊂	1つ右のマスの文字
⊃	1つ左のマスの文字

【例題3】　P∪F⊂N⊃S∪L∩　　IGTXI　　【例題3】 **4**
【例題4】　O⊃N∪T∪L⊂X⊂　　PTOCS　　【例題4】 **1**

検査Ⅲ

左側の図形と同じ形のものを答えなさい。ただし、同じものがない場合は、**5**を正答とする。
例えば【例題5】では、3 が同じ図形であるので、正答は **3** となる。

1　　　2　　　3　　　4

【例題5】

【例題6】

【例題5】 **3**　　　【例題6】 **5**

手引き	①	②	③	④	⑤
a	8	2	3	14	5
b	3	5	1	8	9
c	13	7	5	9	3
d	6	4	6	4	12
e	4	6	8	3	2

		1	2	3	4	5
〔No. 1〕	②：奇数をたしたものを一番小さな数でわる	4	6	8	12	10
〔No. 2〕	④：一番小さな数にcからdをひいたものをかける	21	13	14	18	15
〔No. 3〕	①：偶数をたしたものをbとdをたしたものでわる	3	2	7	6	4
〔No. 4〕	⑤：一番大きな数から一番小さな数をひきcをかける	29	33	30	26	23
〔No. 5〕	④：aとcの大きいほうにbとeの小さいほうをかける	42	40	36	38	44
〔No. 6〕	③：奇数をたしたものとdとeの小さいほうをかける	41	44	51	54	47
〔No. 7〕	②：偶数をたしたものに一番小さい奇数をかける	53	60	57	63	67
〔No. 8〕	③：一番大きな数を一番小さな数でわりdをかける	41	45	53	58	48
〔No. 9〕	⑤：dとbの大きいほうをaとcの小さいほうでわる	8	2	4	3	5
〔No. 10〕	①：一番大きな奇数と一番大きな偶数をたしてbでわる	7	4	3	9	1

手引き 1

Q	Y	O	R
L	F	Z	N
B	U	J	C
I	A	D	K

手引き 2

∪	1つ上のマスの文字
∩	1つ下のマスの文字
⊂	1つ右のマスの文字
⊃	1つ左のマスの文字

〔No. 11〕 F⊂O⊃N∪L⊂K⊃ Z Y C B D

〔No. 12〕 A∪D⊃C⊃R∩Q⊂ U A J N Y

〔No. 13〕 J∩K⊃F∪I⊂C⊃ Z J U A Z

〔No. 14〕 O⊃Q∩I⊂R⊃B⊂ R L A O U

〔No. 15〕 Z∩I∪K⊃R∩O⊂ J B D N Y

〔No. 16〕 B∩Y∩A⊂O⊃R∩ I F J R N

〔No. 17〕 A∪Z⊃B∪F⊃Y⊃ U N I L P

〔No. 18〕 K⊃L⊂F⊂J∩A⊂ D Y L Z I

〔No. 19〕 A⊂U∩D⊃Z⊂C∩ I F A N K

〔No. 20〕 D∪O∩I⊂F∪I∪ J Z A Y B

[No. 21]
- 問題: I / III X / V
- 1: I / III X / V
- 2: II / XI X / V
- 3: I / III IX / IV
- 4: II / III X / V

[No. 22]
- 問題: XI / V II / III
- 1: II / V II / XII
- 2: X / V II / III
- 3: IX / V II / III
- 4: XI / V II / III

[No. 23]
- 問題: VI / II III / X
- 1: XI / III II / VI
- 2: X / III II / ΛI
- 3: X / II III / XI
- 4: VI / III II / XI

[No. 24]
- 問題: II / X XI / I
- 1: II / XI X / II
- 2: II / X XI / I
- 3: IX XI / I
- 4: II / X V / III

[No. 25]
- 問題: V / III IX / II
- 1: II IX / I
- 2: II / IX X / Λ
- 3: V / III IX / II
- 4: III / X III / Λ

[No. 26]
- 問題: VI / X II / III
- 1: V / XI I / III
- 2: V / XI II / III
- 3: III / III Λ / IΛ
- 4: VI / X II / III

[No. 27]
- 問題: III / I X / II
- 1: X / III I / II
- 2: II / V I / III
- 3: III / X I / II
- 4: II / I XI / III

[No. 28]
- 問題: V / I X / III
- 1: V / I X / III
- 2: V / II IX / I
- 3: VI / I XI / III
- 4: Λ / X I / II

[No. 29]
- 問題: X / III II / VI
- 1: V / II III / X
- 2: X / III I / VI
- 3: X / III II / VI
- 4: IΛ / III II / X

[No. 30]
- 問題: I / IV XII / XI
- 1: II / IV XII / XI
- 2: I / IV XII / XI
- 3: IIX IX ΛI / II
- 4: II / IV XII / XI

7

トレーニング7　計算・置換・図形

手引き	①	②	③	④	⑤
a	1	4	10	7	8
b	2	3	5	12	9
c	6	8	6	4	3
d	13	2	11	6	1
e	7	5	9	3	4

		1	2	3	4	5
〔No. 31〕	⑤：一番大きな数を3倍して偶数をたしたものをひく	15	17	19	21	13
〔No. 32〕	④：bとdの大きいほうから奇数をたしたものをひく	4	2	5	3	1
〔No. 33〕	①：bとcをかけたものにaとeをかけたものをたす	18	22	14	19	15
〔No. 34〕	③：aからcをひいたものに一番小さな奇数をかける	23	21	20	16	18
〔No. 35〕	②：奇数をたしたものに偶数の一番大きなものをかける	71	64	61	59	67
〔No. 36〕	④：aとbをたしたものから奇数をたしたものをひく	7	6	8	11	9
〔No. 37〕	②：一番大きな数から一番小さな数をひきaをかける	29	27	31	24	26
〔No. 38〕	①：偶数をたしたものにdをくわえeでわる	3	4	2	1	5
〔No. 39〕	⑤：bからdをひいたものにaからeをひいたものをかける	27	28	32	29	33
〔No. 40〕	③：cとdをかけたものからbとeをかけたものをひく	19	21	24	23	17

手引き1

ほ	さ	も	あ
そ	き	に	へ
え	う	せ	く
ん	れ	と	け

手引き2

∪	2つ上のマスの文字
∩	2つ下のマスの文字
⊂	2つ右のマスの文字
⊃	2つ左のマスの文字

〔No. 41〕 あ∩け⊃に⊃き⊂れ∪　　　くとそにう

〔No. 42〕 も⊃せ⊃へ∩と∪さ⊂　　　ほそくもに

〔No. 43〕 ほ⊂け⊃へ⊃と⊃き⊂　　　されきにへ

〔No. 44〕 に∩と⊃う∪ほ⊂も∩　　　とんさもせ

〔No. 45〕 も⊃あ∩そ⊂ん∪と∪　　　ほくきそに

〔No. 46〕 そ⊂く⊃せ⊃ん⊂へ∩　　　にせあとけ

〔No. 47〕 ほ⊂ん∪え⊂き⊂そ∩　　　もえうへん

〔No. 48〕 へ⊃き∩く⊃ん∪せ∪　　　にうせそさ

〔No. 49〕 せ⊃く∪ほ⊂に⊃け∪　　　えあもそく

〔No. 50〕 さ∩あ⊃れ∪へ⊃き∩　　　うさきにれ

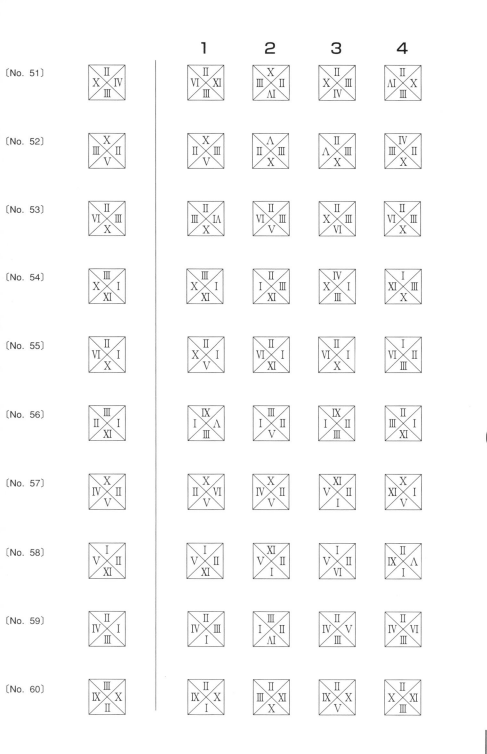

手引き	①	②	③	④	⑤
a	1	6	5	2	1
b	2	5	8	3	7
c	4	4	7	12	10
d	13	3	6	9	9
e	10	12	1	5	8

	1	2	3	4	5
〔No. 61〕 ②：偶数をたしたものからbとdをかけたものをひく	8	3	4	7	6
〔No. 62〕 ③：一番大きな奇数を2倍して一番小さな偶数をかける	91	62	53	76	84
〔No. 63〕 ②：bとeをかけたものをaとbをかけたものでわる	6	5	4	2	3
〔No. 64〕 ⑤：eを2乗したものからbを2乗したものをひく	15	17	19	13	21
〔No. 65〕 ④：cからaをひいたものにeからbをひいたものをかける	16	15	20	18	17
〔No. 66〕 ①：eを4倍したものからbとcをたして3倍したものをひく	24	27	16	22	23
〔No. 67〕 ④：cからdをひきeをかけaをたしbをひく	14	19	21	17	15
〔No. 68〕 ①：一番大きな奇数から一番小さな偶数をひきcをかける	48	47	39	44	41
〔No. 69〕 ⑤：奇数をたしたものの2倍から偶数をたしたものをひく	12	14	20	18	16
〔No. 70〕 ③：bとcをかけたものからdとeをたしたものをひく	39	49	46	37	32

手引き 1

R	H	I	G
M	Y	K	C
Z	B	W	A
N	P	O	J

手引き 2

∪	1つ上のマスの文字
∩	1つ下のマスの文字
⊂	1つ右のマスの文字
⊃	1つ左のマスの文字

〔No. 71〕 I ∩ Z ⊂ G ∩ A ⊃ M ∪   K B C W R

〔No. 72〕 N ∪ H ⊂ Z ∪ A ∩ B ⊂   Z R N C K

〔No. 73〕 W ⊃ R ∩ B ∪ Z ⊂ G ⊃   A H P M I

〔No. 74〕 I ⊃ G ∩ H ⊃ Z ⊂ M ∩   G C R Y Z

〔No. 75〕 N ∪ P ⊂ J ∪ M ∪ K ⊃   P O A Z C

〔No. 76〕 W ⊃ C ⊃ H ⊂ B ⊃ I ∩   A K R W K

〔No. 77〕 R ⊂ W ⊃ P ⊃ M ⊂ G ⊃   M B N Y I

〔No. 78〕 K ∪ N ⊂ G ⊃ C ∩ O ⊃   I P K G J

〔No. 79〕 I ⊂ N ∪ R ∩ B ⊂ J ⊃   H Z M Z O

〔No. 80〕 J ⊃ W ∪ P ⊃ M ∪ N ∪   O K N R Z

[No. 81]

	問題	1	2	3	4
上	IX	IX	IX	IX	II
左	I	II	I	I	I
右	II	I	V	II	II
下	III	III	III	III	XI

[No. 82]

	問題	1	2	3	4
上	X	IΛ	XI	IΛ	X
左	III	II	II	I	II
右	II	III	III	II	III
下	VI	X	VI	X	VI

[No. 83]

	問題	1	2	3	4
上	I	I	XI	I	I
左	V	V	I	VI	V
右	II	II	Λ	II	III
下	IX	XI	II	XI	IX

[No. 84]

	問題	1	2	3	4
上	II	II	II	III	I
左	VI	X	VI	VI	VI
右	III	III	III	II	III
下	X	VI	X	X	XI

[No. 85]

	問題	1	2	3	4
上	II	X	II	II	II
左	III	Λ	III	III	I
右	V	II	V	X	V
下	X	III	X	V	X

[No. 86]

	問題	1	2	3	4
上	I	X	I	II	II
左	IV	IV	VI	IV	III
右	III	III	III	I	ΛI
下	II	II	II	III	I

[No. 87]

	問題	1	2	3	4
上	II	II	III	I	V
左	V	V	V	X	III
右	X	X	X	Λ	X
下	III	III	II	II	II

[No. 88]

	問題	1	2	3	4
上	I	I	I	I	II
左	XI	IX	X	XI	XI
右	X	V	XI	X	III
下	III	III	III	III	X

[No. 89]

	問題	1	2	3	4
上	II	X	II	II	I
左	III	Λ	III	IV	II
右	I	III	I	I	III
下	X	II	V	XI	X

[No. 90]

	問題	1	2	3	4
上	II	II	II	III	II
左	XI	XI	VI	XI	XI
右	III	III	III	II	VI
下	VI	VI	XI	V	VI

手引き	①	②	③	④	⑤
a	1	5	9	8	5
b	4	3	2	12	10
c	9	6	1	4	2
d	2	4	3	5	7
e	11	2	13	3	6

		1	2	3	4	5
〔No. 91〕	⑤：奇数をかけあわせたものからcとeをかけたものをひく	23	21	17	22	20
〔No. 92〕	①：一番大きな偶数を2乗したものをdでわりcをたす	16	17	15	12	14
〔No. 93〕	④：一番大きな数から一番小さな数をひき c をかける	26	32	34	36	38
〔No. 94〕	①：eとdをかけたものにaとbをかけたものをかける	78	77	88	92	80
〔No. 95〕	③：一番小さい偶数と一番大きな奇数をかけ a をひく	20	19	18	21	17
〔No. 96〕	②：偶数をたしたものから奇数をたしたものをひく	2	3	4	6	5
〔No. 97〕	④：bからdをひいたものとaからeをひいたものをかける	35	40	45	30	25
〔No. 98〕	③：一番大きな奇数から一番小さな奇数をひき偶数をかける	32	22	24	26	28
〔No. 99〕	⑤：dの2乗からaとcをたしたものをひきcでわる	11	13	14	16	21
〔No.100〕	②：aとcをかけたものをdとeをたしたものでわる	1	2	3	4	5

手引き1			
つ	し	ま	ぬ
ろ	は	と	を
や	の	む	え
ふ	ゆ	ら	め

手引き2	
∪	2つ上のマスの文字
∩	2つ下のマスの文字
⊂	2つ右のマスの文字
⊃	2つ左のマスの文字

〔No.101〕 の∪や⊂と∩をつむ∪　　はとむろま

〔No.102〕 ぬ∩の∪を∩とつし∩　　をはめやの

〔No.103〕 つ⊂を∩とつし∩まつ　　まえろはし

〔No.104〕 え⊃ろ⊂の⊂と∩つ⊂　　のとえらま

〔No.105〕 ふ∪の⊂は∩ゆ⊂と∩　　やえゆめら

〔No.106〕 ぬつや⊂をつは∩め∪　　しむはゆを

〔No.107〕 つ∩とつめつゆ∪し⊂　　ふろらしま

〔No.108〕 らつふ∪つ⊂め∪ゆ∪　　ゆろぬをは

〔No.109〕 ろ⊂らつえつめつの∪　　とゆむらし

〔No.110〕 め∪と∩し⊂つ∩ま∩　　をらぬやむ

	問題	1	2	3	4
[No.111]	X / II・III / I	I / II・III / X	X / II・III / I	V / XI・II / X	X / I・V / II
[No.112]	III / VI・X / V	II / V・X / VI	III / X・IV / V	III / VI・XI / V	XI / VI・X / V
[No.113]	II / V・III / X	III / V・II / X	Λ / III・X / II	X / III・Λ / II	II / X・III / V
[No.114]	II / XI・V / III	II / IX・V / I	III / XI・V / IV	Λ / II・III / XI	II / XI・V / III
[No.115]	I / XI・III / X	I / XI・II / X	Λ / III・IX / I	XI / I・X / III	I / XI・III / X
[No.116]	XI / III・II / I	X / II・III / I	I / II・III / IX	III / II・I / ΛI	IV / III・II / V
[No.117]	III / X・IX / I	V / X・IX / III	III / XI・X / I	II / IΛ・X / III	I / IΛ・X / II
[No.118]	V / X・I / III	VI / X・II / I	I / X・V / III	X / V・I / III	V / X・I / III
[No.119]	IV / X・II / III	III / II・X / ΛI	IV / III・I / V	XI / IV・II / III	IV / X・III / II
[No.120]	X / IV・III / II	III / V・X / IV	II / III・IX / ΛI	X / IV・III / II	V / III・XI / II

[No. 1]	2	[No. 31]	1	[No. 61]	4	[No. 91]	1
[No. 2]	5	[No. 32]	2	[No. 62]	5	[No. 92]	2
[No. 3]	2	[No. 33]	4	[No. 63]	4	[No. 93]	4
[No. 4]	3	[No. 34]	3	[No. 64]	1	[No. 94]	3
[No. 5]	1	[No. 35]	2	[No. 65]	3	[No. 95]	5
[No. 6]	4	[No. 36]	5	[No. 66]	4	[No. 96]	3
[No. 7]	2	[No. 37]	4	[No. 67]	1	[No. 97]	1
[No. 8]	5	[No. 38]	1	[No. 68]	4	[No. 98]	3
[No. 9]	3	[No. 39]	3	[No. 69]	5	[No. 99]	5
[No. 10]	1	[No. 40]	2	[No. 70]	2	[No.100]	5
[No. 11]	3	[No. 41]	2	[No. 71]	5	[No.101]	1
[No. 12]	5	[No. 42]	1	[No. 72]	1	[No.102]	2
[No. 13]	1	[No. 43]	4	[No. 73]	1	[No.103]	2
[No. 14]	4	[No. 44]	5	[No. 74]	3	[No.104]	5
[No. 15]	4	[No. 45]	4	[No. 75]	2	[No.105]	4
[No. 16]	3	[No. 46]	3	[No. 76]	2	[No.106]	5
[No. 17]	2	[No. 47]	3	[No. 77]	4	[No.107]	1
[No. 18]	1	[No. 48]	1	[No. 78]	2	[No.108]	3
[No. 19]	3	[No. 49]	4	[No. 79]	3	[No.109]	2
[No. 20]	5	[No. 50]	4	[No. 80]	5	[No.110]	5
[No. 21]	1	[No. 51]	5	[No. 81]	3	[No.111]	2
[No. 22]	4	[No. 52]	2	[No. 82]	1	[No.112]	5
[No. 23]	5	[No. 53]	4	[No. 83]	5	[No.113]	3
[No. 24]	2	[No. 54]	1	[No. 84]	2	[No.114]	4
[No. 25]	3	[No. 55]	3	[No. 85]	2	[No.115]	4
[No. 26]	4	[No. 56]	3	[No. 86]	4	[No.116]	2
[No. 27]	5	[No. 57]	2	[No. 87]	1	[No.117]	5
[No. 28]	1	[No. 58]	1	[No. 88]	3	[No.118]	4
[No. 29]	3	[No. 59]	5	[No. 89]	5	[No.119]	1
[No. 30]	2	[No. 60]	4	[No. 90]	1	[No.120]	3

●目標点数…………**90**点

●あなたの得点…1回目＿＿＿＿＿点

●あなたの得点…2回目＿＿＿＿＿点

計算・置換・図形

Ⅰ　まず各検査のやり方を、5分間で以下の例題をよく読んで理解して下さい。
Ⅱ　本問（次ページから）の解答時間は15分間です。

検査Ⅰ

次の問題を計算し、結果がどの欄に含まれているかを答えよ。
例えば【例題1】は計算すると答えは28となるので、手引きの **3** に含まれている。したがって、**3** が正答となる。

手引き	1	2	3	4	5
	1〜7	8〜27	28〜31	32〜34	35〜41

【例題1】　42 × 10 ÷ 14 − 2　　　　　　　　　　　　【例題1】　**3**
【例題2】　72 × 3 ÷ 9 + 10　　　　　　　　　　　　【例題2】　**4**

検査Ⅱ

次のひらがな（あるいはアルファベット）と数字の組合せを、手引きによって正しく置き換えたものはどれか。
例えば【例題3】では、「お・4」を手引きの③によって置き換えると、五〇音順の一つ後は「か」、数字の2つ小さいものは「2」となるので、「か・2」となり正答は1となる。

手引き		五　〇　音　順			
		2つ前	1つ前	1つ後	2つ後
数字	2つ小さい	①	②	③	④
	1つ小さい	⑤	⑥	⑦	⑧
	1つ大きい	⑨	⑩	⑪	⑫
	2つ大きい	⑬	⑭	⑮	⑯

	1	2	3	4	5
【例題3】　お・4　③	か・2	さ・2	さ・3	か・5	か・3
【例題4】　に・3　⑬	そ・2	そ・1	そ・5	と・1	と・5

【例題3】　**1**　　　【例題4】　**5**

検査Ⅲ

左側の図形と同じ形のものを答えなさい。ただし、図形は裏返さないものとする。
例えば【例題5】では、**3** が同じ図形であるので、正答は **3** となる。

【例題5】　**3**　　　【例題6】　**2**

手引き	1	2	3	4	5
	1〜7	8〜13	14〜33	34〜51	52〜57

〔No. 1〕　$17 - 6 - 48 \div 16$

〔No. 2〕　$11 + 42 \div 3 + 9$

〔No. 3〕　$9 \div 3 \times 7 - 13$

〔No. 4〕　$12 + 30 \div 10 \times 5$

〔No. 5〕　$6 \times 3 - 4 \times 4$

〔No. 6〕　$27 \div 9 + 4 \times 12$

〔No. 7〕　$60 \div 12 \times 7 - 2$

〔No. 8〕　$39 \div 13 \times 6 + 6$

〔No. 9〕　$48 \div 3 \div 2 + 5$

〔No. 10〕　$3 \times 8 + 14 \times 2$

手引き		五　〇　音　順			
		2つ前	1つ前	1つ後	2つ後
数	2つ小さい	①	②	③	④
	1つ小さい	⑤	⑥	⑦	⑧
字	1つ大きい	⑨	⑩	⑪	⑫
	2つ大きい	⑬	⑭	⑮	⑯

			1	2	3	4	5
〔No. 11〕	ま・6	②	も・5	ほ・4	も・4	ほ・5	ほ・7
〔No. 12〕	の・5	⑦	と・4	と・6	は・4	は・3	は・6
〔No. 13〕	て・4	⑨	た・4	ち・6	ち・5	た・6	た・5
〔No. 14〕	も・5	⑪	や・4	ら・7	ら・6	や・6	ら・4
〔No. 15〕	け・3	⑥	く・2	き・2	き・4	く・4	こ・1
〔No. 16〕	え・7	⑧	お・6	か・5	お・5	き・6	か・6
〔No. 17〕	し・2	⑯	す・3	せ・4	せ・3	す・4	す・1
〔No. 18〕	ち・3	⑤	そ・2	こ・2	そ・1	こ・4	そ・4
〔No. 19〕	へ・4	⑩	ほ・5	ほ・3	ひ・3	ひ・5	ふ・5
〔No. 20〕	り・6	⑬	よ・7	も・7	ろ・8	よ・8	も・8

	1	2	3	4	5

〔No. 21〕
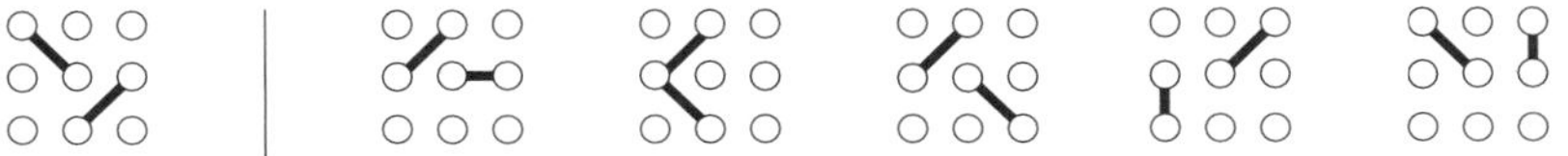

〔No. 22〕
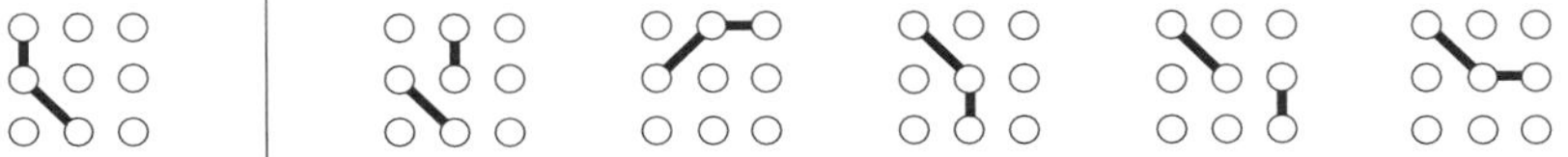

〔No. 23〕
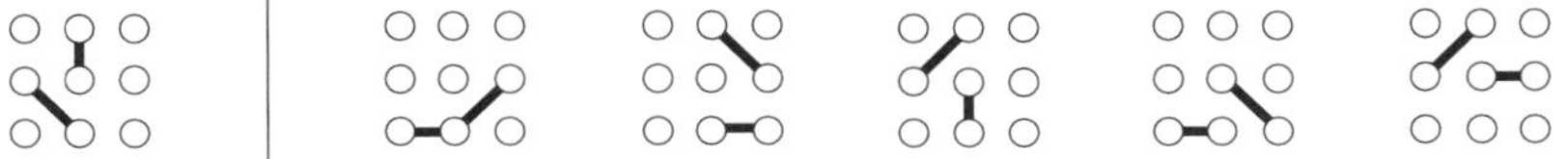

〔No. 24〕
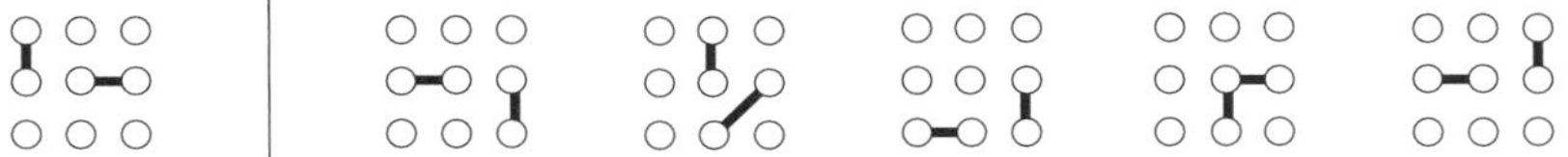

〔No. 25〕
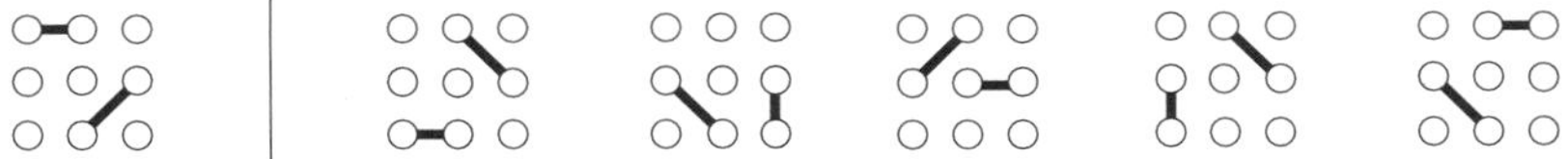

〔No. 26〕
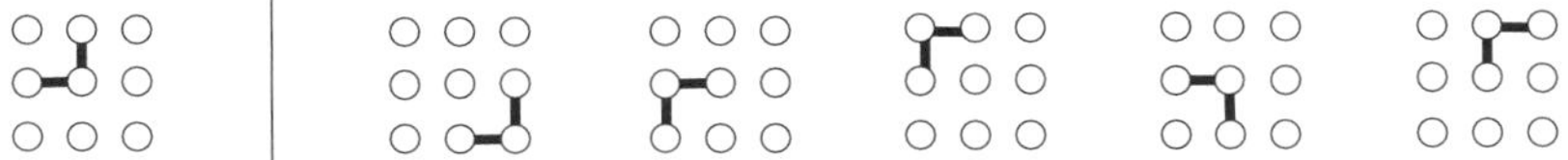

〔No. 27〕
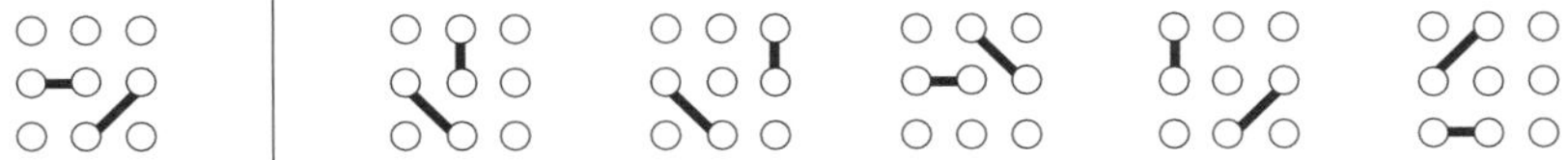

〔No. 28〕
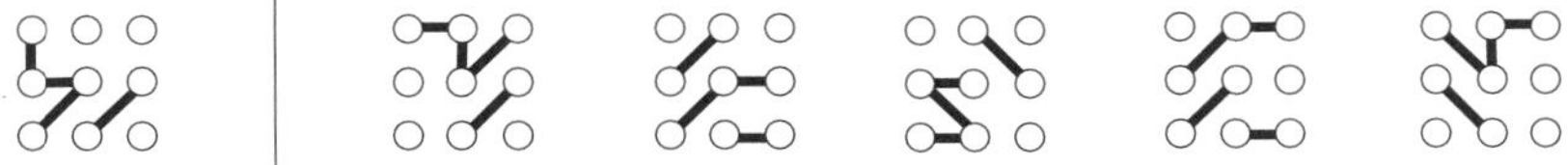

〔No. 29〕
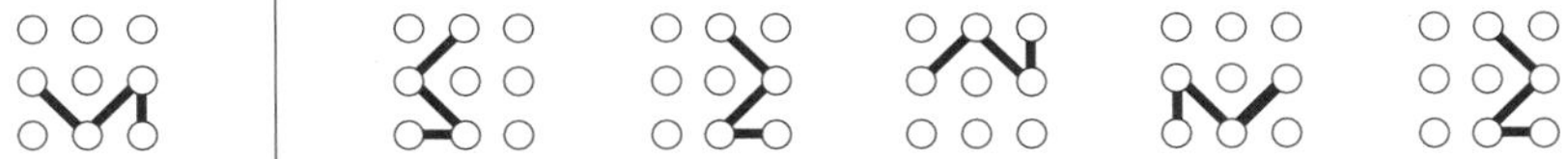

〔No. 30〕

手引き	1	2	3	4	5
	1〜6	7〜11	12〜15	16〜43	44〜57

[No. 31] $28 \div 2 \div 7 + 12$

[No. 32] $5 + 60 \div 6 \div 2$

[No. 33] $2 \times 9 \times 2 + 16$

[No. 34] $33 \div 11 + 24 \div 6$

[No. 35] $40 \div 5 \times 4 - 17$

[No. 36] $9 - 96 \div 16 \div 2$

[No. 37] $18 + 42 \div 3 - 24$

[No. 38] $53 - 8 \times 2 \times 2$

[No. 39] $81 \times 5 \div 9 + 11$

[No. 40] $11 \div 14 \times 42 - 14$

手引き		アルファベット順			
		2つ前	1つ前	1つ後	2つ後
数	2つ小さい	①	②	③	④
	1つ小さい	⑤	⑥	⑦	⑧
字	1つ大きい	⑨	⑩	⑪	⑫
	2つ大きい	⑬	⑭	⑮	⑯

			1	2	3	4	5
[No. 41]	H・6	⑤	F・5	F・7	G・5	G・7	E・5
[No. 42]	P・4	⑭	O・5	N・5	O・6	O・3	N・6
[No. 43]	X・2	⑬	W・3	V・4	W・4	V・3	U・4
[No. 44]	I・3	⑧	K・2	J・1	K・1	J・2	J・4
[No. 45]	U・5	⑥	V・6	T・6	T・3	T・4	V・4
[No. 46]	S・8	①	R・7	Q・6	Q・7	R・6	R・9
[No. 47]	L・2	⑫	O・3	M・3	M・4	N・4	N・3
[No. 48]	K・6	⑨	J・7	I・5	I・8	J・5	I・7
[No. 49]	W・2	⑮	V・1	X・3	V・4	X・4	V・3
[No. 50]	T・3	④	U・4	V・5	V・1	U・1	U・5

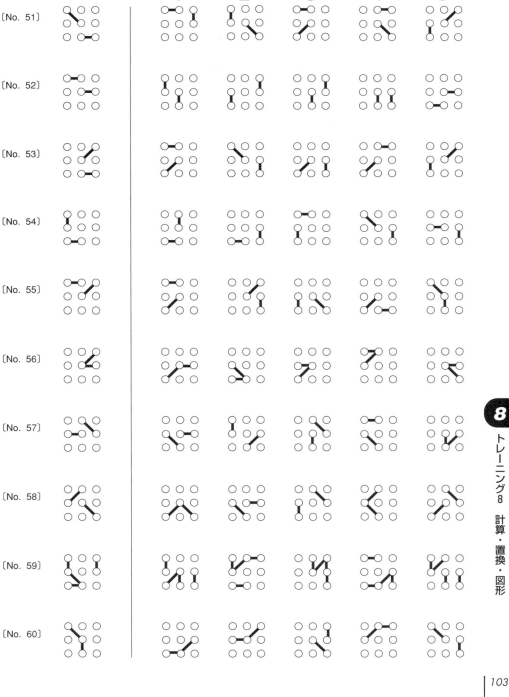

トレーニング8　計算・置換・図形

手引き	1	2	3	4	5
	1〜6	7〜9	10〜27	28〜43	44〜52

〔No. 61〕 $40 \div 5 + 8 \times 5$

〔No. 62〕 $13 \times 6 - 8 \times 9$

〔No. 63〕 $3 \times 4 + 14 - 4$

〔No. 64〕 $9 \times 2 \times 2 + 5$

〔No. 65〕 $85 \div 17 \times 4 - 14$

〔No. 66〕 $19 \times 2 - 17 - 16$

〔No. 67〕 $34 \div 17 \times 11 - 9$

〔No. 68〕 $16 + 16 \div 11 \times 22$

〔No. 69〕 $3 \times 2 \times 4 + 11$

〔No. 70〕 $24 \div 6 - 57 \div 19$

手引き		五 〇 音 順			
		2つ前	1つ前	1つ後	2つ後
数	2つ小さい	①	②	③	④
	1つ小さい	⑤	⑥	⑦	⑧
字	1つ大きい	⑨	⑩	⑪	⑫
	2つ大きい	⑬	⑭	⑮	⑯

			1	2	3	4	5
〔No. 71〕	こ・3	⑦	さ・2	た・4	た・2	さ・1	た・1
〔No. 72〕	て・5	④	な・4	な・7	は・4	な・3	は・7
〔No. 73〕	に・3	⑫	ね・4	の・4	ぬ・5	の・5	ぬ・4
〔No. 74〕	や・6	⑥	ろ・3	ろ・5	も・5	よ・5	も・4
〔No. 75〕	ひ・2	⑬	と・4	の・4	ね・3	ね・4	の・3
〔No. 76〕	し・3	①	お・2	こ・1	お・1	こ・2	お・4
〔No. 77〕	つ・4	⑩	ち・5	ち・3	て・5	て・3	と・5
〔No. 78〕	き・8	⑪	か・7	け・9	く・7	く・9	け・7
〔No. 79〕	み・7	⑤	の・5	ほ・5	の・6	へ・6	ほ・6
〔No. 80〕	り・5	⑯	ろ・3	る・6	る・7	れ・7	ろ・6

	1	2	3	4	5
[No. 81]					
[No. 82]					
[No. 83]					
[No. 84]					
[No. 85]					
[No. 86]					
[No. 87]					
[No. 88]					
[No. 89]					
[No. 90]					

8

トレーニング8　計算・置換・図形

手引き	1	2	3	4	5
	1〜8	9〜18	19〜28	29〜34	35〜45

[No. 91]　7 × 7 − 48 ÷ 4

[No. 92]　2 × 96 ÷ 12 − 8

[No. 93]　70 ÷ 5 ÷ 2 + 11

[No. 94]　15 ÷ 3 × 7 − 2

[No. 95]　11 × 4 − 2 × 17

[No. 96]　5 × 3 × 2 + 11

[No. 97]　14 − 13 + 45 ÷ 3

[No. 98]　10 + 68 ÷ 2 ÷ 2

[No. 99]　63 ÷ 9 × 2 − 6

[No.100]　8 × 6 − 2 × 8

手引き		アルファベット順			
		2つ前	1つ前	1つ後	2つ後
数字	2つ小さい	①	②	③	④
	1つ小さい	⑤	⑥	⑦	⑧
	1つ大きい	⑨	⑩	⑪	⑫
	2つ大きい	⑬	⑭	⑮	⑯

		1	2	3	4	5
[No.101]	T・4 ⑯	V・5	U・6	V・6	W・6	U・5
[No.102]	N・3 ③	M・2	P・1	O・1	M・1	O・2
[No.103]	K・5 ⑦	O・4	L・4	O・3	L・3	O・6
[No.104]	R・6 ⑨	P・7	S・6	Q・7	S・7	Q・8
[No.105]	E・2 ⑫	H・4	F・3	G・4	F・4	G・3
[No.106]	J・7 ①	I・5	H・6	I・6	H・5	G・5
[No.107]	V・4 ⑥	W・2	T・3	U・3	T・2	U・2
[No.108]	H・5 ⑤	G・3	F・4	E・4	F・3	G・4
[No.109]	S・3 ⑮	V・5	U・4	U・5	V・4	T・5
[No.110]	O・7 ⑬	L・8	L・9	N・9	M・9	N・8

[No.111]

[No.112]

[No.113]

[No.114]

[No.115]

[No.116]

[No.117]

[No.118]

[No.119]

[No.120]

[No. 1]	2	[No. 31]	3	[No. 61]	5	[No. 91]	5
[No. 2]	4	[No. 32]	2	[No. 62]	1	[No. 92]	1
[No. 3]	2	[No. 33]	5	[No. 63]	3	[No. 93]	2
[No. 4]	3	[No. 34]	2	[No. 64]	4	[No. 94]	4
[No. 5]	1	[No. 35]	3	[No. 65]	1	[No. 95]	2
[No. 6]	4	[No. 36]	1	[No. 66]	1	[No. 96]	5
[No. 7]	3	[No. 37]	2	[No. 67]	3	[No. 97]	2
[No. 8]	3	[No. 38]	4	[No. 68]	5	[No. 98]	3
[No. 9]	2	[No. 39]	5	[No. 69]	4	[No. 99]	1
[No. 10]	5	[No. 40]	4	[No. 70]	1	[No.100]	4
[No. 11]	2	[No. 41]	1	[No. 71]	1	[No.101]	3
[No. 12]	3	[No. 42]	3	[No. 72]	4	[No.102]	3
[No. 13]	3	[No. 43]	2	[No. 73]	1	[No.103]	2
[No. 14]	4	[No. 44]	1	[No. 74]	3	[No.104]	1
[No. 15]	1	[No. 45]	4	[No. 75]	2	[No.105]	5
[No. 16]	5	[No. 46]	2	[No. 76]	2	[No.106]	4
[No. 17]	2	[No. 47]	5	[No. 77]	1	[No.107]	3
[No. 18]	1	[No. 48]	5	[No. 78]	4	[No.108]	2
[No. 19]	5	[No. 49]	4	[No. 79]	5	[No.109]	5
[No. 20]	4	[No. 50]	3	[No. 80]	4	[No.110]	4
[No. 21]	3	[No. 51]	5	[No. 81]	5	[No.111]	2
[No. 22]	2	[No. 52]	3	[No. 82]	2	[No.112]	4
[No. 23]	5	[No. 53]	1	[No. 83]	4	[No.113]	3
[No. 24]	1	[No. 54]	2	[No. 84]	1	[No.114]	5
[No. 25]	4	[No. 55]	4	[No. 85]	3	[No.115]	2
[No. 26]	4	[No. 56]	3	[No. 86]	4	[No.116]	5
[No. 27]	1	[No. 57]	1	[No. 87]	5	[No.117]	4
[No. 28]	5	[No. 58]	5	[No. 88]	3	[No.118]	3
[No. 29]	1	[No. 59]	4	[No. 89]	5	[No.119]	3
[No. 30]	2	[No. 60]	2	[No. 90]	1	[No.120]	2

●目標点数……………**100**点

●あなたの得点…1回目 _____ 点

●あなたの得点…2回目 _____ 点

計算・照合・図形

Ⅰ　まず各検査のやり方を、5分間で以下の例題をよく読んで理解して下さい。
Ⅱ　本問（次ページから）の解答時間は15分間です。

検査Ⅰ

次の計算式が成り立つように、□に適切な数値を補いなさい。ただし、答えが1〜4のいずれでもないときは、答えを5とする。
例えば【例題1】は計算すると答えは6となるので、正答は5となる。

| 【例題1】 | □× 8 − 13 + 6 = 41 | 【例題1】 | 5 |
| 【例題2】 | 6 × 18 ÷ 3 − □ = 34 | 【例題2】 | 2 |

検査Ⅱ

次の正本と副本を照合して、副本中の1〜5の欄のいずれに間違いがあるかを答えなさい。ただし、複数の箇所に間違いがある場合は、若い番号を答えとする。
例えば【例題3】では、1の欄の「象」の字と3の欄の「才能」の字が正本と違うが、1の方が番号が小さいので正答は1となる。

【正本】

	1	2	3	4	5
題3	印象派の ていたように	画家たち に画風	は才能気 において	質において も一様で	て異なっ はなかっ
題4	毛細血液 となり細	からは血 胞のまわり	しょうが を満た	しみだして してこれ	組織液 らの組織

【副本】

	1	2	3	4	5
	印像派の ていたように	画家たち に画風	は能力気 において	質において も一様で	て異なっ はなかっ
	毛細血液 となり細	からは血 胞のまわり	しょうが を満た	しみだして してこれ	組織夜 らの組織

【例題3】　1　　　【例題4】　3

検査Ⅲ

左側の図形と同じ形のものを答えなさい。ただし、同じものがない場合は、5を正答とする。
例えば【例題5】では、4が同じ図形であるので、正答は4となる。

	1	2	3	4
【例題5】				
【例題6】				

【例題5】　4　　　【例題6】　1

〔No. 1〕　18 × □ − 20 ÷ 5 = 32

〔No. 2〕　12 × □ ÷ 8 + 13 = 25

〔No. 3〕　3 × □ − 2 − 9 = 16

〔No. 4〕　14 + 3 × 3 × □ = 50

〔No. 5〕　19 − 18 + 7 × □ = 15

〔No. 6〕　31 − 34 ÷ □ ÷ 2 = 14

〔No. 7〕　□ × 2 × 5 + 2 = 32

〔No. 8〕　15 + □ × 9 − 7 = 17

〔No. 9〕　5 × 7 + □ − 4 = 34

〔No. 10〕　99 ÷ □ ÷ 3 + 11 = 22

	【正本】1	2	3	4	5	【副本】1	2	3	4	5
〔No. 11〕	遺伝子に もつ子孫	変化が起 が現われ	こって親 る突然変	とは違っ 異が進化	た形質を に重要な	遺伝子に もつ子孫	変化が起 が表われ	こって朝 る突然変	とは違っ 異が進化	た形質を に重要な
〔No. 12〕	ダーウィ るものも	ンの考え 含まれて	た変異に おりこれ	は環境の が遺伝す	違いによ ると考え	ダーウィ るものも	ンの考え 含まれて	た変異に おりこれ	は環境の が遺伝す	偉いによ ると考え
〔No. 13〕	彼は青の 点による	時代桃色 大胆な表	の時代を 現のアビ	経て非伝 ニョンの	統的な視 娘たちに	彼は青の 点による	時代桃色 大担な表	の時代を 現のアビ	経て非伝 ジョンの	統的な視 娘たちに
〔No. 14〕	自立と言 せず人間	ってもそ は誰かに	れは依存 依存せず	のないこ に生きて	とを意味 ゆくこと	自立とい せず人間	ってもそ は誰かに	れは依存 依存せず	のないこ に生きて	とを意味 いくこと
〔No. 15〕	これは足 キバや角	の指の数 が大きく	が次第に なったマ	減ってき ンモスや	たウマや アイルラ	これは足 キバや角	の指の数 が大きく	が次第に なったマ	減ってき ソモスや	たワマや アイルラ
〔No. 16〕	資金需要 ビッグバン	に対して ンの進展	公共運用 により期	を行いつ 待される	つ日本版 市場の成	資金需要 ビッグバン	に対して ンの進展	公供運用 により期	を行いつ 待される	つ日本版 市場の成
〔No. 17〕	彼のいう 証しだっ	写生そし たのであ	てその実 り宗教的	践は彼自 にいうな	身の生の ら悟達な	彼のいう 明しだっ	写生そし たのであ	てその実 り宗教的	践は彼自 にいうな	身の生の ら悟達な
〔No. 18〕	われわれ にひとり	は自分だ よがりな	けの考え 自分だけ	を大切に の思いに	すると共 ふけるこ	われわれ にひとり	は自分だ よかりな	けの考え 自分だけ	を大切に の思いへ	すると共 ふけるこ
〔No. 19〕	これはオ れる前に	ーストラ 他の大陸	リア大陸 と離れた	が有胎盤 ためで他	類が現わ の大陸で	これはオ れる前に	ーストラ 他の大陸	リア大陸 と離れた	が有胎磐 ためで他	類が現わ の陸地で
〔No. 20〕	自立とい く必要な	うことは 依存を受	依存を排 け入れ自	除するこ 分がどれ	とではな ほど依存	自立とい く必要な	うことは 依存を受	依存を排 け入れ自	除するこ 分がどれ	とではな ほど衣存

〔No. 21〕

〔No. 22〕

〔No. 23〕

〔No. 24〕

〔No. 25〕

〔No. 26〕

〔No. 27〕

〔No. 28〕

〔No. 29〕

〔No. 30〕

1　2　3　4

9

トレーニング9　計算・照合・図形

〔No. 31〕　　2 × □ × 2 + 18 = 42

〔No. 32〕　　11 × 5 − □ − 7 = 44

〔No. 33〕　　14 + 15 − □ × 6 = 23

〔No. 34〕　　4 × 13 − 7 − □ = 43

〔No. 35〕　　18 − 28 × □ ÷ 4 = 11

〔No. 36〕　　8 × □ − 45 ÷ 9 = 27

〔No. 37〕　　□ × 14 + 16 − 3 = 27

〔No. 38〕　　□ × 13 − 18 + 10 = 5

〔No. 39〕　　6 × 8 − 9 ÷ □ = 45

〔No. 40〕　　□ × 4 × 4 − 18 = 14

	【正本】 1	2	3	4	5	【副本】 1	2	3	4	5
〔No. 41〕	このこと してきた	から脊椎 と推測さ	動物は共 れヒトの	通の先祖 胚も最初	から進化 は尾をも	このこと してきた	から背椎 と推測さ	動物は共 れヒトの	通の先祖 杯も最初	から進化 は尾をも
〔No. 42〕	作者の心 どの微妙	が至り得 なニュア	た深さ鋭 ンスをも	さである った格調	ほそみな の高いも	作者の心 どの微妙	が至り得 なニュア	た深さ鈍 ンスをも	さである った各調	ほそみな の高いも
〔No. 43〕	反復し同 えた生活	一の価値 をつづけ	のもとに えた変化	精神的に のない時	も安定を 代にあっ	反復し同 えた生活	一の価値 をつづけ	のもとに えた変化	精神的に のない時	は安定を 代にあっ
〔No. 44〕	水分を多 いったん	量に排出 アンモニ	するわけ アを毒性	にはいか の少ない	ないので 尿素に合	氷分を多 いったん	量に排出 アンモニ	するわけ アを毒性	にはいか の少ない	ないので 尿酸に合
〔No. 45〕	そしてそ の日常生	れらの情 活となん	報の一つ らかの形	一つがわ でかかわ	たしたち ってくる	そしてそ の日常生	れらの情 括となん	報の一つ らかの形	一つがわ でかかわ	たしたち ってくる
〔No. 46〕	交感神経 ルアドレ	は脊髄か ナリンと	ら伸びて いうホル	おり末端 モンを分	からはノ 泌される	交感神経 ルアドレ	は脊髄か ナリンと	ら伸びて いうホル	おり末端 モンを分	からはノ 秘される
〔No. 47〕	日露戦争 利の悲哀	の勝利後 も感じさ	日本経済 せるとい	が発展す う社会状	る一方勝 況が生ま	日露戦争 利の悲哀	の勝利後 も感じさ	日本経済 せるとい	が発展す う社会状	る一方勝 況が産ま
〔No. 48〕	血糖量が ホルモンの	正常にな 分泌が停	ればそれ 止されフ	を間脳が ィードバック	感知しホ ックによ	血糖量が ホルモンの	正常にな 分泌が停	ればそれ 止されフ	を間脳が ィルドバック	感知しホ ックによ
〔No. 49〕	現在では 遺伝しな	個体がそ いという	の生活を ことがわ	通して得 かってお	た形質は りこの説	現在では 遺伝しな	固体がそ いという	の生活を ことがわ	通して得 かってお	た形質は りこの説
〔No. 50〕	時間は人 していな	の意識と い少年の	ともにあ ころには	るので 人間的時	間を意識 間はなく	時間は入 していな	の意識と い少年の	ともにあ ころには	るので時 人間的時	間を意識 簡はなく

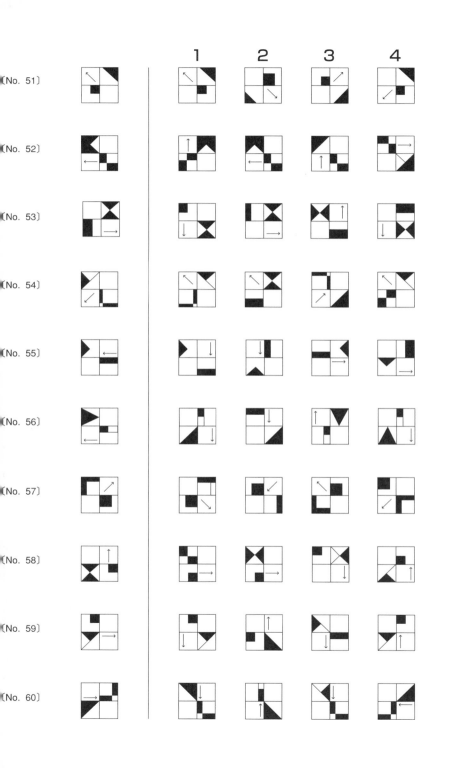

トレーニング9　計算・照合・図形

〔No. 61〕 $\square \times 9 + 16 + 13 = 47$

〔No. 62〕 $7 \times 13 - 19 \times \square = 72$

〔No. 63〕 $14 \times \square + 32 \div 8 = 18$

〔No. 64〕 $81 \div 3 \div \square + 16 = 19$

〔No. 65〕 $36 \div 3 + 5 \times \square = 32$

〔No. 66〕 $\square \times 2 \times 3 + 14 = 38$

〔No. 67〕 $\square \times 35 \div 7 - 14 = 1$

〔No. 68〕 $9 + 48 \div 8 + \square = 18$

〔No. 69〕 $9 \times 4 \div \square + 12 = 30$

〔No. 70〕 $\square \times 3 \times 2 - 7 = 29$

	【正本】1	2	3	4	5	【副本】1	2	3	4	5
〔No. 71〕	ふつう動がってお	脈と静脈らず血液	の間は肺は細胞の	などを除間を組織	けばつな液となっ	ふつう動がってお	脈と静脈らず血液	の間は肺は細胞の	などを徐間を組織	けばつな液となっ
〔No. 72〕	具体的にため税金	は郵便局等の支払	の競争条いが免除	件として されてい	非営利のる一方公	具体的にため税金	は郵便局等の支払	の競争条いが兎除	侏として されてい	非営利のる一方公
〔No. 73〕	これを支毎年4月	えるのはの確定申	一人一人告期限に	のアメリ向けて身	カ国民がをもって	これを支毎年4月	えるのはの確定申	一人一人告期限に	のアメリ向けて体	カ国民がをもって
〔No. 74〕	可能となム化を図	った分野るなど対	について象範囲を	は思い切常に見直	ったスリしていく	可能となム化を計	った分野るなど対	について象範囲を	は思いき常に見直	ったスリしていく
〔No. 75〕	インスリンにかえる	ンは肝臓働きを促	でブドウ進しまた	糖をグリ細胞での	コーゲンブドウ糖	インスリンにかえる	ンは肝臓働きを促	でブドウ進しまた	塘をグリ細胞での	コーゲンブドウ糖
〔No. 76〕	それが思特の味を	い切ったもった生	俗語や方活俳諧と	言で表さいったも	れ一種独のを樹立	それが思特の味を	い切ったもった生	俗語や方活俳諧と	言で表さいったも	れ一種独のが樹立
〔No. 77〕	ところがながら未	私たちの来を予測	脳はそこしたりす	にある世でにこの	界を眺め世にいな	ところがながら未	私たちの来を予側	脳はそこしたりす	にある世でにこの	界を眺め世にいな
〔No. 78〕	機能的に考するこ	どれほどとはでき	優れていないし人	ても意識工知能と	したり思呼ぶに値	機能的に考するこ	どれほどとはでき	憂れていないし人	ても意識工知識と	したり思呼ぶに値
〔No. 79〕	楽しい時集中する	を過ごしので人間	ていると的時間も	一瞬一瞬物理の時	に関心が間もあっ	楽しい時集中する	を過ごしので人間	ていると的時間と	一瞬一瞬物理的時	に感心が間もあっ
〔No. 80〕	20世紀の作品に	に入って新しい価	素朴画家値が見い	と呼ばれだされそ	る人たちの代表的	20世紀の作品に	に入って新しい価	素木画家値が見い	と呼ばれだされそ	る人たちの代表的

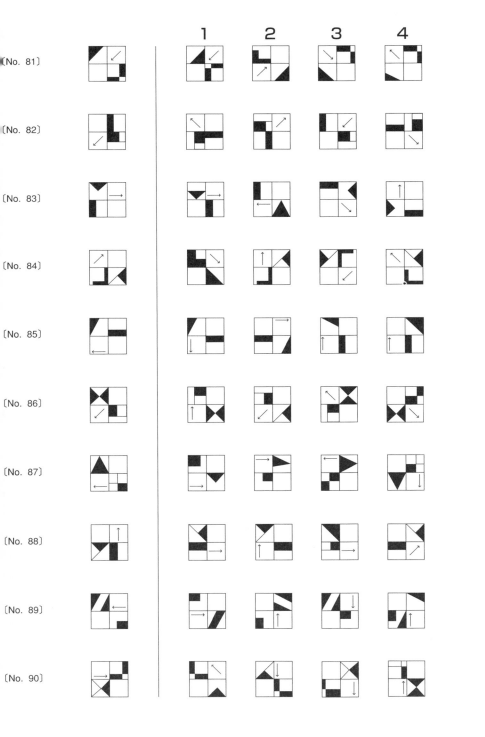

〔No. 91〕　17 − 44 ÷ □ ÷ 11 = 15

〔No. 92〕　9 − 96 ÷ 3 ÷ □ = 1

〔No. 93〕　20 ÷ 4 × □ + 10 = 25

〔No. 94〕　6 + □ × 12 − 11 = 43

〔No. 95〕　2 × □ × 5 − 18 = 12

〔No. 96〕　□ × 2 × 4 + 14 = 30

〔No. 97〕　16 × □ − 14 × 3 = 54

〔No. 98〕　42 ÷ 3 − □ ÷ 3 = 11

〔No. 99〕　15 − 12 − □ ÷ 8 = 2

〔No.100〕　10 + 24 × 6 ÷ □ = 46

	【正本】1	2	3	4	5	【副本】1	2	3	4	5
〔No.101〕	血糖量の量が急速	増減は生に減少す	体に大きるとけい	な影響をれんをお	与え血糖こしたり	血糖量の量が急速	増加は生に減少す	体に大きるとけい	な影郷をれんをお	与え血糖こしたり
〔No.102〕	しかし両て心室が	生類やハ1つしか	虫類ではないため	2つの心1全身か	房に対しら送られ	しかし両て心房が	生類やハ1つしか	虫類ではないため	2つの心1全身か	室に対しら送られ
〔No.103〕	アイマー定の方向	は生物にに変化す	は自然選る性質が	択とは無あると考	関係に一え定向進	アイマー定の方向	は生物にに変化す	は自然選る性質が	拓とは無あると考	関係に一え定向進
〔No.104〕	ワグナーの集団と	は生物のの交雑が	集団が地妨げられ	理的に隔ると他の	離され他集団とは	ワグナーの集団と	は生物のの交雑が	集団が地妨げられ	理的に隔ると他の	離され他集団とが
〔No.105〕	溶岩流な類やコケ	どによって類などが	て裸地が最初に侵	できると入し次に	まず地衣1年で枯	溶岩流な類やコケ	どによって類などが	て裸地が最初に浸	できると入し次に	まず地位1年で枯
〔No.106〕	ブータンてみたら	のような町にはタ	小さな開ウンプラ	発途上国ンナーが	でも訪れいて住居	ブータンてみたら	のような町にはタ	小さな開ウンプラ	發途上国ンナーが	でも訪れいて居住
〔No.107〕	資金の運けて真に	用の在り必要な社	方につい会資本特	ては21に地域の	世紀に向生活交流	資本の運けて真に	用の在り必要な社	方につい会資金特	ては21に地域の	世紀に向生活交流
〔No.108〕	ヤドカリうにヤド	に付着しカリはイ	たイソギソギンチ	ンチャクャクによ	などによって安全	ヤドカリうにヤド	に付着しカリはイ	たイソギソギンテ	ンテャクャクによ	などによって安全
〔No.109〕	これらのな物質を	細胞に必捨てる働	要な物質きをして	を運びまいるのは	た不必要細胞の周	これらのな物質を	細胞に必捨てる働	要な物質きをして	を運びまいるのは	た非必要細胞の周
〔No.110〕	ヒトにはろな内分	甲状腺副泌腺があ	腎すい臓り成長や	生殖腺な第2次性	どいろい徴の発現	ヒトにはろな内分	甲状腺副泌腺があ	腎すい臓り成長や	生殖腺な第2次性	どいろい徴の発現

		1	2	3	4
〔No.111〕					
〔No.112〕					
〔No.113〕					
〔No.114〕					
〔No.115〕					
〔No.116〕					
〔No.117〕					
〔No.118〕					
〔No.119〕					
〔No.120〕					

9

トレーニング9 計算・照合・図形

[No. 1]	2	[No. 31]	5	[No. 61]	2	[No. 91]	2
[No. 2]	5	[No. 32]	4	[No. 62]	1	[No. 92]	4
[No. 3]	5	[No. 33]	1	[No. 63]	1	[No. 93]	3
[No. 4]	4	[No. 34]	2	[No. 64]	5	[No. 94]	4
[No. 5]	2	[No. 35]	1	[No. 65]	4	[No. 95]	3
[No. 6]	1	[No. 36]	4	[No. 66]	4	[No. 96]	2
[No. 7]	3	[No. 37]	1	[No. 67]	3	[No. 97]	5
[No. 8]	1	[No. 38]	1	[No. 68]	3	[No. 98]	5
[No. 9]	3	[No. 39]	3	[No. 69]	2	[No. 99]	5
[No. 10]	3	[No. 40]	2	[No. 70]	5	[No.100]	4
[No. 11]	2	[No. 41]	2	[No. 71]	4	[No.101]	2
[No. 12]	5	[No. 42]	3	[No. 72]	3	[No.102]	1
[No. 13]	2	[No. 43]	5	[No. 73]	1	[No.103]	4
[No. 14]	1	[No. 44]	1	[No. 74]	1	[No.104]	5
[No. 15]	4	[No. 45]	2	[No. 75]	4	[No.105]	3
[No. 16]	3	[No. 46]	4	[No. 76]	5	[No.106]	4
[No. 17]	1	[No. 47]	5	[No. 77]	2	[No.107]	1
[No. 18]	2	[No. 48]	3	[No. 78]	3	[No.108]	3
[No. 19]	4	[No. 49]	2	[No. 79]	3	[No.109]	2
[No. 20]	5	[No. 50]	1	[No. 80]	1	[No.110]	5
[No. 21]	3	[No. 51]	3	[No. 81]	3	[No.111]	2
[No. 22]	1	[No. 52]	1	[No. 82]	1	[No.112]	5
[No. 23]	4	[No. 53]	3	[No. 83]	4	[No.113]	1
[No. 24]	5	[No. 54]	5	[No. 84]	3	[No.114]	4
[No. 25]	2	[No. 55]	2	[No. 85]	2	[No.115]	3
[No. 26]	4	[No. 56]	3	[No. 86]	3	[No.116]	5
[No. 27]	4	[No. 57]	3	[No. 87]	5	[No.117]	2
[No. 28]	3	[No. 58]	2	[No. 88]	1	[No.118]	1
[No. 29]	5	[No. 59]	5	[No. 89]	2	[No.119]	4
[No. 30]	2	[No. 60]	1	[No. 90]	5	[No.120]	4

●目標点数‥‥‥‥‥ **100**点

●あなたの得点…1回目 ＿＿＿＿＿点

●あなたの得点…2回目 ＿＿＿＿＿点

図形・照合・計算

Ⅰ　まず検査のやり方を、5分間で以下の例題をよく読んで理解して下さい。
Ⅱ　本問（次ページから）の解答時間は15分間です。

検査Ⅰ

左側の図形と同じ形のものを答えなさい。ただし、図形は裏返さないものとする。
例えば【例題1】では、3が同じ図形であるので、正答は3となる。

| | 1 | 2 | 3 | 4 | 5 |

【例題1】

【例題2】

【例題1】　3　　　【例題2】　2

検査Ⅱ

左側に示したアルファベットと数字の組合せと同じものを、右側の1〜4の中から選べ。ただし、同じものがない場合は5を正答とする。
例えば【例題3】では、左側のものと同じものがないので5が正答となる。

	1	2	3	4
【例題3】 MXF-073-stm	NXF-073-stm	MXF-073-stn	MXF-093-stm	MXE-093-stm
【例題4】 ZJD-072-bmo	ZJC-072-bmo	ZJD-072-bmp	ZJD-072-bmo	ZJD-074-bmo

【例題3】　5　　　【例題4】　3

検査Ⅲ

次の問題文を、漢字は手引き1を、ひらがなは手引き2を見て置き換えて計算し、その答えを1〜5から選びなさい。
例えば【例題5】は、手引きによれば4×4×2を表すので、計算結果は32となり、3が正答となる。

手引き1	1	2	3	4	5	6	7	8	9	0
	水	金	地	火	海	天	太	日	月	土

手引き2	+		−		×		÷	
	と	も	は	が	を	に	や	の

		1	2	3	4	5
【例題5】	火を火に金	34	33	32	30	31
【例題6】	地と金を海	13	17	9	21	23

【例題5】　3　　　【例題6】　1

10

トレーニング10　図形・照合・計算

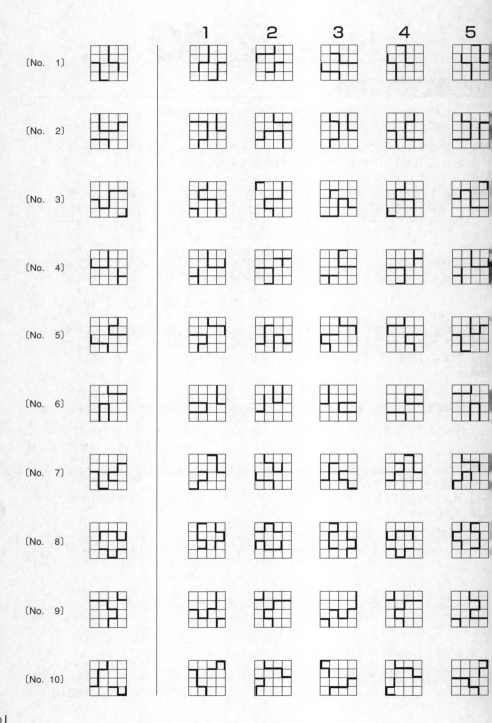

[No. 1]

[No. 2]

[No. 3]

[No. 4]

[No. 5]

[No. 6]

[No. 7]

[No. 8]

[No. 9]

[No. 10]

1　2　3　4　5

	1	2	3	4
〔No. 11〕 NPH-108-k z r	NPH-198-k z r	NBH-108-k z r	NPH-108-k z r	NPH-108-k y r
〔No. 12〕 OVG-628-g q k	OWG-628-g q k	OVG-638-g q k	OVG-628-q g k	OVG-628-g q k
〔No. 13〕 CLP-437-g d h	CLP-437-g d h	CLP-437-g o h	CIP-437-g d h	CLP-487-g d h
〔No. 14〕 JHC-428-z e t	JHG-428-z e t	JHC-428-z e t	JHC-428-z c t	JHC-438-z e t
〔No. 15〕 PAT-860-o y f	PAT-860-o g f	PAT-860-o y t	PAT-890-o y f	RAT-860-o y f
〔No. 16〕 RCW-597-b v w	RCW-597-b w v	RCM-597-b v w	RCW-579-b v w	RCW-597-b v w
〔No. 17〕 IWB-740-g n q	IWB-740-g n q	IWB-740-q n g	IWB-840-g n q	IWB-470-g n q
〔No. 18〕 RCM-249-c x z	RCM-249-c x z	RCM-259-c x z	RCM-249-e x z	RGM-249-c x z
〔No. 19〕 TGM-075-p o v	TGM-075-p g v	TGM-095-p o v	TCM-075-p o v	TGM-075-p o v
〔No. 20〕 DCH-976-k u c	DGH-976-k u c	DCH-976-k v c	DCH-976-k u c	DCH-967-k u c

手引き1	1	2	3	4	5	6	7	8	9	0
	赤	白	黄	空	灰	緑	橙	桃	青	紫

手引き2	+		−		×		÷	
	に	を	か	の	や	も	が	は

	1	2	3	4	5
〔No. 21〕 空に灰も灰	29	31	33	32	30
〔No. 22〕 白も青の白	14	16	18	22	20
〔No. 23〕 黄や白も空	20	21	22	23	24
〔No. 24〕 白が赤や桃	23	21	19	13	16
〔No. 25〕 白も灰に緑	16	22	20	24	18
〔No. 26〕 黄に緑も橙	54	45	48	42	51
〔No. 27〕 桃も白を青	17	19	23	21	25
〔No. 28〕 白や黄は赤	5	4	2	6	1
〔No. 29〕 黄か紫も青	6	3	9	2	12
〔No. 30〕 空も橙か紫	16	24	22	28	20

10

トレーニング10 図形・照合・計算

	1	2	3	4

〔No. 41〕 XHG-741-d j c　　XHC-741-d j c　　XHG-714-d j e　　XHG-714-d j c　　XHG-741-d j c

〔No. 42〕 PBG-053-d i j　　PBG-053-d i j　　PBG-053-d j i　　PGB-053-d i j　　PBG-035-d i j

〔No. 43〕 EOA-594-f v r　　EOA-594-f w r　　EOA-549-f v r　　EOA-594-f v r　　EOA-594-t v r

〔No. 44〕 FAG-760-i g t　　FAG-760-i g t　　FAG-760-i q t　　FAG-706-i g t　　FBG-760-i g t

〔No. 45〕 QVW-758-r d t　　QUW-758-r d t　　QUW-758-r b t　　QVW-785-r d t　　OVW-758-r d t

〔No. 46〕 PDW-384-y l e　　PDW-834-y l e　　PDW-384-y i e　　PCW-384-y l e　　PDW-384-y l e

〔No. 47〕 MF I-927-w d t　　MF I-927-w d t　　ME I-927-w d t　　MF I-972-w d t　　MF I-927-v d t

〔No. 48〕 JYB-498-x y l　　JVB-498-x y l　　JYB-498-x y l　　JYB-498-x y i　　JYB-489-x y l

〔No. 49〕 LMO-120-f j h　　LMO-120-t j h　　LMQ-120-f j h　　LNQ-120-f j h　　LMO-120-f i h

〔No. 50〕 LMY-067-k m j　　LMY-067-k n j　　LMY-067-k m j　　LMY-076-k m j　　LNY-067-k m j

手引き1	1	2	3	4	5	6	7	8	9	0
	金	水	海	木	火	天	日	太	土	月

手引き2	+		−		×		÷	
	や	は	か	が	の	と	も	に

	1	2	3	4	5
〔No. 51〕 水の太は土	12	25	21	18	24
〔No. 52〕 海と海の木	33	27	30	24	36
〔No. 53〕 水の天に海	3	7	8	4	11
〔No. 54〕 木と水が木	5	11	7	4	14
〔No. 55〕 火の太に木	24	10	16	8	20
〔No. 56〕 太も金は土	16	12	17	10	18
〔No. 57〕 天と水に金	21	22	20	18	12
〔No. 58〕 日は太や日	22	31	34	25	28
〔No. 59〕 天も金か月	3	7	5	6	2
〔No. 60〕 木の海と海	35	33	36	34	37

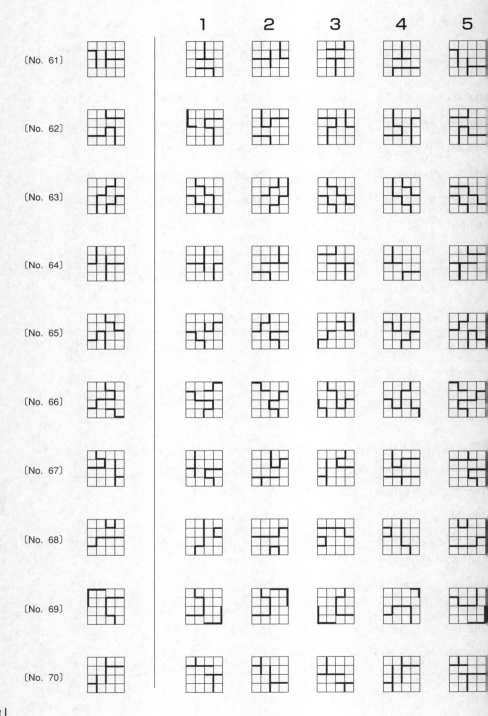

[No. 61]

[No. 62]

[No. 63]

[No. 64]

[No. 65]

[No. 66]

[No. 67]

[No. 68]

[No. 69]

[No. 70]

124

	1	2	3	4
[No. 71] QBN-179-b x t	QBN-179-b x f	QBN-197-b x t	OBN-179-b x t	QBN-179-b x t
[No. 72] HEZ-697-k r h	HFZ-697-k r n	HFZ-697-k r h	HEZ-697-k r h	HEZ-697-h n k
[No. 73] KZI-346-t c x	KZJ-346-t c x	KZI-346-t c x	KZI-364-t c x	KZI-346-t e x
[No. 74] DKZ-587-c y g	DKZ-587-c g y	DKZ-578-c y g	DKZ-587-c y g	DKZ-587-e y g
[No. 75] SXI-108-q d c	SXI-108-q b c	SXI-108-d q c	SVI-108-q d c	SXI-108-q d c
[No. 76] OFC-870-r s t	OFG-870-r s t	OEC-870-r s t	OFC-870-r s t	OFC-870-r s f
[No. 77] ZFV-718-a hm	ZFV-718-a km	ZEV-718-a hm	ZFV-781-a hm	ZFV-718-a nm
[No. 78] ZPX-578-e wm	ZBX-578-e wm	ZPX-578-e wm	ZPX-587-e wm	ZPX-578-e mw
[No. 79] RSZ-543-l q o	RSZ-543-i q o	RSZ-534-i q o	BSZ-543-l q o	RSZ-543-l d o
[No. 80] SYJ-648-h v i	SYJ-648-h v i	SYJ-684-h v i	SYJ-684-h w i	SYJ-864-h v i

手引き1	1	2	3	4	5	6	7	8	9	0
	上	左	下	中	低	前	右	高	横	後

手引き2	+		−		×		÷	
	が	も	の	を	と	に	か	は

	1	2	3	4	5
[No. 81] 左も高と前	53	50	49	52	51
[No. 82] 下に低か下	11	5	7	9	14
[No. 83] 横は右と右	9	15	13	21	17
[No. 84] 中も前が横	25	26	19	13	22
[No. 85] 下に左も中	13	14	10	17	11
[No. 86] 前の高が中	2	14	5	11	8
[No. 87] 低の後を上	11	7	3	9	4
[No. 88] 上に中と右	26	23	24	25	28
[No. 89] 横も後に前	9	13	7	2	5
[No. 90] 前か左が右	9	11	12	10	8

〔No. 91〕

〔No. 92〕

〔No. 93〕

〔No. 94〕

〔No. 95〕

〔No. 96〕

〔No. 97〕

〔No. 98〕

〔No. 99〕

〔No.100〕

		1	2	3	4
〔No.101〕	FYW-298-h f j	FYV-298-h f j	FYW-298-h t j	FYW-289-h f j	FYW-298-h f j
〔No.102〕	DLU-762-a q f	DLU-762-a q f	DUU-762-a q f	DLU-726-a q f	DLU-762-a b f
〔No.103〕	DCN-583-q v s	DCN-583-q w s	DGN-583-q v s	DCN-583-q v s	DCM-583-q v s
〔No.104〕	DLG-572-r h q	DLC-572-r h q	DLG-572-r n q	DLG-572-r h q	DLG-572-r n q
〔No.105〕	AYU-245-z b a	AYU-245-z p a	AYU-254-z b a	AYV-245-z b a	AYU-254-z b a
〔No.106〕	IQA-572-e p v	IOA-572-e p v	IQA-572-e q v	JQA-572-e p v	IQA-527-e p v
〔No.107〕	DQL-864-b d t	DQL-846-b d t	DQL-864-b d t	DQL-864-d b t	DOL-864-b d t
〔No.108〕	CQK-783-m x q	CQK-783-m x q	GQK-783-m x q	CQK-738-m x q	OQK-783-m x q
〔No.109〕	TRA-243-m a s	TRA-234-m a s	TPA-243-m a s	IRA-243-m a s	TRA-243-n a s
〔No.110〕	PLE-824-k i t	PLE-824-k j t	PLE-824-k i t	PLF-824-k i t	PLE-824-k i f

手引き1	1	2	3	4	5	6	7	8	9	0
	指	頭	目	口	鼻	足	手	耳	首	尻

手引き2	+		−		×		÷	
	を	が	も	の	か	に	と	は

		1	2	3	4	5
〔No.111〕	頭か足に目	36	48	39	45	42
〔No.112〕	口が耳に頭	21	20	19	18	17
〔No.113〕	頭が耳は口	4	10	16	7	13
〔No.114〕	頭に目と指	8	6	2	5	10
〔No.115〕	鼻も指か尻	1	4	3	6	5
〔No.116〕	耳に鼻の首	33	25	27	31	29
〔No.117〕	耳を尻が口	20	14	12	19	16
〔No.118〕	足に手の首	30	36	33	39	27
〔No.119〕	耳か足も手	43	35	49	41	39
〔No.120〕	頭の目を首	8	6	2	1	3

10

トレーニング10　図形・照合・計算

トレーニング10 正答

[No. 1]	5	[No. 31]	5	[No. 61]	3	[No. 91]	5
[No. 2]	2	[No. 32]	1	[No. 62]	2	[No. 92]	1
[No. 3]	4	[No. 33]	4	[No. 63]	5	[No. 93]	4
[No. 4]	3	[No. 34]	2	[No. 64]	1	[No. 94]	2
[No. 5]	1	[No. 35]	3	[No. 65]	2	[No. 95]	5
[No. 6]	3	[No. 36]	1	[No. 66]	5	[No. 96]	3
[No. 7]	4	[No. 37]	4	[No. 67]	2	[No. 97]	1
[No. 8]	2	[No. 38]	5	[No. 68]	4	[No. 98]	2
[No. 9]	1	[No. 39]	3	[No. 69]	1	[No. 99]	5
[No. 10]	4	[No. 40]	4	[No. 70]	3	[No.100]	3
[No. 11]	3	[No. 41]	4	[No. 71]	4	[No.101]	4
[No. 12]	4	[No. 42]	1	[No. 72]	3	[No.102]	1
[No. 13]	1	[No. 43]	3	[No. 73]	2	[No.103]	3
[No. 14]	2	[No. 44]	1	[No. 74]	3	[No.104]	3
[No. 15]	5	[No. 45]	5	[No. 75]	4	[No.105]	5
[No. 16]	4	[No. 46]	4	[No. 76]	3	[No.106]	5
[No. 17]	1	[No. 47]	1	[No. 77]	5	[No.107]	2
[No. 18]	1	[No. 48]	2	[No. 78]	2	[No.108]	1
[No. 19]	4	[No. 49]	5	[No. 79]	5	[No.109]	5
[No. 20]	3	[No. 50]	2	[No. 80]	1	[No.110]	2
[No. 21]	1	[No. 51]	2	[No. 81]	2	[No.111]	1
[No. 22]	2	[No. 52]	5	[No. 82]	2	[No.112]	2
[No. 23]	5	[No. 53]	4	[No. 83]	1	[No.113]	1
[No. 24]	5	[No. 54]	4	[No. 84]	3	[No.114]	2
[No. 25]	1	[No. 55]	2	[No. 85]	3	[No.115]	5
[No. 26]	2	[No. 56]	3	[No. 86]	1	[No.116]	4
[No. 27]	5	[No. 57]	5	[No. 87]	5	[No.117]	3
[No. 28]	4	[No. 58]	1	[No. 88]	5	[No.118]	3
[No. 29]	2	[No. 59]	4	[No. 89]	1	[No.119]	4
[No. 30]	4	[No. 60]	3	[No. 90]	4	[No.120]	1

●目標点数…………**90**点

●あなたの得点…1回目＿＿＿＿点

●あなたの得点…2回目＿＿＿＿点

トレーニング **11**

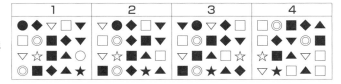

計算・分類・図形

Ⅰ　まず各検査のやり方を、5分間で以下の例題をよく読んで理解して下さい。
Ⅱ　本問（次ページから）の解答時間は15分間です。

検査Ⅰ

次の式は、▷の記号の場合は左の数から右の数を引き、ただし左の数より右の数が大きいときには左の数に右の数を加え、◁の記号の場合は右の数から左の数を引き、ただし右の数より左の数が大きいときには右の数に左の数を加え、得られた答えの一の位の数を答えなさい。ただし、左から順番に計算していくが、（　）がある場合は（　）内を先に計算する。
例えば【例題1】は、55◁14では左の55の方が右の14より大きいので14+55＝69、（　）内を先に計算して87▷33は左の87のほうが右の33より大きいので87－33＝54、最後に69▷54は左の69の方が右の54より大きいので、69－54＝15となり、正答は**5**となる。

【例題1】　55 ◁ 14 ▷（87 ▷ 33）　　　　　　　　　　　　　　【例題1】　　5

【例題2】　72 ▷ 30 ▷ 13 ◁ 52　　　　　　　　　　　　　　　【例題2】　　3

検査Ⅱ

次の記号列が手引きのどの欄のものと同じかを答えなさい。ただし2つ以上の欄に当てはまる場合は、5を正答とする。
例えば【例題3】では、「□◎■◆▼」は手引きの1欄と3欄の両方にあるので、正答は**5**となる。

【例題3】　　　　　　　　　　　　　　　　　　　　　　【例題3】　　5
【例題4】　　　　　　　　　　　　　　　　　　　　　　【例題4】　　2

検査Ⅲ

左側の図形の向きを変えて斜線部分を隠した図形として正しいものを答えなさい。
例えば【例題5】では、1がもとの図形を左に90°回転させて左半分を隠した図形であるので、正答は**1**となる。

【例題5】　

【例題6】　

　　　　　　　　　　　　　　　　　　　　　　【例題5】　1　　【例題6】　4

〔No. 1〕 26▷(58◁15)▷38

〔No. 2〕 47◁34▷29▷17

〔No. 3〕 68▷28◁(63◁31)

〔No. 4〕 33◁59▷21◁16

〔No. 5〕 95▷75▷(35◁27)

〔No. 6〕 20◁(63▷17)◁38

〔No. 7〕 31◁16◁(74▷57)

〔No. 8〕 43▷50▷51▷9

〔No. 9〕 12▷56◁23▷40

〔No. 10〕 36◁(68◁89)◁72

手引き

1	2	3	4
□★▽☆◎	●△☆★▼	★☆◎☆◎	●△☆★▼
●▽☆★▼	□★△☆◎	★◇★◎◇	□★▽☆○
★☆◎★◎	★◆☆◎◇	□☆▽★◎	★◇★○◇
★◆★◎◇	★★◎☆◎	●△★☆▼	★☆○☆◎

〔No. 11〕 □★▽☆◎

〔No. 12〕 ★★◎☆◎

〔No. 13〕 ●△☆★▼

〔No. 14〕 □☆▽★◎

〔No. 15〕 ★◇★◎◇

〔No. 16〕 ●▽☆★▼

〔No. 17〕 ★◆☆◎◇

〔No. 18〕 ★☆◎☆◎

〔No. 19〕 ★◇★○◇

〔No. 20〕 ★◆★◎◇

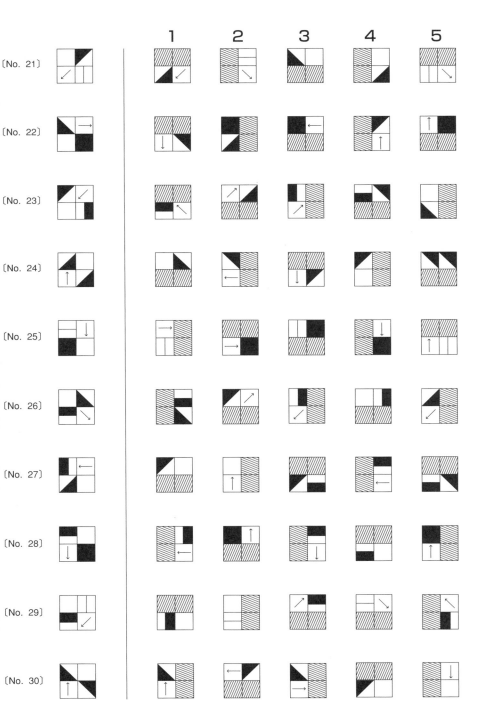

〔No. 31〕 26 ▷ 32 ◁ 80 ▷ 17

〔No. 32〕 53 ◁ 6 ▷ (77 ▷ 41)

〔No. 33〕 64 ▷ (22 ◁ 19) ▷ 58

〔No. 34〕 93 ▷ 73 ▷ 7 ▷ 41

〔No. 35〕 31 ◁ (25 ▷ 61) ◁ 18

〔No. 36〕 24 ◁ 49 ◁ 57 ◁ 29

〔No. 37〕 86 ▷ 52 ◁ (39 ◁ 47)

〔No. 38〕 35 ▷ 15 ◁ 60 ▷ 54

〔No. 39〕 17 ◁ 48 ◁ (97 ▷ 21)

〔No. 40〕 27 ◁ (83 ▷ 71) ◁ 33

	1	2	3	4
手引き	◇ ★ ▽ △ ●	● ▲ ○ □ ☆	▼ ☆ ◆ ▽ ○	◇ ★ ▽ △ ◎
	▼ ★ ◇ ▽ ◎	◇ ★ △ ▽ ●	□ ▲ ▼ ☆ ▽	● ▲ ◎ ■ ☆
	● ▲ ○ ■ ☆	▼ ☆ ◆ ▽ ◎	◇ ☆ ▽ △ ●	□ ▲ ▼ ☆ ▽
	□ ▼ ▲ ★ ▽	□ ▲ ▼ ★ ▽	● ▼ ○ ■ ☆	▼ ★ ◇ ▽ ◎

〔No. 41〕 □ ▲ ▼ ★ ▽

〔No. 42〕 ▼ ☆ ◆ ▽ ◎

〔No. 43〕 ● ▼ ○ ■ ☆

〔No. 44〕 ▼ ★ ◇ ▽ ◎

〔No. 45〕 ◇ ★ △ ▽ ●

〔No. 46〕 ● ▲ ◎ ■ ☆

〔No. 47〕 □ ▲ ▼ ☆ ▽

〔No. 48〕 ◇ ★ ▽ △ ◎

〔No. 49〕 ● ▲ ○ ■ ☆

〔No. 50〕 ◇ ★ ▽ △ ●

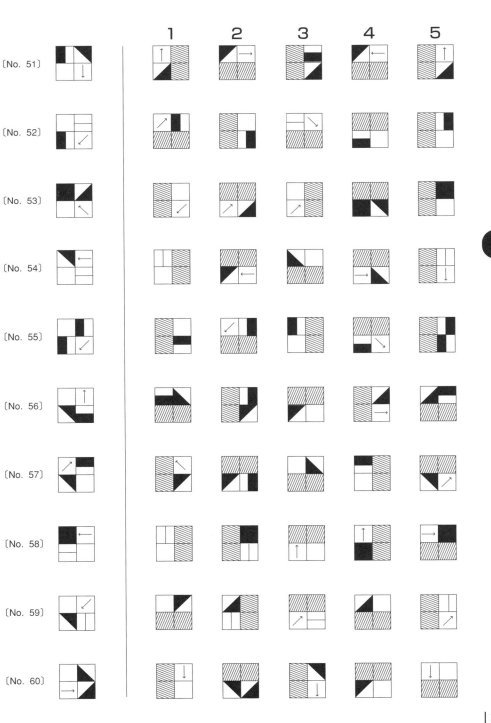

〔No. 61〕　41 ▷ 50 ▷ 18 ◁ 86

〔No. 62〕　73 ▷ 39 ◁ (27 ▷ 61)

〔No. 63〕　49 ◁ 6 ◁ 30 ◁ 97

〔No. 64〕　32 ◁ (75 ▷ 59) ◁ 25

〔No. 65〕　54 ▷ 13 ◁ (12 ◁ 78)

〔No. 66〕　43 ▷ (58 ◁ 83) ▷ 24

〔No. 67〕　15 ◁ 24 ▷ 20 ▷ 63

〔No. 68〕　30 ▷ 46 ▷ 18 ▷ 27

〔No. 69〕　62 ◁ (71 ◁ 28) ▷ 14

〔No. 70〕　81 ◁ 97 ▷ (50 ◁ 15)

手引き

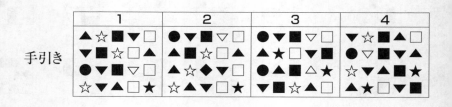

1	2	3	4
▲ ☆ ■ ▼ □	● ▼ ■ ▽ □	● ▼ ■ ▽ □	▼ ☆ ■ ▲ □
▼ ■ ☆ □ ▲	▲ ■ ☆ □ ▲	▲ ★ □ ▼ ■	● ▽ ■ ▼ ▲
● ▼ ■ ▽ □	▲ ☆ ◆ ▼ □	● ▲ ■ △ ★	☆ ▼ ▲ ■ ★
☆ ▼ ▲ □ ★	☆ ▲ ▼ □ ★	▼ ■ ☆ ▲ □	▲ ★ □ ▼ ■

〔No. 71〕　▲ ☆ ◆ ▼ □

〔No. 72〕　▼ ■ ☆ □ ▲

〔No. 73〕　▼ ☆ ■ ▲ □

〔No. 74〕　● ▼ ■ ▽ □

〔No. 75〕　▲ ★ □ ▼ ■

〔No. 76〕　● ▲ ■ △ ★

〔No. 77〕　▲ ☆ ■ ▼ □

〔No. 78〕　● ▽ ■ ▼ ▲

〔No. 79〕　▼ ■ ☆ ▲ □

〔No. 80〕　☆ ▼ ▲ ■ ★

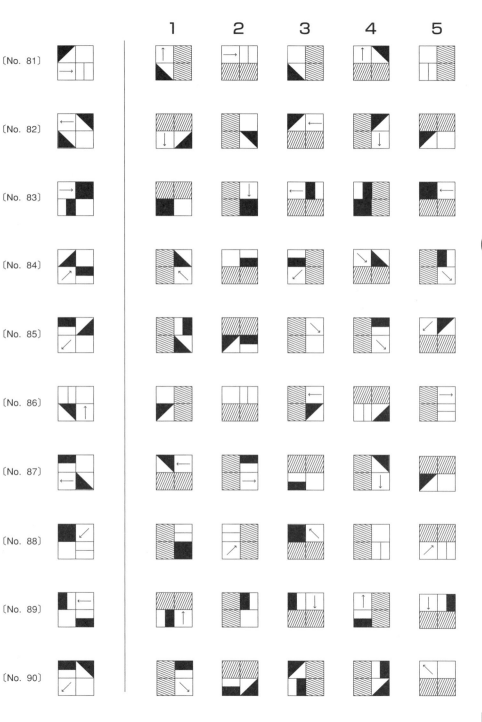

〔No. 91〕　32 ▷ 41 ▷ 27 ▷ 31

〔No. 92〕　27 ◁ 41 ◁ (6 ▷ 21)

〔No. 93〕　61 ▷ 45 ◁ 49 ▷ 18

〔No. 94〕　11 ▷ (31 ◁ 15) ▷ 23

〔No. 95〕　23 ▷ 34 ◁ (31 ◁ 27)

〔No. 96〕　39 ◁ 24 ◁ 8 ◁ 23

〔No. 97〕　41 ▷ 6 ◁ (13 ▷ 45)

〔No. 98〕　9 ◁ 63 ◁ 11 ▷ 21

〔No. 99〕　27 ◁ (16 ◁ 49) ▷ 39

〔No.100〕　36 ◁ 41 ▷ 82 ▷ 35

1	2	3	4
□ ● ◆ ◇ △	▲ ○ ◎ ◆ ●	▽ ◎ ■ ▽ ☆	☆ ■ △ ▽ ○
☆ ■ △ ▽ ◎	☆ ■ ▽ △ ◎	□ ● ◇ ◆ △	△ ◎ ■ △ ☆
▲ ○ ◎ ■ ●	▽ ○ ■ △ ☆	▲ ○ ○ ◆ ●	□ ● ◆ ◇ △
▽ ◎ ■ △ ☆	□ ◆ ● ◇ △	☆ ◆ △ ▽ ◎	▲ ○ ○ ■ ●

手引き

〔No.101〕　▽ ◎ ■ ▽ ☆

〔No.102〕　□ ● ◇ ◆ △

〔No.103〕　▲ ○ ◎ ◆ ●

〔No.104〕　□ ◆ ● ◇ △

〔No.105〕　☆ ■ △ ▽ ◎

〔No.106〕　▲ ◎ ○ ■ ●

〔No.107〕　□ ● ◆ ◇ △

〔No.108〕　☆ ◆ △ ▽ ◎

〔No.109〕　▲ ○ ◎ ■ ●

〔No.110〕　☆ ■ ▽ △ ◎

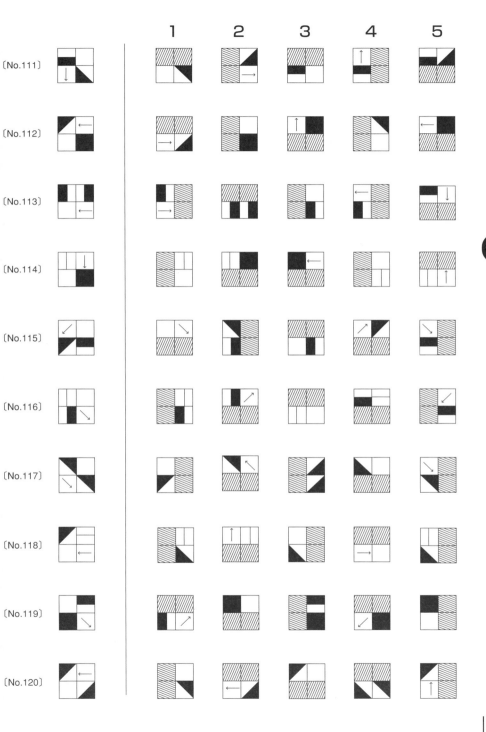

トレーニング11 正答

[No. 1]	1	[No. 31]	5	[No. 61]	3	[No. 91]	5
[No. 2]	5	[No. 32]	3	[No. 62]	4	[No. 92]	3
[No. 3]	4	[No. 33]	1	[No. 63]	2	[No. 93]	5
[No. 4]	1	[No. 34]	4	[No. 64]	3	[No. 94]	4
[No. 5]	2	[No. 35]	3	[No. 65]	5	[No. 95]	1
[No. 6]	2	[No. 36]	1	[No. 66]	2	[No. 96]	4
[No. 7]	4	[No. 37]	2	[No. 67]	2	[No. 97]	3
[No. 8]	3	[No. 38]	4	[No. 68]	1	[No. 98]	4
[No. 9]	1	[No. 39]	5	[No. 69]	3	[No. 99]	5
[No. 10]	5	[No. 40]	2	[No. 70]	1	[No.100]	2
[No. 11]	1	[No. 41]	2	[No. 71]	2	[No.101]	3
[No. 12]	2	[No. 42]	2	[No. 72]	1	[No.102]	3
[No. 13]	5	[No. 43]	3	[No. 73]	4	[No.103]	5
[No. 14]	3	[No. 44]	5	[No. 74]	5	[No.104]	2
[No. 15]	3	[No. 45]	2	[No. 75]	5	[No.105]	1
[No. 16]	1	[No. 46]	4	[No. 76]	3	[No.106]	4
[No. 17]	2	[No. 47]	5	[No. 77]	1	[No.107]	5
[No. 18]	5	[No. 48]	4	[No. 78]	4	[No.108]	3
[No. 19]	4	[No. 49]	1	[No. 79]	3	[No.109]	1
[No. 20]	1	[No. 50]	1	[No. 80]	4	[No.110]	2
[No. 21]	2	[No. 51]	2	[No. 81]	3	[No.111]	2
[No. 22]	5	[No. 52]	5	[No. 82]	1	[No.112]	1
[No. 23]	3	[No. 53]	3	[No. 83]	2	[No.113]	5
[No. 24]	4	[No. 54]	4	[No. 84]	4	[No.114]	4
[No. 25]	1	[No. 55]	1	[No. 85]	1	[No.115]	2
[No. 26]	3	[No. 56]	2	[No. 86]	3	[No.116]	4
[No. 27]	5	[No. 57]	3	[No. 87]	5	[No.117]	1
[No. 28]	2	[No. 58]	1	[No. 88]	2	[No.118]	5
[No. 29]	4	[No. 59]	4	[No. 89]	5	[No.119]	2
[No. 30]	1	[No. 60]	5	[No. 90]	4	[No.120]	3

●目標点数················**90**点

●あなたの得点…1回目 _____ 点

●あなたの得点…2回目 _____ 点

Ⅰ　まず各検査のやり方を、5分間で以下の例題をよく読んで理解して下さい。
Ⅱ　本問（次ページから）の解答時間は15分間です。

検査Ⅰ

左側の図形と同じ形のものを答えなさい。ただし、図形は裏返さないものとする。
例えば【例題1】では、4が同じ図形であるので、正答は4となる。

	1	2	3	4	5

【例題1】

【例題2】

【例題1】　4　　　【例題2】　2

検査Ⅱ

次の問題を計算し、結果がどの欄に含まれているかを答えよ。ただし、手引きに答えがない場合は、5を正答とする。
例えば【例題3】は計算すると答えは 14 となるので、手引きの1に含まれている。したがって、1が正答となる。

手引き	1	2	3	4
	− 1, 14, 5, 10	3, 32, 47, 8	36, 34, 19, 12	2, 35, 9, 27

【例題3】　$18 ÷ 9 × 2 + 10$　　　　　　　　　　　　　【例題3】　1
【例題4】　$8 × 7 − 7 − 15$　　　　　　　　　　　　　【例題4】　3

検査Ⅲ

左側のひらがなと右側のひらがなを比べて、右側だけにふくまれるひらがなの数を答えなさい。
例えば【例題5】では、右側にだけ「そ」と「き」が含まれるので、2が正答となる。

【例題5】　ほへみしじ　｜　しそじへほみしじきしへぼ　　　【例題5】　2
【例題6】　ぜそはがむ　｜　はさぜむぜかがほむぜはが　　　【例題6】　3

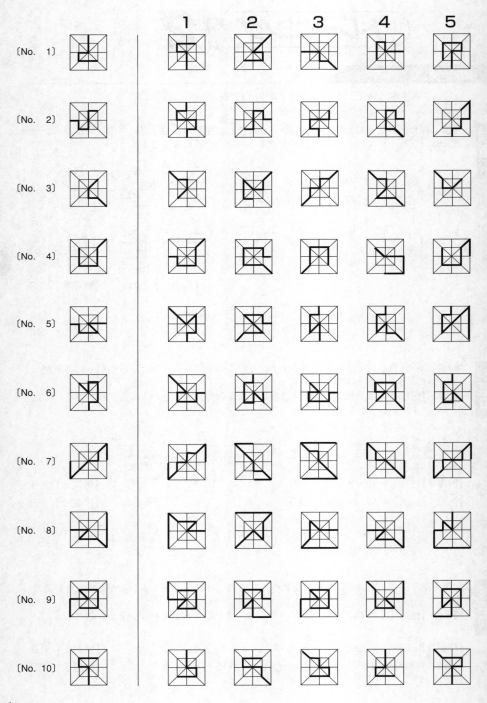

手引き	1	2	3	4
	11, 49, 40, −2	57, 25, 51, 26	28, −7, 36, −18	21, 46, 19, 32

〔No. 11〕　　19 ＋ 15 ÷ 9 × 18

〔No. 12〕　　16 ÷ 8 × 14 − 12

〔No. 13〕　　17 ＋ 3 ＋ 4 × 2

〔No. 14〕　　6 × 2 ＋ 56 ÷ 4

〔No. 15〕　　16 × 2 − 2 × 17

〔No. 16〕　　7 × 6 − 30 ÷ 3

〔No. 17〕　　3 ＋ 36 ÷ 4 − 4

〔No. 18〕　　10 ＋ 2 × 2 × 9

〔No. 19〕　　15 ÷ 3 × 7 − 10

〔No. 20〕　　2 × 2 × 6 − 9

〔No. 21〕　にみぴよご　｜　みびこさぴによはみにごぴ

〔No. 22〕　いぢぴりの　｜　いりじぴぴぢいのひりいぢ

〔No. 23〕　ぷぽくかわ　｜　かあぷくほくかぷしかわて

〔No. 24〕　みまがふん　｜　んがふまみよふがみふまん

〔No. 25〕　でらをぬわ　｜　わぬをでおあわらつぬわを

〔No. 26〕　かぱびれて　｜　てぱわびびつてはがでぱび

〔No. 27〕　ぽらゆぽな　｜　ぽらほつぽならほぽらゆな

〔No. 28〕　ちむそほめ　｜　ちそむめほめそむめむさほ

〔No. 29〕　ぽたげらぞ　｜　ぽらぞたげぽぞたらたでぽ

〔No. 30〕　ぞたじべを　｜　べたでをぞこべしをぞたじ

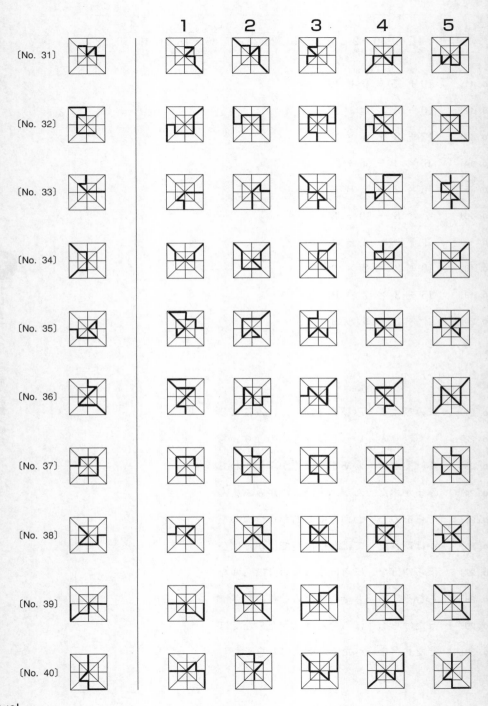

〔No. 31〕

〔No. 32〕

〔No. 33〕

〔No. 34〕

〔No. 35〕

〔No. 36〕

〔No. 37〕

〔No. 38〕

〔No. 39〕

〔No. 40〕

手引き	1	2	3	4
	24, − 16, 45, 32	28, 2, 43, 36	− 3, 11, 3, 41	49, 26, 15, 38

〔No. 41〕　26 × 6 ÷ 13 − 9

〔No. 42〕　3 × 3 × 3 − 12

〔No. 43〕　17 + 2 × 2 × 6

〔No. 44〕　3 × 13 − 2 + 8

〔No. 45〕　32 ÷ 4 + 15 + 13

〔No. 46〕　7 + 3 × 14 − 6

〔No. 47〕　5 × 9 − 16 + 8

〔No. 48〕　5 + 7 ÷ 5 × 25

〔No. 49〕　38 ÷ 2 + 17 + 13

〔No. 50〕　15 × 3 − 7 − 11

〔No. 51〕　づげずねう　｜　うねほずねづずげわづずつ

〔No. 52〕　ごきかぎし　｜　ぎじかござかぎさごきぢが

〔No. 53〕　ごほひぶざ　｜　ひざはぶほざぶひざごさひ

〔No. 54〕　たべづびえ　｜　えびたちべびたづへこえじ

〔No. 55〕　かなばろぺ　｜　ぱるかぺばろなかなばろぺ

〔No. 56〕　うらるどお　｜　うさるどるどらつとらろあ

〔No. 57〕　ふぞげむめ　｜　むぞげふげふめでぞふめむ

〔No. 58〕　べぜめへま　｜　ませべよへまめぺべぜまへ

〔No. 59〕　へえぐせな　｜　えへくせよえへぐべえへさ

〔No. 60〕　ごそなげば　｜　そごなけらさげごなてげは

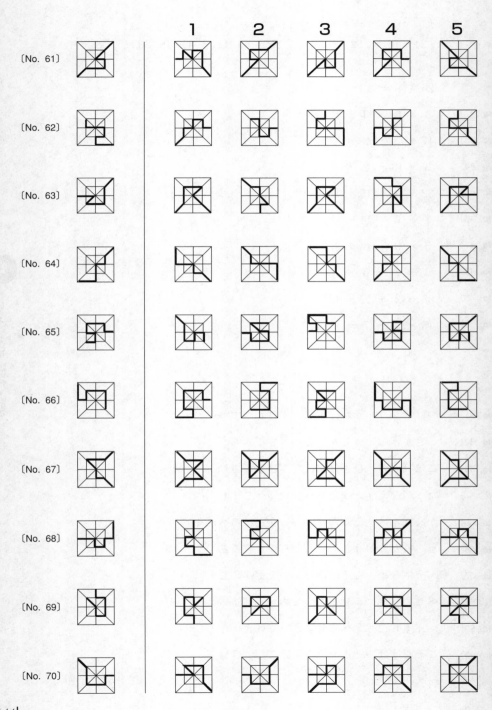

手引き	1	2	3	4
	34, 9, 54, − 13	18, 15, 14, 12	56, − 10, 21, − 8	49, 36, 35, 16

〔No. 71〕　　$3 \times 18 - 6 \times 3$

〔No. 72〕　　$2 \times 7 \times 3 - 17$

〔No. 73〕　　$78 \div 13 \div 2 - 13$

〔No. 74〕　　$12 + 18 \times 3 - 10$

〔No. 75〕　　$2 \div 8 \times 24 + 12$

〔No. 76〕　　$6 + 3 \times 7 - 18$

〔No. 77〕　　$80 \div 5 \div 4 - 17$

〔No. 78〕　　$20 \div 2 - 4 + 15$

〔No. 79〕　　$6 + 54 \div 3 - 6$

〔No. 80〕　　$18 \times 4 - 3 \times 6$

トレーニング12　図形・計算・照合

〔No. 81〕	ぱこかづえ	えぱこかぱづがこぱえごか
〔No. 82〕	ずやどめき	やずぎあどすやさとずやき
〔No. 83〕	めせぞねの	ぞれねめぞのねめのあせぞ
〔No. 84〕	だなびわも	びなわたびれだなまなびわ
〔No. 85〕	なぜみけに	みぜはなみばけぜけぜごな
〔No. 86〕	たさはふん	さふんたさきんたふさはた
〔No. 87〕	やすひあさ	ずさあひきやよあやすひめ
〔No. 88〕	みねでそち	ちみそでちみねそでちねの
〔No. 89〕	ぎしえりべ	りしそべいえりざりきえし
〔No. 90〕	るれねはを	をれるほろおはれねぼをれ

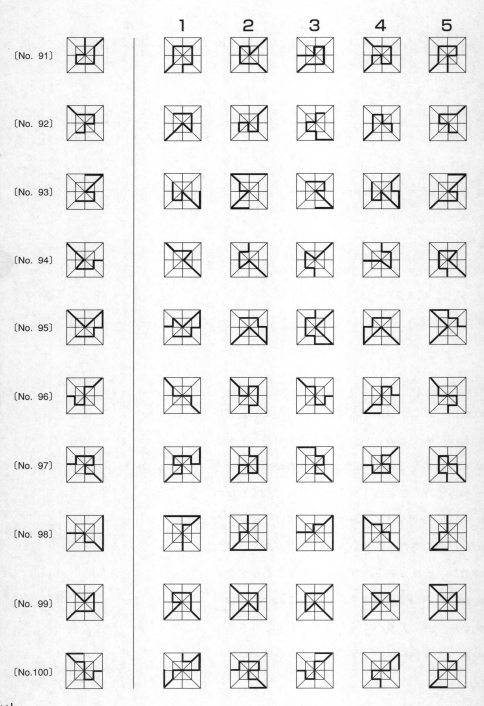

手引き	1	2	3	4
	45, 25, 43, 14	24, 8, 54, 46	− 8, 47, 44, 5	− 6, 16, 35, 13

〔No.101〕　　$7 \times 40 \div 10 + 6$

〔No.102〕　　$4 + 55 \times 2 \div 11$

〔No.103〕　　$16 + 70 \div 14 \times 6$

〔No.104〕　　$9 - 54 \div 6 + 13$

〔No.105〕　　$32 \div 16 \times 10 - 15$

〔No.106〕　　$6 \times 3 \times 2 + 18$

〔No.107〕　　$15 \div 5 + 4 \times 8$

〔No.108〕　　$18 - 15 \times 8 \div 4$

〔No.109〕　　$11 - 2 \times 15 + 11$

〔No.110〕　　$9 + 6 \times 2 \times 3$

〔No.111〕	べぜぐとで	べぐせどぜてとぺとぐざべ
〔No.112〕	びぽゆぬが	ほぬびゆゆぬがびがゆびぬ
〔No.113〕	ぜぴくづに	にぜぴづにぴぜづしこくぴ
〔No.114〕	なじぽべは	べじはぽべくはなはべぽじ
〔No.115〕	ゆふのぞぼ	ぞのぼゆそゆふほふのぞぽ
〔No.116〕	ぺんえめい	めえあねんりえそめぺえべ
〔No.117〕	ぽろでぶお	ぽでろおぶておるろぽおで
〔No.118〕	ちにずぬお	ちねぬおさあにおずちぬに
〔No.119〕	ゆふあねが	みがふゆのがめねあかふね
〔No.120〕	ざよねしだ	ざねじよたねよさしざまれ

[No. 1]	4	[No. 31]	3	[No. 61]	2	[No. 91]	5
[No. 2]	2	[No. 32]	5	[No. 62]	4	[No. 92]	4
[No. 3]	1	[No. 33]	2	[No. 63]	5	[No. 93]	1
[No. 4]	3	[No. 34]	1	[No. 64]	1	[No. 94]	3
[No. 5]	3	[No. 35]	4	[No. 65]	4	[No. 95]	4
[No. 6]	5	[No. 36]	3	[No. 66]	2	[No. 96]	5
[No. 7]	2	[No. 37]	3	[No. 67]	5	[No. 97]	2
[No. 8]	1	[No. 38]	1	[No. 68]	1	[No. 98]	2
[No. 9]	3	[No. 39]	4	[No. 69]	2	[No. 99]	3
[No. 10]	1	[No. 40]	5	[No. 70]	4	[No.100]	4
[No. 11]	1	[No. 41]	3	[No. 71]	4	[No.101]	5
[No. 12]	5	[No. 42]	4	[No. 72]	5	[No.102]	1
[No. 13]	3	[No. 43]	3	[No. 73]	3	[No.103]	2
[No. 14]	2	[No. 44]	1	[No. 74]	3	[No.104]	4
[No. 15]	1	[No. 45]	2	[No. 75]	2	[No.105]	3
[No. 16]	4	[No. 46]	2	[No. 76]	1	[No.106]	2
[No. 17]	5	[No. 47]	5	[No. 77]	1	[No.107]	4
[No. 18]	4	[No. 48]	5	[No. 78]	3	[No.108]	5
[No. 19]	2	[No. 49]	4	[No. 79]	2	[No.109]	3
[No. 20]	5	[No. 50]	5	[No. 80]	1	[No.110]	1
[No. 21]	4	[No. 51]	3	[No. 81]	2	[No.111]	5
[No. 22]	2	[No. 52]	5	[No. 82]	5	[No.112]	1
[No. 23]	4	[No. 53]	2	[No. 83]	2	[No.113]	2
[No. 24]	1	[No. 54]	4	[No. 84]	3	[No.114]	1
[No. 25]	3	[No. 55]	2	[No. 85]	3	[No.115]	3
[No. 26]	5	[No. 56]	5	[No. 86]	1	[No.116]	5
[No. 27]	2	[No. 57]	1	[No. 87]	4	[No.117]	2
[No. 28]	1	[No. 58]	3	[No. 88]	1	[No.118]	3
[No. 29]	1	[No. 59]	4	[No. 89]	4	[No.119]	4
[No. 30]	3	[No. 60]	5	[No. 90]	4	[No.120]	5

●目標点数…………… **100**点

●あなたの得点…1回目 _____ 点

●あなたの得点…2回目 _____ 点

トレーニング 13

照合・計算・図形

Ⅰ　まず各検査のやり方を、5分間で以下の例題をよく読んで理解して下さい。
Ⅱ　本問（次ページから）の解答時間は15分間です。

検査Ⅰ　次の正本を、二重下線がある部分は削除し、下線がある部分は下線下に示す語で置き換え、↑でしめされる語句を追加したのち、副本と照合して、副本中の1～5の欄のいずれに間違いがあるかを答えなさい。
例えば【例題1】では、正本を指示に従って校正した後の文章に対して、2の欄の「同」の字が異なっているので、2が正答となる。

【正　本】

【例題1】　東ドイツの特殊事情による例外的なものであ
　　　　　↑独合併等　　要因
　　　　　これは

【例題2】　今月の第2回日米財界人会議において会議の
　　　　先般　　　　　　　　　　　　　　↑
　　　　　　　　　　　　　　　　　　　も京都

【副　本】

	1	2	3	4	5
【例題1】	これは東	独合同等	の特殊要	因による	ものであ
【例題2】	先月の日	米財界人	会議にお	いても京	都会議の

【例題1】　2　　　【例題2】　1

検査Ⅱ　■のマスの位置に対応する手引の数を合計した数に置き換えて計算を行い、その答えの数の第1位を答えなさい。

例えば【例題3】では、■は 2+4+8=14、■は 1+2+3=6　■は 7+9+5=21 となり、計算は 14×6÷21=4 となるので、正答は **4** となる。

手引き

1	2	7
6	3	9
5	4	8

【例題3】　■ × ■ ÷ ■　　【例題3】　4

【例題4】　■ ÷ ■ + ■　　【例題4】　1

検査Ⅲ　手引きに与えられた文字を線で結んだときにできる三角形の、向きだけを変えたものを答えなさい。ただし、三角形は裏返さないものとする。
例えば【例題5】では、手引きのA－E－Dを結んだ図形は1であるので、正答は1となる。

手引き

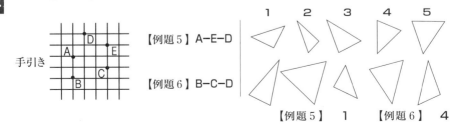

【例題5】　A－E－D

【例題6】　B－C－D

【例題5】　1　　　【例題6】　4

	【正　本】	【副　本】 1	2	3	4	5
〔No. 1〕	運輸部門では総需要の急激な増大が1995 についても	運輸部門	について	は総需要	の増大が	１９９５
〔No. 2〕	欧米でも善悪で区分けされて討議されがちだ 国内　　　　　　　議論	国内では	善悪で区	分けされ	て議論さ	れがちだ
〔No. 3〕	スターレスラーを次々生んだ女子プロレスプ アイドル　　　　誕生させ	アイドル	レスラー	を延生さ	せ女子プ	ロレスプ
〔No. 4〕	今後産業部門について10年の間にCO2排 20　　　まで	産業部門	について	２０１０	年の間に	CO2排
〔No. 5〕	これまでの努力も充分勘案した衡平な施策が 過去　　　　　　　　　国際的に	過去の努	力も勧案	した国際	的に衡平	な施策が
〔No. 6〕	公益法人日本不動産研究所が9月に調査した 財団　　　　　　は　調べ　末	財団法人	日本不動	産研究所	は９月末	で調べた
〔No. 7〕	今後は都市輸送にも路面電車の復活などにつ 関して　　　新設	都市輸送	に関して	は路面電	車の新設	などにつ
〔No. 8〕	首相は特に財政法の規定から壁ができるのは 橋本　　　　　　　建前	橋本首相	は財特法	の建前か	ら壁がで	きるのは
〔No. 9〕	今回は取組の推進に上意下達を避け国民各界 上命下達 当たり	取組の推	進にあた	り上命下	達を避け	国民各界
〔No. 10〕	通年での減少幅は過去最大となっていたバブ 月間　　　それぞれ　だっ	月間の減	少幅はそ	れぞれ過	去最多だ	ったバブ

手引き

4	2	3
1	7	6
8	5	9

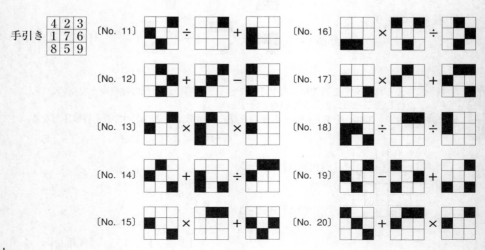

〔No. 11〕　　〔No. 16〕

〔No. 12〕　　〔No. 17〕

〔No. 13〕　　〔No. 18〕

〔No. 14〕　　〔No. 19〕

〔No. 15〕　　〔No. 20〕

150

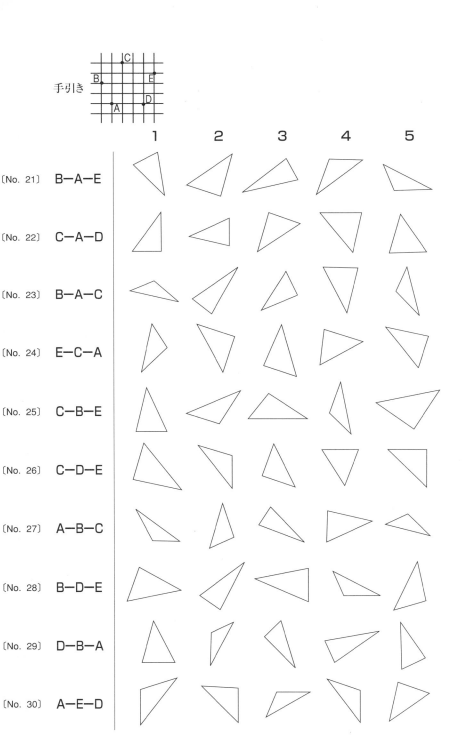

	1	2	3	4	5
〔No. 31〕 自主行動を計画されていたが省エネルギー削 をとりまとめている	自主行動	計画をと	りまとめ	ていたが	省エネ削
〔No. 32〕 昨年CM不正が明らかとなり各社とも一斉に になった段階で 問題	昨年不正	問題が明	らかにな	った段階	で一斉に
〔No. 33〕 同社の販売マニュアルをめぐっては業界から 手法 内など	同社の販	売方法を	めぐって	は業界内	などから
〔No. 34〕 新設の炭素税の税収を温暖化政策のために使 対策 政府の	炭素税の	税収を政	府の温暖	化政策の	ために使
〔No. 35〕 今年ミズノは全柔連の依頼を受け新たに開か 要請 今年初め	ミズノは	全柔連の	要請を受	け今年初	めは開か
〔No. 36〕 通商省は訴状でマイクロソフト社がエクスプ 同 えの中	商省は訴	えの中で	マイクロ	ソフトが	エクスプ
〔No. 37〕 産業部門では経済同友会の行動計画によれば について 団連 自主	産業部門	について	は経同連	の自主行	動計画に
〔No. 38〕 戦後ずっと内容を判断するのは東京の放送局 一貫して 放送	戦後一貫	して放送	内容を判	断するの	が放送局
〔No. 39〕 染色など品質の検討を長年続けてきているが その後 面 いた	その後洗	色など品	質面の検	討を続け	ていたが
〔No. 40〕 国債のあり方を見直して今年度より建設国債 すとともに 発行	国債発行	のあり方	を見直す	をともに	建設国債

手引き

7	1	6
8	2	9
4	5	3

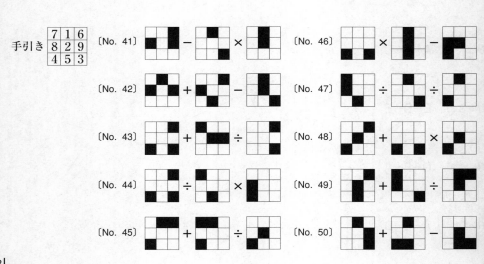

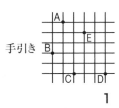

手引き

		1	2	3	4	5
[No. 51]	E—A—D					
[No. 52]	A—C—E					
[No. 53]	E—B—D					
[No. 54]	D—C—A					
[No. 55]	E—C—B					
[No. 56]	B—A—C					
[No. 57]	C—E—B					
[No. 58]	D—C—E					
[No. 59]	D—B—A					
[No. 60]	B—D—C					

【正　本】	【副　本】 1	2	3	4	5
〔No. 61〕 政府内でいくつかの省に複雑にまたがってお ↑　　　　複数 日本では　　　　　　庁	日本では	政府内で	複数の省	庁にまた	がってい
〔No. 62〕 田中和夫さんはこれまで番組を続けたのは台 　　　　　　　　　　　　　　　　ることができた	田中さん	は番組を	続けるこ	とができ	たはの台
〔No. 63〕 広島カープの紀藤は初めて取得したＦＡ権の ↑　　　　　　　　　　フリーエージェント 　　　　　　23日	紀藤は2	3日取得	したフリ	ーエージ	ェン権の
〔No. 64〕 安保騒動を背景に新聞報道の中立や責任が注 ↑　　　　　　　　　　　公正 　　　など	安保運動	などを背	景に報道	の公正や	責任が注
〔No. 65〕 国債の流通利回りや長期金利は近年最も低く ↑　　　　　　　　　　　　　史上最低 10年	１０年国	債の流通	利回り長	季金利は	史上最低
〔No. 66〕 日本の自動車等分野の技術的な改革可能性に ↑　　　　　　　　　　削減 　　　　様々な	自動車等	様々な分	野の技術	的な改革	可能性に
〔No. 67〕 四国山地を縦断する土讃本線の車窓風景は美 ↑　　　　　　　　　　沿線 　南北に	四国を南	北に横断	する土讃	線の沿線	風景は美
〔No. 68〕 広く情報を提供し民間人の声をリサーチして ↑　　　　　国民　　　　　聞き 　そのためには	そのため	には広く	情報を流	し国民の	声を聞き
〔No. 69〕 長引く不況やあいつぐ大統領経験者のスキャ 経済困難　　相次　　　　　　　　金権	経済不況	や相次ぐ	大統領経	験者の金	権スキャ
〔No. 70〕 サミットを取り巻く今回の関連行事を通じて 首脳会議　　　　　　　　　　の開催	首脳会議	を取り巻	く関連行	事の開催	等通じて

手引き

6	8	3
2	4	5
1	7	9

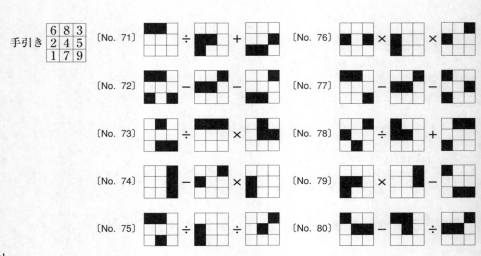

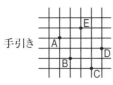

	【正　本】	【副　本】 1	2	3	4	5
〔No. 91〕	これからどういう施策を行うのがベストミッ　組み合わせる	どういう	政策を組	み合わせ	るのがベ	ストミッ
〔No. 92〕	通貨にＥＣはグループで対応し経済はより広 Ｕ ユニット ており	ＥＵはユ	ニットで	対処して	おり経済	はより広
〔No. 93〕	我々ができるのはどうやって排出の削減とい したがって 抑制	したがっ	て私達が	できるの	は排出の	抑制とい
〔No. 94〕	環境問題は他の国が無策だから日本も何もせ 何もやっていない	他の国が	なにもし	ていない	から日本	も何もせ
〔No. 95〕	迷惑をうけるのはユーザーだと述べソフトが 被 消費者 閲覧	迷惑を彼	るのは消	費者だと	述べ閲覧	ソフトが
〔No. 96〕	日本の工場はとくにエネルギー効率の高い製 我が国 主要産業 よ	我が国の	主要産業	のエネル	ギー効率	のよい製
〔No. 97〕	今日の東京市場の円相場では16時半現在1 外国為替 午後5時	東京外国	為替市場	の相場で	は午後5	時現在1
〔No. 98〕	2点目は堅実なる経済成長やエネルギー供給 について 需要	2点目に	ついては	経済成長	やエネル	ギー需給
〔No. 99〕	最近の全国のケーブルテレビは進んで市民リ 各地 のなかには	各地域で	のケーブ	ルテレビ	のなかに	は市民リ
〔No.100〕	アメリカがリーダーシップをとることが不可 米国 発揮す	米国がリ	ーダーシ	ップを発	輝するこ	とが不可

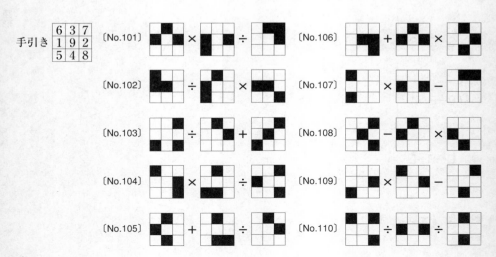

手引き

6	3	7
1	9	2
5	4	8

〔No.101〕 〔No.102〕 〔No.103〕 〔No.104〕 〔No.105〕

〔No.106〕 〔No.107〕 〔No.108〕 〔No.109〕 〔No.110〕

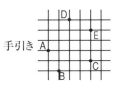
手引き

		1	2	3	4	5
[No.111]	A−B−D					
[No.112]	B−E−C					
[No.113]	C−A−D					
[No.114]	A−E−B					
[No.115]	E−B−D					
[No.116]	A−C−E					
[No.117]	B−A−C					
[No.118]	D−C−E					
[No.119]	B−D−C					
[No.120]	E−A−D					

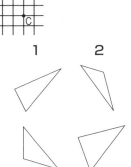

13

トレーニング13 照合・計算・図形

トレーニング13 正答

[No. 1]	3	[No. 31]	4	[No. 61]	5	[No. 91]	2
[No. 2]	1	[No. 32]	1	[No. 62]	5	[No. 92]	3
[No. 3]	3	[No. 33]	2	[No. 63]	5	[No. 93]	2
[No. 4]	4	[No. 34]	4	[No. 64]	1	[No. 94]	2
[No. 5]	2	[No. 35]	5	[No. 65]	4	[No. 95]	1
[No. 6]	5	[No. 36]	1	[No. 66]	4	[No. 96]	3
[No. 7]	3	[No. 37]	3	[No. 67]	2	[No. 97]	3
[No. 8]	2	[No. 38]	5	[No. 68]	3	[No. 98]	5
[No. 9]	2	[No. 39]	1	[No. 69]	1	[No. 99]	1
[No. 10]	4	[No. 40]	4	[No. 70]	5	[No.100]	4
[No. 11]	2	[No. 41]	1	[No. 71]	5	[No.101]	4
[No. 12]	3	[No. 42]	1	[No. 72]	4	[No.102]	2
[No. 13]	4	[No. 43]	5	[No. 73]	4	[No.103]	5
[No. 14]	5	[No. 44]	3	[No. 74]	2	[No.104]	2
[No. 15]	2	[No. 45]	3	[No. 75]	1	[No.105]	1
[No. 16]	2	[No. 46]	2	[No. 76]	5	[No.106]	3
[No. 17]	5	[No. 47]	1	[No. 77]	2	[No.107]	3
[No. 18]	1	[No. 48]	4	[No. 78]	3	[No.108]	4
[No. 19]	1	[No. 49]	5	[No. 79]	4	[No.109]	5
[No. 20]	4	[No. 50]	3	[No. 80]	3	[No.110]	1
[No. 21]	3	[No. 51]	3	[No. 81]	5	[No.111]	2
[No. 22]	2	[No. 52]	4	[No. 82]	1	[No.112]	3
[No. 23]	1	[No. 53]	1	[No. 83]	2	[No.113]	4
[No. 24]	5	[No. 54]	4	[No. 84]	4	[No.114]	5
[No. 25]	4	[No. 55]	5	[No. 85]	3	[No.115]	2
[No. 26]	3	[No. 56]	2	[No. 86]	4	[No.116]	3
[No. 27]	5	[No. 57]	3	[No. 87]	2	[No.117]	5
[No. 28]	1	[No. 58]	1	[No. 88]	5	[No.118]	1
[No. 29]	2	[No. 59]	5	[No. 89]	1	[No.119]	4
[No. 30]	4	[No. 60]	4	[No. 90]	2	[No.120]	1

●目標点数‥‥‥‥‥‥‥**90**点

●あなたの得点…1回目 ＿＿＿＿＿＿点

●あなたの得点…2回目 ＿＿＿＿＿＿点

計算・分類・図形

Ⅰ　まず各検査のやり方を、5分間で以下の例題をよく読んで理解して下さい。
Ⅱ　本問（次ページから）の解答時間は15分間です。

検査Ⅰ

左のA〜Cを代入すると右式は完成するが、▨部分に入る数字として1〜5のうち
適切なものを答えなさい。また8Aと表記されているのは「8×A」を表している。
例えば【例題1】の式は、(8×3)+(7×4)÷(2× ▨)=31となり、B＝2が適切なので
正答は2となる。

	A	B	C		
【例題1】	3		4	8A＋7C÷2B＝31	【例題1】　2
【例題2】		4	5	3B＋9C÷5A＝15	【例題2】　3

検査Ⅱ

次の文字列が手引きの1〜5のどの欄に分類されるかを答えなさい。
例えば【例題3】では、「く－251」は1の欄の「あ〜け　250〜339」に該当するので、
正答は1となる。

手引き	1	あ〜け	250〜339 670〜790
	2	る〜を	102〜383 415〜492
	3	と〜よ	807〜899 235〜390
	4	ひ〜め	321〜345 412〜588
	5	け〜に	120〜229 537〜771

【例題3】　く－251　　　　　　　　　　　　　　　　【例題3】　1
【例題4】　ゆ－315　　　　　　　　　　　　　　　　【例題4】　3

検査Ⅲ

左側の図形と同じ形のものを答えなさい。ただし、図形は裏返さないものとする。
例えば【例題5】では、2が同じ図形であるので、正答は2となる。

	1	2	3	4	5
【例題5】					
【例題6】					

【例題5】

【例題6】

　　　　　　　　　　　　　　　　　　【例題5】　2　　【例題6】　5

	A	B	C	
[No. 1]	7		8	$5B \times 8A \div 4C = 35$
[No. 2]	4	3		$(5B - 2A) \times 5 = 7C$
[No. 3]		2	6	$2B \times 4A + 2C = 28$
[No. 4]	6		3	$8A \div 2C \div 2B = 2$
[No. 5]		2	9	$8C \div (4B + 2A) = 4$
[No. 6]	8	3		$2C + 6A \div 4B = 12$
[No. 7]	8		2	$(2A + 5B) \div 9C = 2$
[No. 8]	8	6		$(4A - 2B) \div 2C = 5$
[No. 9]	2		7	$6C \div (3B + 6A) = 2$
[No. 10]	1	6		$2A \div 3C \times 8B = 8$

手引き	1	し～へ	109～227 912～987
	2	ち～る	321～611 679～721
	3	あ～て	228～320 850～920
	4	こ～な	735～847 988～997
	5	め～わ	121～319 842～993

[No. 11]　や－987　　　　　[No. 16]　ゆ－299

[No. 12]　な－415　　　　　[No. 17]　せ－789

[No. 13]　き－872　　　　　[No. 18]　た－989

[No. 14]　ね－956　　　　　[No. 19]　の－435

[No. 15]　り－843　　　　　[No. 20]　せ－851

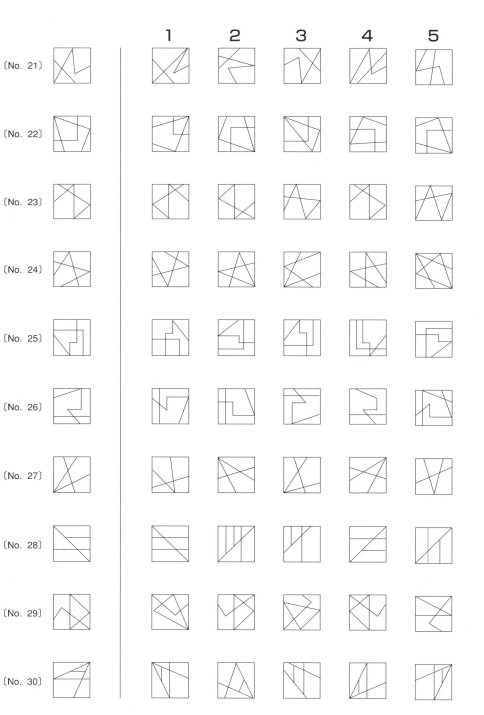

	A	B	C
[No. 31]	2		9
[No. 32]		2	4
[No. 33]	3		5
[No. 34]	6	7	
[No. 35]		2	9
[No. 36]	9		3
[No. 37]		3	9
[No. 38]	2		7
[No. 39]		4	2
[No. 40]	2		3

[No. 31] $6C - 2A \times 3B = 18$

[No. 32] $(4C - 5B) \times 2A = 12$

[No. 33] $5A \times 3B + 2C = 55$

[No. 34] $4B \div 2A \times 5C = 35$

[No. 35] $5C - 3A - 5B = 26$

[No. 36] $6A \div 3B - 2C = 3$

[No. 37] $(9 + 4C) \div 3B = A$

[No. 38] $3C - 9A + 6B = 21$

[No. 39] $6C \times (7A - 8B) = 36$

[No. 40] $(5B + 2C) \times 3A = 66$

手引き			
1	M〜Q	315〜384 392〜419
2	G〜T	387〜391 515〜620
3	U〜Z	296〜412 571〜720
4	R〜X	120〜284 731〜840
5	A〜K	182〜376 644〜921

[No. 41] J − 375

[No. 42] V − 719

[No. 43] O − 391

[No. 44] N − 322

[No. 45] G − 672

[No. 46] W − 381

[No. 47] N − 383

[No. 48] S − 838

[No. 49] X − 409

[No. 50] I − 389

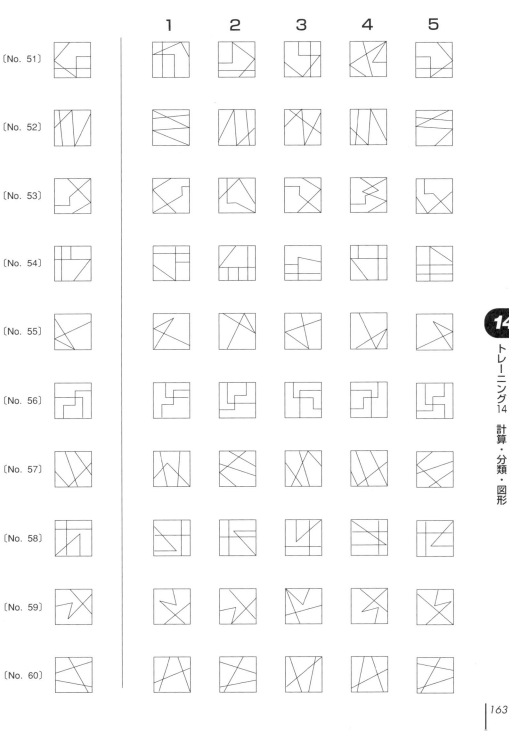

1 2 3 4 5

[No. 51]
[No. 52]
[No. 53]
[No. 54]
[No. 55]
[No. 56]
[No. 57]
[No. 58]
[No. 59]
[No. 60]

14

トレーニング14 計算・分類・図形

	A	B	C
〔No. 61〕	8	3	
〔No. 62〕	3	2	
〔No. 63〕	4		9
〔No. 64〕	7	3	
〔No. 65〕	4		9
〔No. 66〕	9	8	
〔No. 67〕		7	9
〔No. 68〕	3	9	
〔No. 69〕		7	9
〔No. 70〕	3	2	

〔No. 61〕 $9A \div (7B - 5C) = 72$

〔No. 62〕 $2A \times (5C + 3B) = 66$

〔No. 63〕 $4A \times 2B - 7C = 97$

〔No. 64〕 $9A - 4C \times 2B = 39$

〔No. 65〕 $6C \div 9 + 2A = 7B$

〔No. 66〕 $3B \div (2A - 7C) = 6$

〔No. 67〕 $3A + 7C - 8B = 19$

〔No. 68〕 $8B \div 2C \div 3A = 2$

〔No. 69〕 $3A \times 6B \div 2C = 35$

〔No. 70〕 $6C \div 4A \times 5B = 25$

手引き			
1	ね〜ゆ	213〜251	544〜677
2	ら〜わ	197〜383	371〜681
3	す〜ま	263〜415	498〜537
4	せ〜て	244〜259	418〜476
5	い〜た	116〜233	541〜740

〔No. 71〕 け－231

〔No. 72〕 も－562

〔No. 73〕 や－628

〔No. 74〕 れ－531

〔No. 75〕 た－269

〔No. 76〕 ふ－534

〔No. 77〕 へ－669

〔No. 78〕 ち－247

〔No. 79〕 せ－437

〔No. 80〕 こ－199

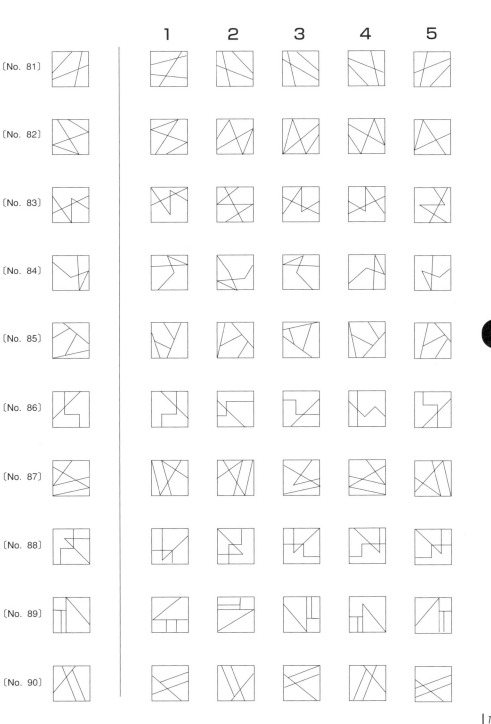

[No. 81]

[No. 82]

[No. 83]

[No. 84]

[No. 85]

[No. 86]

[No. 87]

[No. 88]

[No. 89]

[No. 90]

1　2　3　4　5

14

トレーニング14　計算・分類・図形

	A	B	C	
[No. 91]	3	2		$(4C+3A)\times 2B=52$
[No. 92]	6		4	$9C\div 2A+6B=21$
[No. 93]	7	4		$3C\times 4B-6A=54$
[No. 94]	3		3	$7A-6B\div 4=5C$
[No. 95]		8	4	$8B\div 2C-3A=2$
[No. 96]	8		2	$(4B+3A)\div 5C=4$
[No. 97]		2	3	$(4B+3A)\times 2C=66$
[No. 98]	7		6	$2B-2C+3A=19$
[No. 99]	2	3		$(9A-4C)\times 6B=36$
[No.100]	9		7	$6B-5A+6C=15$

手引き			
1	T〜Z	120〜238	417〜486
2	G〜R	137〜242	612〜784
3	D〜L	315〜462	590〜603
4	H〜K	287〜312	470〜576
5	O〜W	243〜403	492〜607

[No.101]	T − 495	[No.106]	L − 690
[No.102]	V − 233	[No.107]	P − 147
[No.103]	F − 454	[No.108]	U − 477
[No.104]	Q − 157	[No.109]	J − 299
[No.105]	W − 439	[No.110]	K − 555

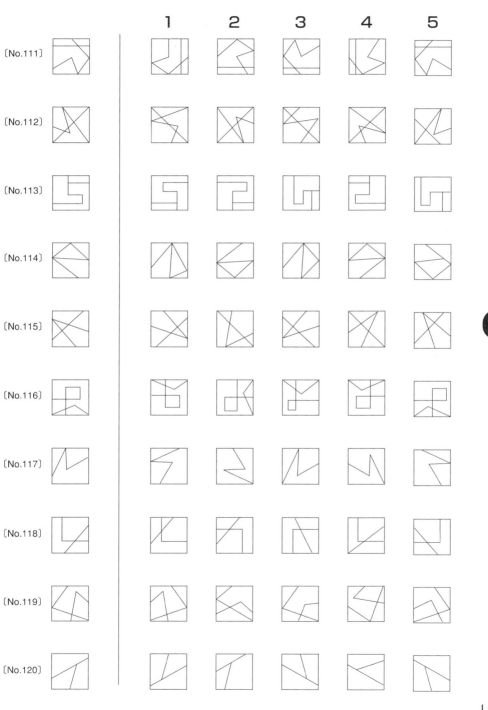

トレーニング14 正答

[No. 1]	4	[No. 31]	3	[No. 61]	4	[No. 91]	1
[No. 2]	5	[No. 32]	1	[No. 62]	1	[No. 92]	3
[No. 3]	1	[No. 33]	1	[No. 63]	5	[No. 93]	2
[No. 4]	2	[No. 34]	3	[No. 64]	1	[No. 94]	4
[No. 5]	5	[No. 35]	3	[No. 65]	2	[No. 95]	2
[No. 6]	4	[No. 36]	2	[No. 66]	2	[No. 96]	4
[No. 7]	4	[No. 37]	5	[No. 67]	4	[No. 97]	1
[No. 8]	2	[No. 38]	3	[No. 68]	2	[No. 98]	5
[No. 9]	3	[No. 39]	5	[No. 69]	5	[No. 99]	4
[No. 10]	4	[No. 40]	1	[No. 70]	5	[No.100]	3
[No. 11]	5	[No. 41]	5	[No. 71]	5	[No.101]	5
[No. 12]	2	[No. 42]	3	[No. 72]	1	[No.102]	1
[No. 13]	3	[No. 43]	2	[No. 73]	1	[No.103]	3
[No. 14]	1	[No. 44]	1	[No. 74]	2	[No.104]	2
[No. 15]	5	[No. 45]	5	[No. 75]	3	[No.105]	1
[No. 16]	5	[No. 46]	3	[No. 76]	3	[No.106]	2
[No. 17]	4	[No. 47]	1	[No. 77]	1	[No.107]	2
[No. 18]	4	[No. 48]	4	[No. 78]	4	[No.108]	1
[No. 19]	2	[No. 49]	3	[No. 79]	4	[No.109]	4
[No. 20]	3	[No. 50]	2	[No. 80]	5	[No.110]	4
[No. 21]	3	[No. 51]	3	[No. 81]	5	[No.111]	3
[No. 22]	2	[No. 52]	2	[No. 82]	2	[No.112]	2
[No. 23]	4	[No. 53]	5	[No. 83]	4	[No.113]	5
[No. 24]	1	[No. 54]	1	[No. 84]	1	[No.114]	3
[No. 25]	5	[No. 55]	4	[No. 85]	4	[No.115]	1
[No. 26]	3	[No. 56]	2	[No. 86]	5	[No.116]	4
[No. 27]	2	[No. 57]	5	[No. 87]	1	[No.117]	5
[No. 28]	5	[No. 58]	3	[No. 88]	3	[No.118]	2
[No. 29]	4	[No. 59]	1	[No. 89]	3	[No.119]	4
[No. 30]	1	[No. 60]	4	[No. 90]	2	[No.120]	1

●目標点数……………………**80**点

●あなたの得点…1回目 ＿＿＿＿＿ 点

●あなたの得点…2回目 ＿＿＿＿＿ 点

照合・計算・図形

Ⅰ まず各検査のやり方を、5分間で以下の例題をよく読んで理解して下さい。
Ⅱ 本問（次ページから）の解答時間は15分間です。

検査Ⅰ

次の正本と副本を照合して、誤っている文字を探し、誤っている文字の種類と数を手引きによって分類しなさい。
例えば【例題1】では、正本では「比」となっているが副本では「較」となっており、漢字が1文字異なっているので、手引きにより正答は3となる。

	1	ひらがな か カタカナ が1文字違う
	2	ひらがな か カタカナ が2文字違う
手引き	3	漢字が1文字違う
	4	漢字が2文字違う
	5	どこも違わない

【正本】	【副本】
【例題1】 いろいろな生物のからだの構造を比べてみる	いろいろな生物のからだの構造を較べてみる
【例題2】 歴史に天才とか英雄とかいう名をとどめるこ	歴史で天才とか英雄とかいう名をとどめたこ

【例題1】 3　　【例題2】 2

検査Ⅱ

次の計算式を手引きを見て置き換えて計算し、その答えを1〜5から選びなさい。
例えば【例題3】は、手引きによれば 11+2×16 を表すので計算結果は 43 となり、5が正答となる。

手引き	a	b	c	d
Ⅰ	11	7	5	4
Ⅱ	1	2	13	14
Ⅲ	3	15	6	16
Ⅳ	8	9	12	10

	1	2	3	4	5	
【例題3】 Ⅰa＋Ⅱb×Ⅲd	42	39	41	40	43	【例題3】 5
【例題4】 Ⅰc×Ⅰa－Ⅲb	33	31	40	38	27	【例題4】 3

検査Ⅲ

左側の四角形を線で切り離したとき、できない図形はどれか答えなさい。
例えば【例題5】では、四角形を切り離したときに2の図形だけはできないので、正答は2となる。

	1	2	3	4	5
【例題5】					
【例題6】					

【例題5】 2　　【例題6】 4

手引き		
1	ひらがな か カタカナ が1文字違う
2	漢字と ひらがな がそれぞれ1文字違う
3	漢字が1文字違う
4	漢字が2文字違う
5	どこも違わない

【正　本】	【副　本】
〔No. 1〕その結果平成7年度末の財政投融資の残高は	その結果平成7年度末の財政投融資の残高が
〔No. 2〕資金シフトの発生について論じると日本版ビ	資本シフトの発生について論ぢると日本版ビ
〔No. 3〕セキツイ動物では血液は心臓から血管を通じ	セキツイ動物では血液は心蔵から血菅を通じ
〔No. 4〕閑寂味の極致ということのできる枯淡な美を	閑寂味の極致ということのできた枯淡な美を
〔No. 5〕アメリカでは納税者は自分たちの社会は自分	アメリカでは納税者は自分たちの社会は自分
〔No. 6〕日本国内にしても自然の残っているところは	日本国内にしても自燃の残っているところは
〔No. 7〕不幸な境遇から生まれたかたくなな反抗心や	不幸な境隅から生まれたかたくなな反坑心や
〔No. 8〕私には上に列記した歌のなかに子規という一	私には上に例記した歌のなかに子則という一
〔No. 9〕動物の体について血を吸うダニやゾウムシや	動物の体について血を吸うダニやゾウムシや
〔No. 10〕彼はそのことを語って雲水にここでちょっと	彼はこのことを語って雲水にここでちょっと

手引き

	a	b	c	d
Ⅰ	7	16	11	2
Ⅱ	4	1	14	3
Ⅲ	5	8	13	12
Ⅳ	10	9	6	15

		1	2	3	4	5
〔No. 11〕	Ⅲb×Ⅱd＋Ⅰd	32	23	20	29	26
〔No. 12〕	Ⅲa×Ⅱa－Ⅲb	12	14	17	9	15
〔No. 13〕	Ⅰd×Ⅲa×Ⅱd	38	30	34	36	40
〔No. 14〕	Ⅲb＋Ⅰd×Ⅳb	39	28	26	31	23
〔No. 15〕	Ⅰa×Ⅳb÷Ⅱd	12	18	9	21	15
〔No. 16〕	Ⅲb×Ⅳc＋Ⅲa	45	53	42	36	48
〔No. 17〕	Ⅰd×Ⅱb×Ⅱa	14	8	6	10	12
〔No. 18〕	Ⅲc＋Ⅰd×Ⅳb	29	33	31	35	40
〔No. 19〕	Ⅳc×Ⅰd＋Ⅱa	23	16	22	21	19
〔No. 20〕	Ⅳb÷Ⅰd×Ⅱa	20	16	18	22	24

	1	2	3	4	5

[No. 21]

[No. 22]

[No. 23]

[No. 24]

[No. 25]

[No. 26]

[No. 27]

[No. 28]

[No. 29]

[No. 30]

トレーニング15　照合・計算・図形

手引き		
1	ひらがな か カタカナ が1文字違う
2	ひらがな か カタカナ が2文字違う
3	漢字が2文字違う
4	漢字が1文字違う
5	どこも違わない

【正　本】	【副　本】
〔No. 31〕これからの日本人は日本人であることに固執	これからの日本人は日本人であることに固執
〔No. 32〕我々が意志と称するある種の内在的な力の圧	我々が意志と称するある種の内存的な力の圧
〔No. 33〕皮膚は粘膜でおおわれている変温動物で卵生	皮慮は粘漠でおおわれている変温動物で卵生
〔No. 34〕ヒトの直接の先祖となったのはオウストラロ	ヒトの直接の先祖となったのはオウストロラ
〔No. 35〕有害物質が血液によって肝臓にはいるとこれ	有害物買が血液によって汗臓にはいるとこれ
〔No. 36〕ろ過された液が細尿管を通る間に生体にとっ	る過された液が細尿管を通る間に生体にとっ
〔No. 37〕ダリは内乱の予感などに見られるように無意	ダリは内乱の矛感などに見られるように無意
〔No. 38〕取組の成果を定期的にフォローアップする戦	取組の成果を定期的にウォローアップする戦
〔No. 39〕われらは疑問や抗議に対して自由に意見を	れわれは疑問や抗議に対して自由に意見を
〔No. 40〕動物のうち植物を直接摂取する草食植物は第	動物のうち植物を直接摂取する草食植物は第

手引き	a	b	c	d
I	16	11	2	12
II	8	5	13	1
III	14	15	9	4
IV	7	6	10	3

	1	2	3	4	5
〔No. 41〕III c ＋ I d ÷ I c	16	13	12	15	14
〔No. 42〕IV c ÷ II b × III b	36	33	30	24	27
〔No. 43〕I c × IV d × I c	10	14	12	16	18
〔No. 44〕III b × IV d － I d	33	36	45	42	39
〔No. 45〕III c × I c － IV d	14	11	12	13	15
〔No. 46〕I c × III c × II d	38	27	30	24	18
〔No. 47〕IV d × I a － IV b	42	47	49	51	53
〔No. 48〕IV c ＋ III d × II b	44	38	40	30	36
〔No. 49〕II c × I c ＋ IV c	37	36	38	39	35
〔No. 50〕III a － IV d × III d	2	14	5	8	11

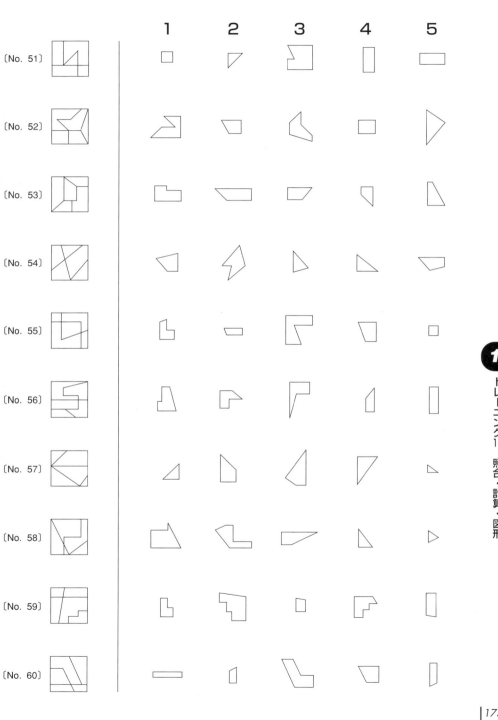

トレーニング15　照合・計算・図形

1	漢字と ひらがな がそれぞれ1文字違う
2	ひらがな か カタカナ が1文字違う
3	漢字が2文字違う
4	漢字が1文字違う
5	どこも違わない

	【正　本】	【副　本】
〔No. 61〕	ホルモンはビタミンと同様にごく微量で有効	ホルモンはビタミンと同様にごく微量で有郊
〔No. 62〕	したがって郵便貯金等による資金吸収がその	したがって郵便預金等による資金吸呼がその
〔No. 63〕	世界各国の街のたたずまいが類似してきて地	世界各国の街のたたづまいが類似してきて地
〔No. 64〕	生産者に始まり一次消費者へと連鎖が続いて	生産者に初まり一次消費者へと連鎖が続いて
〔No. 65〕	特に地球温暖化防止京都会議に際して内外に	特に地球温暖化妨止京都会儀に際して内外に
〔No. 66〕	運動などによって血糖量が減少すると間脳が	運動などによって血糖量は減少すると間脳が
〔No. 67〕	歴史に天才とか英雄とかいう名をとどめるこ	歴史に天才とか英雄とかゆう名をとどめるこ
〔No. 68〕	京都会議の成功に向けて様々な運動の相乗効	京都会議の成功に向けて様様な運動の相垂効
〔No. 69〕	それは定まった場所を定まった速度で巡回し	それは定まった場所を定まった速度で巡回し
〔No. 70〕	この短冊を見た雲水は自分の浅慮を恥じて瓢	この短朋を見た雲水は自分の浅慮を恥ぢて瓢

手引き

	a	b	c	d
I	8	7	11	12
II	1	2	13	6
III	9	10	4	16
IV	14	3	15	5

		1	2	3	4	5
〔No. 71〕	II d × III a − IV b	48	45	39	42	51
〔No. 72〕	IV d ÷ IV b × I d	14	17	11	20	23
〔No. 73〕	I a × II d − II b	50	42	46	44	48
〔No. 74〕	III d × II b − III c	27	21	18	24	28
〔No. 75〕	III c + II b × III b	14	18	24	28	32
〔No. 76〕	II c × IV b + I d	54	51	57	48	60
〔No. 77〕	I a × IV d − III c	49	32	45	36	47
〔No. 78〕	IV a ÷ II b − II d	1	5	4	2	7
〔No. 79〕	III d − II b × IV b	8	14	20	12	10
〔No. 80〕	IV b × IV c − II c	32	34	35	33	36

1 2 3 4 5

〔No. 81〕
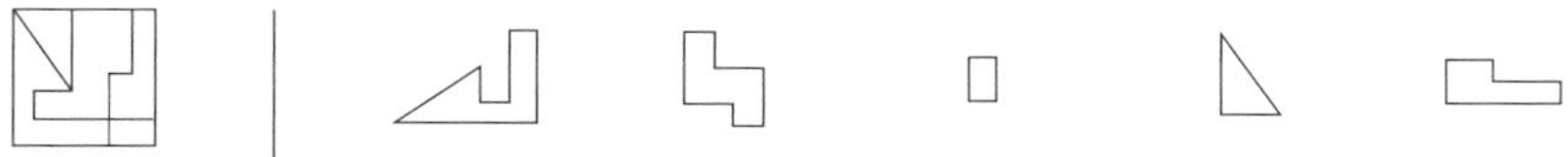

〔No. 82〕
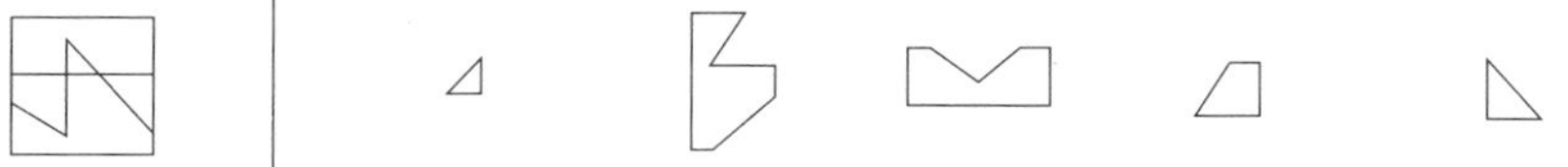

〔No. 83〕
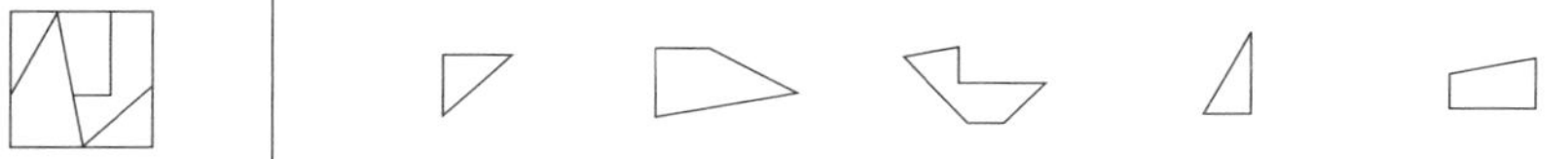

〔No. 84〕
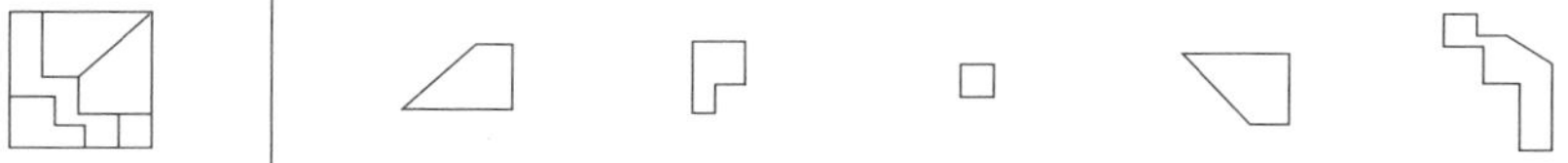

〔No. 85〕
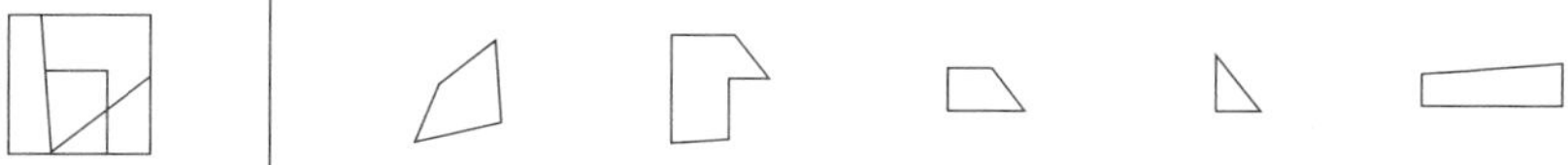

〔No. 86〕
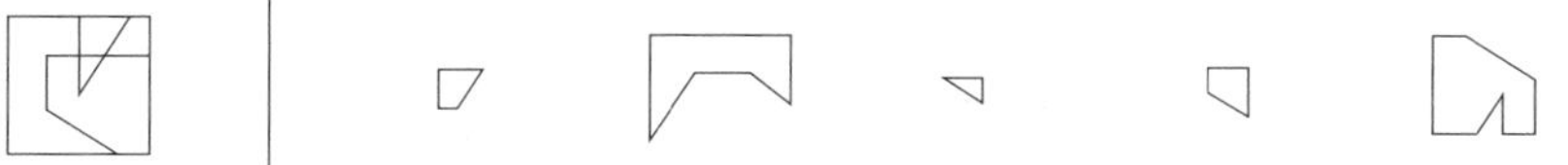

〔No. 87〕
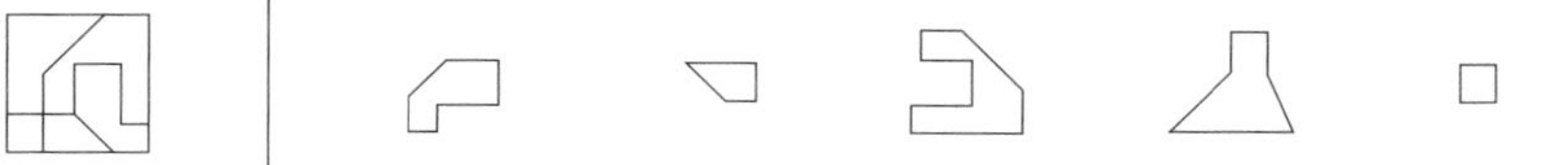

〔No. 88〕
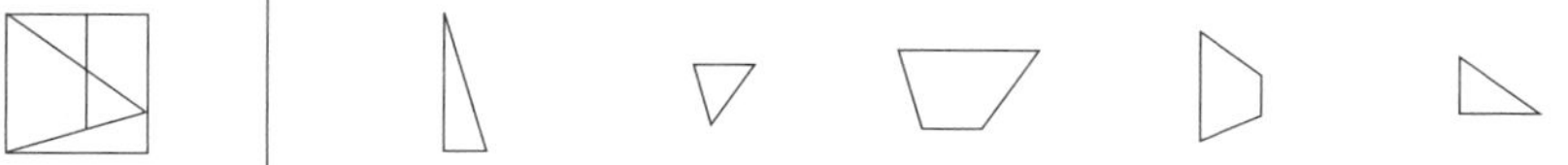

〔No. 89〕
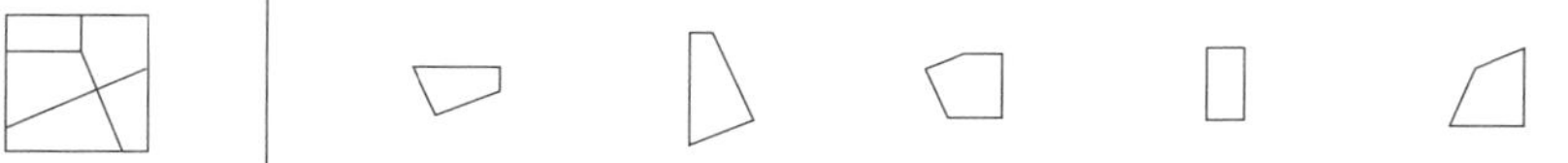

〔No. 90〕
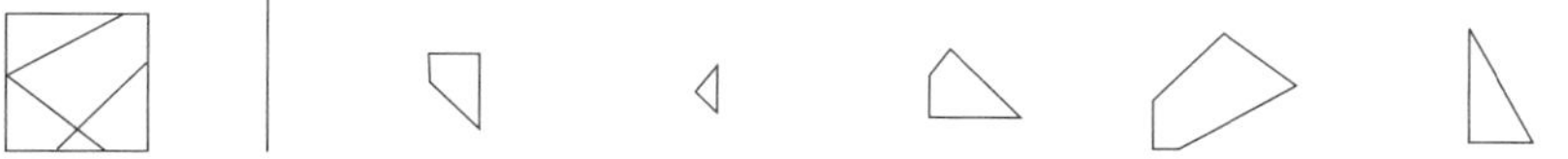

手引き		
	1	漢字が1文字違う
	2	漢字が2文字違う
	3	ひらがな か カタカナ が2文字違う
	4	ひらがな か カタカナ が1文字違う
	5	どこも違わない

【正　本】	【副　本】
〔No. 91〕ヨーロッパにおける19世紀後半の科学の発達	ヨーロッパにおける19世紀後半の科学が発達
〔No. 92〕脊椎動物では中脳の神経細胞体で作られたあ	脊堆動物では中脳の神経細胞休で作られたあ
〔No. 93〕年をとるとあっという間に時間が過ぎてしま	年をとるとあつという間に時間が過ざてしま
〔No. 94〕現在では進化は自然選択説と突然変異説隔離	現在では進化は自然選択説と突然変異説融離
〔No. 95〕これらの短歌はただ見たまま感じたままをた	これらの短歌はただ見たまま感じたままをた
〔No. 96〕このようなときは実は親の自立ができていな	このようなときは実は親の自律ができていな
〔No. 97〕彼が14年間にわたる税関吏の生活をやめて	彼が14年間にわたる税関吏の生活をやめて
〔No. 98〕もっとも大講堂かなにかで壁ぎわまで教師の	もっとも大講党かなにかで壁ぎわまで教師の
〔No. 99〕しかもお二階には階下の店で蕎麦やうどんを	しかもお二階には階下の店で蕎素やうどんを
〔No.100〕鳥類の祖先とみられる始祖鳥の前翼には爪が	鳥類の祖先とみらわる始祖鳥の前翼には爪が

手引き	a	b	c	d
I	11	3	8	16
II	10	1	7	13
III	2	12	15	4
IV	9	14	6	5

	1	2	3	4	5
〔No.101〕II a × I b ＋ III b	42	48	44	50	46
〔No.102〕IV d × I b × III a	38	30	34	36	32
〔No.103〕III d ＋ III a × I d	31	35	36	37	34
〔No.104〕IV a × III d ＋ IV c	43	40	42	44	41
〔No.105〕IV a － II c × II b	12	13	9	2	5
〔No.106〕I a ÷ III a × IV c	31	35	29	33	27
〔No.107〕II c × III a ÷ IV b	1	3	5	9	7
〔No.108〕I b × IV a － II d	18	16	14	10	12
〔No.109〕I a ÷ II c × IV b	32	24	27	30	22
〔No.110〕IV d ＋ II c × III d	31	29	35	33	27

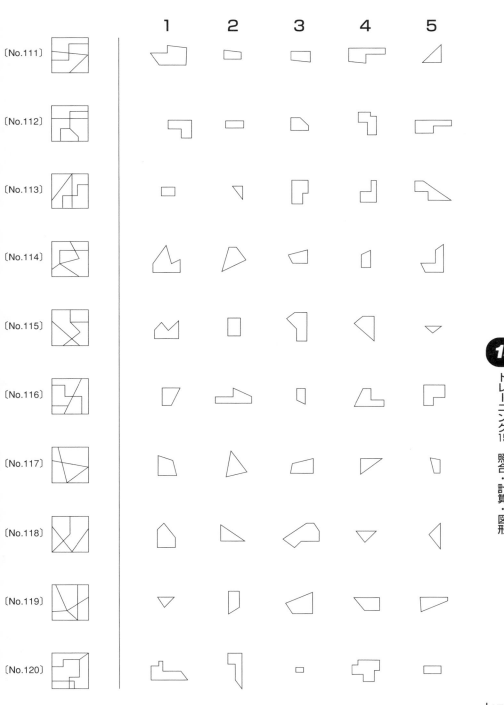

[No. 1]	1	[No. 31]	5	[No. 61]	3	[No. 91]	4
[No. 2]	2	[No. 32]	4	[No. 62]	3	[No. 92]	2
[No. 3]	4	[No. 33]	3	[No. 63]	2	[No. 93]	3
[No. 4]	1	[No. 34]	2	[No. 64]	4	[No. 94]	1
[No. 5]	5	[No. 35]	3	[No. 65]	3	[No. 95]	5
[No. 6]	3	[No. 36]	1	[No. 66]	2	[No. 96]	1
[No. 7]	4	[No. 37]	4	[No. 67]	2	[No. 97]	5
[No. 8]	4	[No. 38]	1	[No. 68]	3	[No. 98]	2
[No. 9]	5	[No. 39]	2	[No. 69]	5	[No. 99]	1
[No. 10]	1	[No. 40]	5	[No. 70]	1	[No.100]	4
[No. 11]	5	[No. 41]	4	[No. 71]	5	[No.101]	1
[No. 12]	1	[No. 42]	3	[No. 72]	4	[No.102]	2
[No. 13]	2	[No. 43]	3	[No. 73]	3	[No.103]	3
[No. 14]	3	[No. 44]	1	[No. 74]	5	[No.104]	3
[No. 15]	4	[No. 45]	5	[No. 75]	3	[No.105]	4
[No. 16]	2	[No. 46]	5	[No. 76]	2	[No.106]	4
[No. 17]	2	[No. 47]	1	[No. 77]	4	[No.107]	1
[No. 18]	5	[No. 48]	4	[No. 78]	1	[No.108]	3
[No. 19]	2	[No. 49]	2	[No. 79]	5	[No.109]	5
[No. 20]	3	[No. 50]	1	[No. 80]	1	[No.110]	4
[No. 21]	2	[No. 51]	3	[No. 81]	2	[No.111]	1
[No. 22]	4	[No. 52]	5	[No. 82]	3	[No.112]	4
[No. 23]	1	[No. 53]	5	[No. 83]	3	[No.113]	2
[No. 24]	5	[No. 54]	2	[No. 84]	5	[No.114]	2
[No. 25]	3	[No. 55]	1	[No. 85]	1	[No.115]	3
[No. 26]	2	[No. 56]	3	[No. 86]	2	[No.116]	5
[No. 27]	5	[No. 57]	2	[No. 87]	4	[No.117]	1
[No. 28]	1	[No. 58]	5	[No. 88]	4	[No.118]	3
[No. 29]	4	[No. 59]	4	[No. 89]	5	[No.119]	4
[No. 30]	3	[No. 60]	1	[No. 90]	1	[No.120]	4

●目標点数……………**90**点

●あなたの得点…1回目＿＿＿＿＿点

●あなたの得点…2回目＿＿＿＿＿点

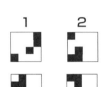

トレーニング 16

Ⅰ　まず各検査のやり方を、5分間で以下の例題をよく読んで理解して下さい。
Ⅱ　本問（次ページから）の解答時間は15分間です。

検査Ⅰ

左側の図形と同じ形のものを答えなさい。ただし、図形は裏返さないものとする。
例えば【例題1】では、3が同じ図形であるので、正答は3となる。

【例題1】

【例題2】

【例題1】　3　　　【例題2】　5

検査Ⅱ

次の計算をして、それぞれの式の答えを求め、最大の値のものと最小の値のものとの差を答えなさい。
例えば【例題3】は、「$6+4\times2=14$」「$4\times2+7=15$」「$10+4\div2=12$」となり、最大の15と最小の12の差は3となるので、正答は3となる。

【例題3】　$6+4\times2$　　　$4\times2+7$　　　$10+4\div2$　　　【例題3】　3

【例題4】　$10\times2-13$　　　$6+39\div13$　　　$12-18\div6$　　　【例題4】　2

検査Ⅲ

与えられた数字を、手引きでおなじ位置に示される文字と正しく置き換えたものを答えなさい。
例えば【例題5】では、「4852」は、「4」は「r」か「h」、「8」は「q」か「s」、「5」は「a」か「u」、「2」は「c」か「w」と置き換えられるので、選択肢の中では「rqac」が対応する文字列となり、正答は1となる。

手引き	1		2		3		4		5		6		7		8		9		0	
	m	d	c	w	n	k	r	h	a	u	b	v	l	j	q	s	y	t	i	p

	1	2	3	4	5
【例題5】　4852	rqac	hmaw	hslc	rsly	rmaw
【例題6】　8974	ptjr	stch	pvjr	stlh	sklr

【例題5】　1　　　【例題6】　4

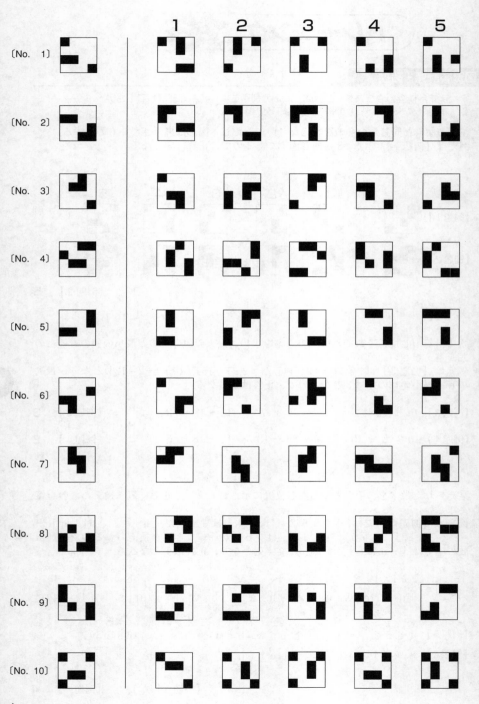

[No. 11] $3 \times 3 + 11$ $4 \div 13 \times 65$ $4 \times 7 - 5$

[No. 12] $10 \div 5 \times 8$ $2 \times 11 - 4$ $7 \times 4 - 10$

[No. 13] $6 \div 14 \times 28$ $2 \times 12 - 13$ $6 \div 3 + 11$

[No. 14] $15 \times 2 - 5$ $4 \times 9 - 11$ $2 \times 6 + 12$

[No. 15] $9 \times 2 - 12$ $72 \div 3 \div 3$ $2 \times 2 \times 2$

[No. 16] $2 \times 2 \times 2$ $30 \div 3 - 7$ $15 - 5 \times 2$

[No. 17] $2 \times 10 + 6$ $3 \times 3 \times 3$ $8 \times 4 - 5$

[No. 18] $2 \times 12 + 4$ $3 \times 8 + 7$ $14 \times 3 - 14$

[No. 19] $14 \times 3 - 12$ $7 + 3 \times 9$ $8 \times 5 - 5$

[No. 20] $72 \div 3 \div 8$ $2 \times 2 \times 2$ $8 \times 2 - 8$

手引き	1		2		3		4		5		6		7		8		9		0	
	x	a	o	v	j	q	b	d	c	l	s	u	i	k	w	y	p	r	g	f

		1	2	3	4	5
[No. 21]	9 4 2 1	r p v a	r b w x	p b v a	d b o a	p d w x
[No. 22]	4 9 2 6	d a o s	b r o u	b j o u	d r c u	d y o s
[No. 23]	8 3 6 5	i q u l	y q u l	w j u f	v q u l	w j k c
[No. 24]	6 3 2 7	o k w i	o j v q	o j w k	u k v i	u j o k
[No. 25]	2 0 9 7	v f p g	o g r g	s f p i	o g p k	s f r i
[No. 26]	3 6 1 5	j s a l	j v x l	j u v o	i s a o	j v x c
[No. 27]	4 2 1 9	b o x p	d o a u	d f x c	q o a p	q f a p
[No. 28]	7 6 5 4	l u k d	l u k b	k u l d	l y l b	k y l b
[No. 29]	8 3 4 5	w j a l	v q b o	y j o l	y j b c	y q o l
[No. 30]	0 6 1 9	g v a p	g u o p	f u a p	g v a r	q u a r

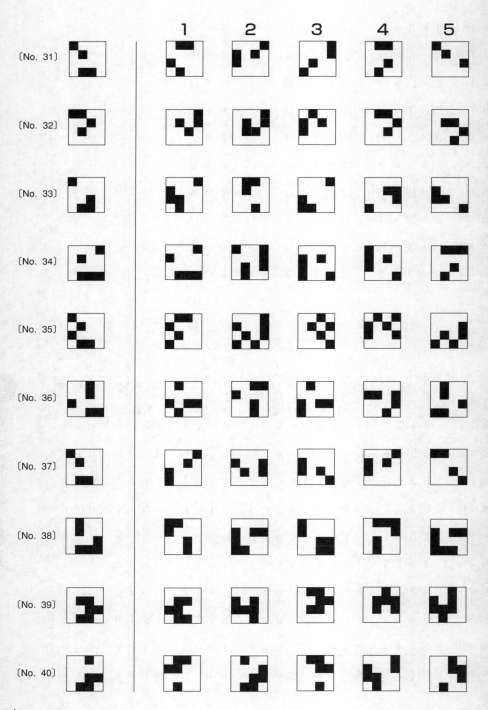

〔No. 31〕

〔No. 32〕

〔No. 33〕

〔No. 34〕

〔No. 35〕

〔No. 36〕

〔No. 37〕

〔No. 38〕

〔No. 39〕

〔No. 40〕

1　2　3　4　5

〔No. 41〕　　12 × 3 － 8　　　　2 × 3 × 4　　　　　7 × 2 × 2

〔No. 42〕　　4 × 2 × 3　　　　10 × 3 － 6　　　4 ÷ 11 × 77

〔No. 43〕　　7 × 39 ÷ 13　　10 × 28 ÷ 14　　4 × 25 ÷ 5

〔No. 44〕　　14 × 2 － 7　　　4 × 8 － 14　　　2 × 5 × 2

〔No. 45〕　　9 ÷ 7 × 21　　　5 ÷ 2 × 10　　　5 × 8 － 10

〔No. 46〕　　42 ÷ 6 ＋ 8　　36 ÷ 4 ＋ 8　　9 × 3 － 10

〔No. 47〕　　8 ÷ 2 ÷ 2　　　14 － 2 × 7　　24 ÷ 12 － 2

〔No. 48〕　　3 × 2 ＋ 10　　24 ÷ 2 ＋ 4　　56 × 3 ÷ 8

〔No. 49〕　　11 ＋ 2 × 7　　52 × 7 ÷ 13　　4 × 2 × 3

〔No. 50〕　　7 × 2 × 2　　　30 × 14 ÷ 15　　11 × 4 － 12

手引き	1	2	3	4	5	6	7	8	9	0
	モ	ヲ	ズ	バ	メ	グ	ヅ	コ	リ	オ	ペ	ア	ト	ゼ	ス	ヌ	ゾ	ゲ	ン	ヘ

		1	2	3	4	5
〔No. 51〕	1 3 0 5	ヲヌヘオ	モヌヘオ	モグヘオ	ヲメソオ	ヲメベオ
〔No. 52〕	6 5 9 0	ペリゾヘ	アリゲソ	ペグゾン	アグゾヘ	ペオゲソ
〔No. 53〕	5 8 7 1	オズトヲ	ヌスコモ	ヌズトモ	ヌスコヲ	オスゼモ
〔No. 54〕	1 3 5 4	ヲメオヅ	モグアヅ	ヲリオヅ	コメオヅ	コグリズ
〔No. 55〕	0 9 8 7	ンゾヌア	ヘゾペゼ	ヘゾヌア	ヘゾヌゼ	ンゾスア
〔No. 56〕	9 6 3 5	ゲアズオ	ゲヘメオ	ゾアグオ	ゾヘメリ	ゾアズリ
〔No. 57〕	3 6 5 8	ズアリス	ズアリヌ	メアヅヌ	グアリス	メアヅス
〔No. 58〕	5 8 1 7	グヌヲゼ	オヌリト	オヌモヘ	オヌリゼ	リヌモト
〔No. 59〕	7 5 2 8	ゼヘバス	コヘバス	コメスズ	コメズス	ゼリズス
〔No. 60〕	9 4 2 3	ヅコズメ	ゲコズグ	ヅコズグ	ゾヲズア	ゾヲバメ

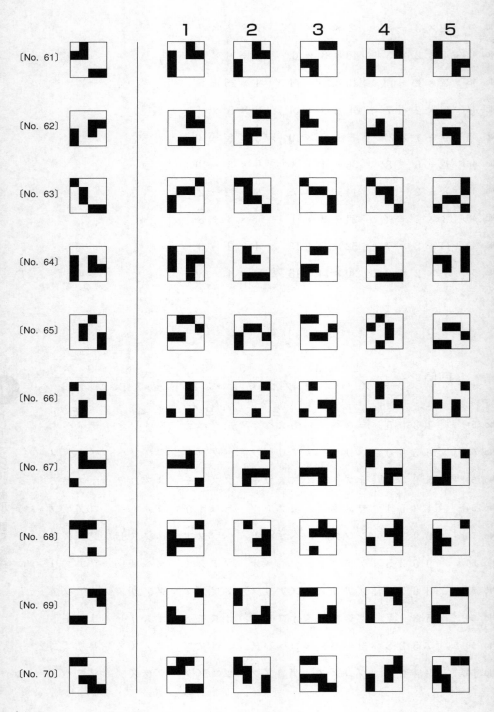

〔No. 61〕

〔No. 62〕

〔No. 63〕

〔No. 64〕

〔No. 65〕

〔No. 66〕

〔No. 67〕

〔No. 68〕

〔No. 69〕

〔No. 70〕

1 2 3 4 5

[No. 71]　24 ÷ 8 + 9　　　7 ÷ 8 × 16　　　90 ÷ 5 ÷ 2

[No. 72]　2 × 2 × 2　　　90 ÷ 2 ÷ 9　　　60 ÷ 2 ÷ 6

[No. 73]　2 × 3 − 8　　　36 ÷ 12 − 2　　　6 ÷ 2 − 4

[No. 74]　3 × 11 − 5　　　3 × 3 × 3　　　10 + 2 × 9

[No. 75]　3 × 14 − 10　　　4 × 6 + 8　　　3 × 9 + 7

[No. 76]　8 ÷ 2 + 14　　　2 × 10 − 5　　　10 ÷ 3 × 6

[No. 77]　18 ÷ 2 − 7　　　16 − 7 × 2　　　36 ÷ 3 ÷ 4

[No. 78]　24 ÷ 8 − 8　　　3 − 30 ÷ 6　　　9 − 4 × 3

[No. 79]　2 × 2 × 3　　　7 ÷ 4 × 8　　　8 ÷ 3 × 6

[No. 80]　4 × 6 + 12　　　4 × 11 − 7　　　2 × 12 + 13

手引き	1	2	3	4	5	6	7	8	9	0
	d	k	y	x	i	j	u	m	v	g	w	f	e	r	b	o	z	c	n	p

		1	2	3	4	5
[No. 81]	1 4 2 8	k v x b	k m c o	b u x o	b u y o	d m x b
[No. 82]	7 9 0 5	r d p v	e c n v	r d n g	r d p w	r c p w
[No. 83]	1 2 0 9	d x p z	k u n c	d v p c	k x m c	d u m z
[No. 84]	4 7 9 2	n c z y	m b z y	n c z v	m r c x	n r c v
[No. 85]	3 2 4 1	i v u d	i x n d	j x m k	j v m k	j x n d
[No. 86]	1 9 8 2	d z p x	k z p y	k o b x	k o b y	d c b x
[No. 87]	3 5 2 7	i g x e	j g y d	j g x p	j w y p	i w x r
[No. 88]	2 6 0 1	z w p z	y f p k	z f p z	x w b d	x f b d
[No. 89]	0 9 8 3	d z f j	d z k j	d l o i	n l f j	n c o i
[No. 90]	5 2 1 9	v x d g	g x d c	g x m g	g y r z	v r d z

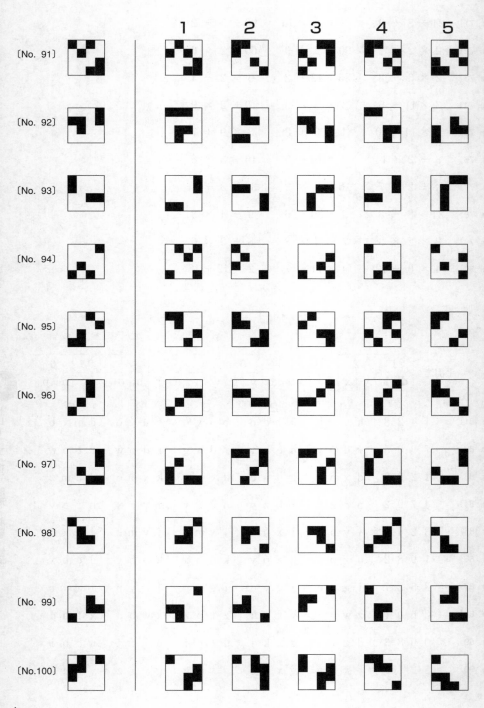

〔No.101〕	$8 \times 2 + 10$	$52 \times 2 \div 4$	$5 \times 3 + 10$
〔No.102〕	$2 + 2 \times 12$	$10 \div 5 \times 13$	$2 \div 2 \times 24$
〔No.103〕	$9 \times 2 - 10$	$5 \times 2 - 2$	$60 \div 4 \div 3$
〔No.104〕	$4 - 28 \div 14$	$36 \div 4 - 10$	$43 - 7 \times 6$
〔No.105〕	$2 \times 2 \times 2$	$63 \div 3 \div 3$	$6 + 12 \div 6$
〔No.106〕	$6 \times 2 + 2$	$2 \times 2 \times 3$	$44 \div 11 + 8$
〔No.107〕	$10 \div 5 - 14$	$4 \times 2 - 15$	$5 - 3 \times 4$
〔No.108〕	$15 \div 5 + 11$	$6 \times 4 - 10$	$4 \times 7 - 10$
〔No.109〕	$12 \times 2 + 9$	$3 \times 13 - 2$	$4 \times 10 - 7$
〔No.110〕	$8 \times 3 + 9$	$2 \times 14 + 9$	$9 \times 3 + 7$

手引き	1	2	3	4	5	6	7	8	9	0
	ケ	オ	ビ	プ	ハ	ロ	ル	ヘ	ソ	ド	デ	ゴ	コ	ヅ	ノ	ミ	ア	ポ	ス	ウ

		1	2	3	4	5
〔No.111〕	5 9 4 2	ソアルプ	ソボヘプ	ソポルヘ	シポルビ	シアヘプ
〔No.112〕	2 1 5 0	ハケトウ	ビケソス	ハケトス	ハヤドウ	ビヤソウ
〔No.113〕	7 8 1 9	ヅノオア	ヅノオラ	コシケラ	コシオア	ヅノケラ
〔No.114〕	6 1 8 7	デケノミ	ロケノヅ	ロオノヅ	デオノコ	ゴケノミ
〔No.115〕	8 5 6 9	ハソゴポ	ハソデヌ	ミソデヌ	ミソゴア	ハソゴア
〔No.116〕	5 1 4 7	ソオヘニ	ドオルニ	ドケヘヅ	ドケヤヅ	ソオヤコ
〔No.117〕	6 9 4 1	ゴノヘラ	ゴアルラ	デビヘケ	デアルケ	ゴノヘケ
〔No.118〕	0 2 5 7	スプシヅ	ラプソコ	ウプシコ	ラプソヅ	スプソヅ
〔No.119〕	3 8 6 9	ハノデミ	ハノデア	ヲノゴミ	ハブゴポ	ハブデア
〔No.120〕	5 1 9 7	ドロポコ	ソロアコ	ソケポコ	ソオポウ	ソオアウ

トレーニング16　図形・計算・置換

トレーニング16 正答

[No. 1]	2	[No. 31]	2	[No. 61]	2	[No. 91]	5
[No. 2]	1	[No. 32]	1	[No. 62]	5	[No. 92]	5
[No. 3]	5	[No. 33]	4	[No. 63]	1	[No. 93]	2
[No. 4]	1	[No. 34]	3	[No. 64]	5	[No. 94]	2
[No. 5]	3	[No. 35]	5	[No. 65]	5	[No. 95]	3
[No. 6]	5	[No. 36]	3	[No. 66]	2	[No. 96]	4
[No. 7]	2	[No. 37]	4	[No. 67]	3	[No. 97]	1
[No. 8]	1	[No. 38]	2	[No. 68]	4	[No. 98]	3
[No. 9]	3	[No. 39]	4	[No. 69]	2	[No. 99]	4
[No. 10]	2	[No. 40]	1	[No. 70]	4	[No.100]	5
[No. 11]	3	[No. 41]	4	[No. 71]	5	[No.101]	1
[No. 12]	2	[No. 42]	4	[No. 72]	3	[No.102]	2
[No. 13]	2	[No. 43]	1	[No. 73]	3	[No.103]	3
[No. 14]	1	[No. 44]	3	[No. 74]	1	[No.104]	3
[No. 15]	2	[No. 45]	5	[No. 75]	2	[No.105]	1
[No. 16]	5	[No. 46]	2	[No. 76]	5	[No.106]	2
[No. 17]	1	[No. 47]	2	[No. 77]	1	[No.107]	5
[No. 18]	3	[No. 48]	5	[No. 78]	3	[No.108]	4
[No. 19]	5	[No. 49]	4	[No. 79]	4	[No.109]	4
[No. 20]	5	[No. 50]	4	[No. 80]	1	[No.110]	4
[No. 21]	3	[No. 51]	3	[No. 81]	5	[No.111]	1
[No. 22]	2	[No. 52]	1	[No. 82]	2	[No.112]	2
[No. 23]	2	[No. 53]	5	[No. 83]	1	[No.113]	1
[No. 24]	5	[No. 54]	1	[No. 84]	4	[No.114]	4
[No. 25]	4	[No. 55]	4	[No. 85]	3	[No.115]	4
[No. 26]	1	[No. 56]	3	[No. 86]	5	[No.116]	3
[No. 27]	1	[No. 57]	4	[No. 87]	1	[No.117]	4
[No. 28]	3	[No. 58]	5	[No. 88]	2	[No.118]	5
[No. 29]	4	[No. 59]	5	[No. 89]	5	[No.119]	2
[No. 30]	3	[No. 60]	2	[No. 90]	2	[No.120]	3

●目標点数…………………**90**点

●あなたの得点…1回目＿＿＿＿＿点

●あなたの得点…2回目＿＿＿＿＿点

計算・照合・図形

Ⅰ　まず各検査のやり方を、５分間で以下の例題をよく読んで理解して下さい。
Ⅱ　本問（次ページから）の解答時間は15分間です。

検査Ⅰ

手引きで示される数を式に代入して、その答えと同じ数字を選びなさい。ただし、Ⅰ～Ⅴは表の行を表す。
例えば【例題１】は、Ⅲ行の数字を代入すると 10÷5＋4＝6 となるので、正答は４となる。

手引き

	a	b	c	d
Ⅰ	4	8	12	7
Ⅱ	6	1	3	5
Ⅲ	10	4	6	5
Ⅳ	9	7	3	2
Ⅴ	2	5	8	3

	1	2	3	4	5
【例題１】Ⅲ：a÷d＋b	10	8	7	6	4
【例題２】Ⅴ：a×c＋d	17	19	21	23	24

【例題１】　４　　　【例題２】　２

検査Ⅱ

手引きに示される文字列と同じものがいくつあるか答えなさい。ただし、①、②……は手引きの行の番号を意味し、同じものがない場合は **5** を正答とする。
例えば【例題３】では、手引きの②に「けよんや」「すらぬせ」の２つがふくまれるので、正答は**2**となる。

手引き

①	のぜすん　むほすめ　ぞづなく　けざきれ
②	しだるな　けよんや　ばりぺほ　すらぬせ
③	きゆぱぬ　ねしちは　してよろ　ぜびぞあ
④	すよぞぢ　やまげす　かうやぞ　えぞてよ
⑤	おぼげに　つれもも　とへゆた　てそをゆ

【例題３】②：けよんや　しだろに　すらぬせ　ぜびぞあ
【例題４】④：おばげに　てそをつ　つこれも　とへゆだ

【例題３】　２　　　【例題４】　５

検査Ⅲ

手引きにしたがって記号で示される図形をつくり、それと同じものを答えなさい。
例えば【例題５】では、手引きによるとⅠアは ■ 、Ⅱイは ■ 、Ⅲエは ◥ 、Ⅳオは ◣ となるので、それを組み合わせた図形は３と同じ図形となり、正答は３となる。

手引き

	ア	イ	ウ	エ	オ
Ⅰ		↓			
Ⅱ					
Ⅲ		↑			
Ⅳ					

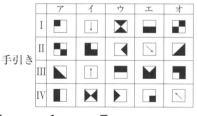

	1	2	3	4	5
【例題５】 Ⅰア Ⅱイ / Ⅲエ Ⅳオ					
【例題６】 Ⅳア Ⅲオ / Ⅱエ Ⅰウ					

【例題５】　３　　　【例題６】　５

手引き	a	b	c	d
I	2	7	8	4
II	10	6	3	2
III	5	9	1	11
IV	4	8	6	7
V	3	5	9	3

	1	2	3	4	5
[No. 1] II : $(a-b) \times c$	18	16	15	14	12
[No. 2] I : $c \div a \times d$	8	10	12	14	16
[No. 3] V : $(c+a) \div d$	4	5	7	8	9
[No. 4] II : $b \times d - a$	1	2	3	4	5
[No. 5] III : $(d-b) \times a$	12	10	9	8	6
[No. 6] V : $c \times (b-d)$	14	15	16	18	20
[No. 7] IV : $(b-a) \times d$	28	29	30	31	32
[No. 8] III : $d+a-c$	18	17	16	15	14
[No. 9] IV : $(c+d) \times a$	46	48	52	54	56
[No. 10] I : $(c-d) \times b$	26	27	28	30	32

手引き				
①	w h p x	S U j C	B t H X	q m E H
②	U Q m R	j F f M	f l v F	w D C Z
③	h a m K	O w p U	x U H L	y D K G
④	R x k V	X C b y	t e k O	f j l a
⑤	U I x B	V f Z H	F h I y	V i m l

[No. 11]	② :	U Q M R	f i v F	j F t M	w D G Z
[No. 12]	① :	q m E h	S U j C	B t H X	w h p x
[No. 13]	③ :	x U H L	h a n K	O w p U	v D K G
[No. 14]	④ :	t e h O	X C B y	R x k W	f j l a
[No. 15]	⑤ :	F h I y	U I x B	V f Z H	V i m l
[No. 16]	② :	f l v F	U Q m R	j F f M	w D C Z
[No. 17]	③ :	O w p U	h a m K	x U H L	y D K G
[No. 18]	④ :	R x k U	t e k O	X C b y	f j I a
[No. 19]	⑤ :	F H I y	U l x B	V t Z H	V i n l
[No. 20]	① :	S V j C	w H p x	b t H X	p m E H

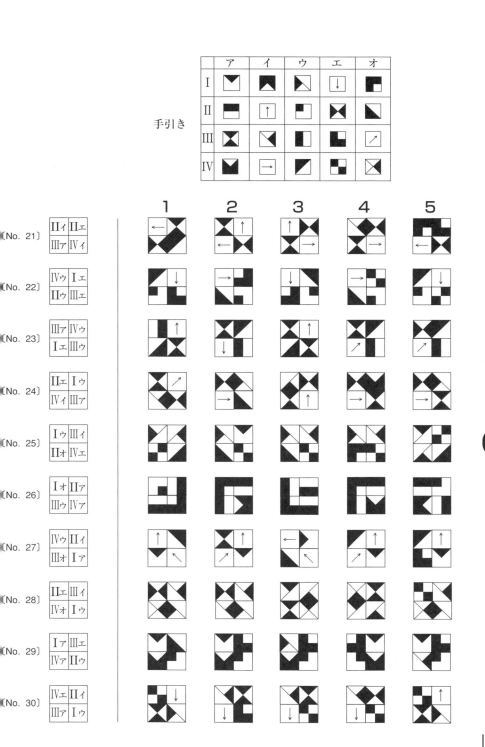

手引き	e	f	g	h
I	3	1	9	7
II	5	4	7	13
III	8	6	2	4
IV	9	2	7	5
V	1	5	6	8

	1	2	3	4	5
[No. 31] III：$(f+h) \div g$	9	7	5	4	3
[No. 32] IV：$f \times e - h$	12	13	14	15	16
[No. 33] II：$(h-g) \times f$	20	21	23	24	26
[No. 34] I：$g \div e + h$	10	11	12	13	14
[No. 35] V：$e \times g \times f$	24	26	27	29	30
[No. 36] V：$h - g \div e$	1	2	3	4	5
[No. 37] III：$e \times g \div h$	2	3	4	5	7
[No. 38] II：$(h+g) \div f$	7	5	6	3	1
[No. 39] IV：$f + e \times g$	61	62	63	64	65
[No. 40] I：$(g-h) \times e$	3	4	5	6	7

手引き

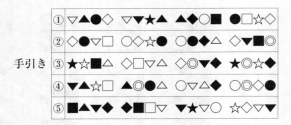

[No. 41] ③ ： ◇◎▼◆ ★☆■△ ◇□▽△ ★○☆◆
[No. 42] ② ： ◇●▽□ ●○◆△ ○◇☆● ◇▲■◎
[No. 43] ① ： ▲◆○■ △▼●◇ ▼▽★▲ ●□★◇
[No. 44] ④ ： ◎○◇● ▲◎○△ ○△▽◆ ▼▲☆□
[No. 45] ① ： ▲◆○■ ▽▲●◇ ▽▲★▲ ●□☆◇
[No. 46] ② ： ○◇☆○ ◇●▽□ ○●◆△ ◇▼■○
[No. 47] ⑤ ： ■▼▲◆ ▼★▽○ ◆■□▽ ☆◇△▲
[No. 48] ④ ： ◎▽△◆ ▲◎●▽ ▼▲★□ ◎◇●
[No. 49] ③ ： ◇□▽△ ★☆■△ ◇◎▼◆ ★◎☆◆
[No. 50] ⑤ ： ☆◇▽▼ ◆■□▽ ▼★▽○ ◆▲▼■

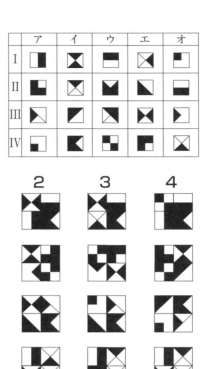

手引き

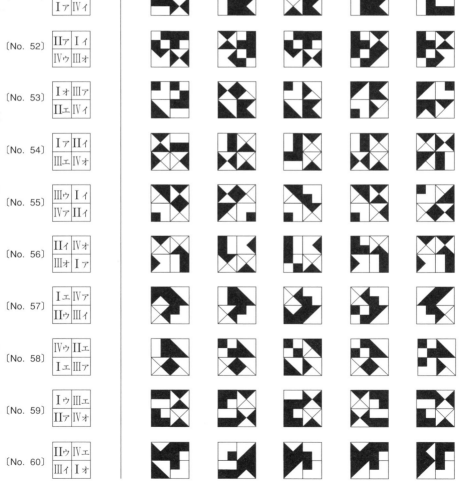

[No. 51] III エ / II オ / I ア / IV イ

[No. 52] II ア / I イ / IV ウ / III オ

[No. 53] I オ / III ア / II エ / IV イ

[No. 54] I ア / II イ / III エ / IV オ

[No. 55] III ウ / I イ / IV ア / II イ

[No. 56] II イ / IV オ / III オ / I ア

[No. 57] I エ / IV ア / II ウ / III イ

[No. 58] IV ウ / II エ / I エ / III ア

[No. 59] I ウ / III エ / II ア / IV オ

[No. 60] II ウ / IV エ / III イ / I オ

	i	j	k	l
I	5	7	10	4
II	2	6	3	8
III	9	3	7	1
IV	12	5	2	4
V	3	6	8	9

手引き

		1	**2**	**3**	**4**	**5**
〔No.61〕	II : $(j+l) \div i$	8	7	6	5	4
〔No. 62〕	II : $i \times k + l$	14	15	16	17	18
〔No. 63〕	I : $(j-l) \times i$	12	14	15	16	18
〔No. 64〕	IV : $i \div l + j$	5	6	7	8	9
〔No. 65〕	V : $(k-i) \times j$	30	32	33	34	35
〔No. 66〕	III : $i \times (k-j)$	26	30	32	34	36
〔No. 67〕	IV : $(j+l) \times k$	15	16	18	20	21
〔No. 68〕	V : $l \div i + k$	8	9	10	11	12
〔No. 69〕	I : $(k-j) \times l$	10	12	14	15	16
〔No. 70〕	III : $i \times (j+l)$	44	42	40	38	36

手引き

①	ゼニサピ	ダチムユ	ヘユタエ	グジヘベ
②	ナケパグ	ネポゼオ	ヌホモヨ	イナコザ
③	ンパイド	ケヂザア	ホレヨロ	ピヤカド
④	メガソニ	シリザピ	ピヂヘス	メコゾサ
⑤	フメビチ	ヘパペウ	セエオシ	ノグマボ

〔No. 71〕	② :	ヌホモユ	スポゼオ	ナケパグ	イオコザ
〔No. 72〕	④ :	シリザピ	メガシニ	ピヂヘス	メコゾサ
〔No. 73〕	① :	ヘユタニ	ゼニフピ	タチムユ	グジベヘ
〔No. 74〕	③ :	ンパイド	ホレヨロ	ケヂザア	ピヤカド
〔No. 75〕	① :	グジヘベ	ダチムユ	ヘユタエ	ゼニサピ
〔No. 76〕	③ :	ホレヨコ	ンパイド	ケデザア	ピヤガド
〔No. 77〕	② :	スホモヨ	フケパグ	ネポゼオ	イナロザ
〔No. 78〕	⑤ :	セエオシ	フメビチ	ヘペパウ	ノグマボ
〔No. 79〕	④ :	メコゾサ	シリザピ	ピヂヘス	メガソニ
〔No. 80〕	⑤ :	セエオシ	フメビチ	ヘパペウ	ソグマボ

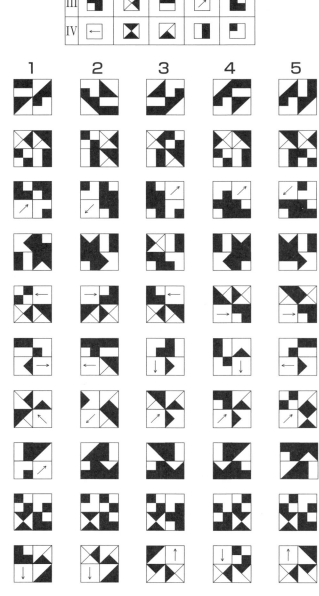

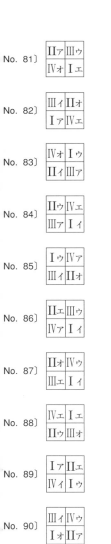

手引き

	m	n	p	q
I	4	10	3	9
II	2	3	9	14
III	15	8	2	5
IV	6	5	7	12
V	2	4	9	8

		1	2	3	4	5
[No. 91]	I : $p - n + q$	10	8	6	4	2
[No. 92]	III : $m \div q + n$	11	12	13	14	15
[No. 93]	IV : $(q - p) \times n$	23	25	26	27	29
[No. 94]	V : $q \div n \div m$	1	2	3	4	5
[No. 95]	III : $m \times n \div p$	55	57	59	60	62
[No. 96]	II : $p \times (m + n)$	41	43	45	47	49
[No. 97]	IV : $(q - p) \div n$	1	2	3	4	5
[No. 98]	I : $n \div p \times q$	25	27	28	29	30
[No. 99]	V : $m \times p - q$	6	8	10	12	14
[No.100]	II : $q \div (p - m)$	5	4	3	2	1

手引き

①	VIII V VII II	IV X VIII I	IX X VII II	IX VII VI III
②	V VII IV I	IV VI II V	X VII II IX	VIII II III IV
③	III VI I IV	IX VII VIII IV	X II VI IV	V II VII III
④	II III VI I	IV V X I	IX II X VII	II II IV V
⑤	X IX VIII III	VII II IX VIII	I VIII VI IV	X I V IV

[No.101]	③ :	X II IV VI	III VI I IV	IX VII VIII IV	V II VII III
[No.102]	④ :	II I IV V	IV X V I	XI II X VII	II III V I
[No.103]	② :	X VI II IX	V VII IV I	IV VI II V	VIII II III IV
[No.104]	⑤ :	VII II IX VIII	X IX VIII III	I VIII IV VI	X I V VI
[No.105]	② :	V VII IV II	X VI II IX	IV VI III V	VIII III II IV
[No.106]	① :	XI X VII II	VIII X VII II	IV X VIII II	IX VII IV III
[No.107]	⑤ :	I VIII VI IV	VII II IX VIII	X IX VIII III	X I V IV
[No.108]	③ :	V II VII III	IX VII VIII IV	V II VI IV	III IV I IV
[No.109]	④ :	IX II X VII	III II V I	VI V X I	II I VI V
[No.110]	① :	IX X VII III	VII V VII II	VI X VIII I	XI VII VI III

手引き

	ア	イ	ウ	エ	オ
I					
II					
III					
IV					

	1	2	3	4	5
〔No.111〕 I ア II エ / III エ IV ウ					
〔No.112〕 III ア IV イ / I エ II オ					
〔No.113〕 IV オ II ア / III イ I オ					
〔No.114〕 III ウ II ア / I イ IV エ					
〔No.115〕 I エ IV ア / II ウ III イ					
〔No.116〕 III エ I ウ / II イ IV オ					
〔No.117〕 IV ウ III オ / I ア II イ					
〔No.118〕 I ウ II ウ / III エ IV ア					
〔No.119〕 II エ III ア / IV ウ I オ					
〔No.120〕 I イ IV エ / III ウ II オ					

[No. 1]	5	[No. 31]	3	[No. 61]	2	[No. 91]	5
[No. 2]	5	[No. 32]	2	[No. 62]	1	[No. 92]	1
[No. 3]	1	[No. 33]	4	[No. 63]	3	[No. 93]	2
[No. 4]	2	[No. 34]	1	[No. 64]	4	[No. 94]	1
[No. 5]	2	[No. 35]	5	[No. 65]	1	[No. 95]	4
[No. 6]	4	[No. 36]	2	[No. 66]	5	[No. 96]	3
[No. 7]	1	[No. 37]	3	[No. 67]	3	[No. 97]	1
[No. 8]	4	[No. 38]	2	[No. 68]	4	[No. 98]	5
[No. 9]	3	[No. 39]	5	[No. 69]	2	[No. 99]	3
[No. 10]	3	[No. 40]	4	[No. 70]	5	[No.100]	4
[No. 11]	5	[No. 41]	3	[No. 71]	1	[No.101]	3
[No. 12]	3	[No. 42]	2	[No. 72]	3	[No.102]	2
[No. 13]	2	[No. 43]	1	[No. 73]	5	[No.103]	4
[No. 14]	1	[No. 44]	1	[No. 74]	4	[No.104]	2
[No. 15]	4	[No. 45]	3	[No. 75]	4	[No.105]	1
[No. 16]	4	[No. 46]	2	[No. 76]	1	[No.106]	5
[No. 17]	4	[No. 47]	2	[No. 77]	1	[No.107]	4
[No. 18]	2	[No. 48]	5	[No. 78]	3	[No.108]	2
[No. 19]	5	[No. 49]	4	[No. 79]	4	[No.109]	1
[No. 20]	5	[No. 50]	3	[No. 80]	3	[No.110]	5
[No. 21]	3	[No. 51]	2	[No. 81]	4	[No.111]	2
[No. 22]	1	[No. 52]	5	[No. 82]	1	[No.112]	5
[No. 23]	2	[No. 53]	3	[No. 83]	2	[No.113]	4
[No. 24]	5	[No. 54]	4	[No. 84]	2	[No.114]	1
[No. 25]	3	[No. 55]	1	[No. 85]	3	[No.115]	2
[No. 26]	4	[No. 56]	1	[No. 86]	5	[No.116]	3
[No. 27]	4	[No. 57]	3	[No. 87]	3	[No.117]	2
[No. 28]	1	[No. 58]	2	[No. 88]	4	[No.118]	5
[No. 29]	2	[No. 59]	5	[No. 89]	1	[No.119]	3
[No. 30]	5	[No. 60]	4	[No. 90]	2	[No.120]	4

●目標点数‥‥‥‥‥‥ **100**点

●あなたの得点…1回目 ＿＿＿＿＿ 点

●あなたの得点…2回目 ＿＿＿＿＿ 点

トレーニング **18**

Ⅰ　まず各検査のやり方を、５分間で以下の例題をよく読んで理解して下さい。
Ⅱ　本問（次ページから）の解答時間は15分間です。

検査Ⅰ

左側の図形と異なる図形を答えなさい。ただし、図形は裏返さないものとする。
例えば【例題１】では、**4** が異なる図形であるので、正答は **4** となる。

	1	2	3	4	5
【例題１】					
【例題２】					

【例題１】　**4**　　　【例題２】　**2**

検査Ⅱ

次の記号列を２つずつ組にして、手引きの表によって置き換えたものとして正しいのはどれか。
例えば【例題３】ではａｃがヒ、ｄｂがセ、ｄｃがコと置き換えられるので、正答は **3** となる。

手引き

		後			
		a	b	c	d
前	a	イ	ト	ヒ	ソ
	b	ク	オ	エ	ツ
	c	チ	ア	ロ	タ
	d	ニ	セ	コ	ホ

		1	2	3	4	5
【例題３】	ａｃｄｂｄｃ	エアコ	エセロ	ヒセコ	ヒアロ	ヒアコ
【例題４】	ｄｄａｄｂｃ	ホツヒ	ホソヒ	タソエ	ホソエ	タツエ

【例題３】　**3**　　　【例題４】　**4**

検査Ⅲ

左側に示した漢字と同じ漢字だけでできているものが右側にいくつあるかを答えなさい。
ただし、同じものがない場合は **5** を正答とする。
例えば【例題５】では、１つめは「絵」、２つめは「棉」、３つめは「並」、４つめは「持」の字が左側の漢字に含まれない。すなわち同じ漢字だけでできているものがないので **5** が正答となる。

【例題５】	綿音立上価会待洋	絵上綿	会棉価	並価上	音持洋
【例題６】	李士柿石忙収連木	木収石	収李木	土収連	収委忙

【例題５】　**5**　　　【例題６】　**2**

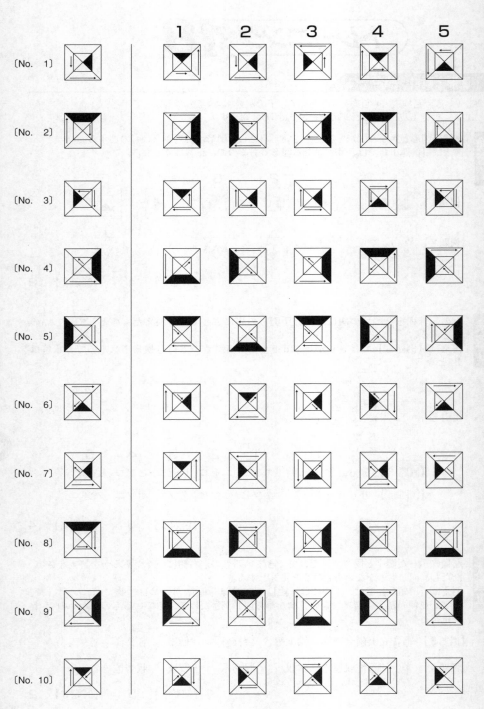

手引き		後			
		a	b	c	d
前	a	セ	ケ	ヒ	フ
	b	ナ	ム	ヲ	タ
	c	ネ	ニ	ヤ	キ
	d	テ	ワ	ユ	ロ

		1	2	3	4	5
No. 11]	a b c d a d	ムタフ	ケタフ	ケタヲ	ムキフ	ケキフ
No. 12]	d a b b b c	ネケヲ	ネムヒ	テケヒ	ネムヲ	テムヲ
No. 13]	c d a a c a	キセネ	タセニ	キムニ	タムネ	キムネ
No. 14]	a d b d c d	ケロキ	ケタキ	ケロニ	フタキ	フロニ
No. 15]	d d b c a c	ナユネ	ロヲヒ	ナヲネ	ナユヒ	ロヲネ
No. 16]	d c c a b b	ヲネロ	ユネロ	ユネム	ヲニム	ユニロ
No. 17]	c c b d d b	ヤタム	ケロム	ヤロム	ヤタワ	ケタム
No. 18]	d b a c a d	ワヒフ	ヲヒフ	ヲムワ	ワムワ	ワヒワ
No. 19]	b a c a b d	テヒム	テネタ	ナネタ	テネム	ナヒム
No. 20]	c b a c b b	ニネム	ヲネロ	ヲヒム	ニヒム	ニネロ

No. 21]	秒上皮香右報剤動	秒動剤	皮上剤	石報秒	香秒報
No. 22]	木角刑差対理言青	耐言青	木角形	言理本	青言差
No. 23]	算紡郊線夏状昨京	昨線状	夏効線	算郊作	夏京昨
No. 24]	預知法放罪切写複	非切放	知切復	放智預	知罪去
No. 25]	涼員昨点土少冷係	貝係点	小土昨	点員少	点係京
No. 26]	追偶何再読記列裁	送偶列	読何記	裁列再	何記裁
No. 27]	諸湧例貴貸担歩武	威歩貸	武例貴	担例湧	貴諸貸
No. 28]	心塩列置財妨電対	対財電	塩心置	列置電	置財列
No. 29]	秒低例彼余計宿仁	余例低	低宿余	仁計例	秒例彼
No. 30]	好向茶希伝羊法淡	午茶淡	好云法	希法何	伝向妊

18

トレーニング18　図形・置換・照合

手引き		後			
		a	b	c	d
前	a	エ	ト	マ	チ
	b	セ	ク	コ	ヨ
	c	モ	フ	ル	ユ
	d	テ	ヲ	カ	メ

		1	2	3	4	5
[No. 41]	b a a d a c	セテモ	セチマ	トチモ	セテマ	トテモ
[No. 42]	b b b d a d	クヨチ	メヨチ	クルテ	メルテ	クルチ
[No. 43]	c a b c b a	モヨト	マヨト	モヨセ	モコセ	マコト
[No. 44]	a b c a a c	セマコ	トモマ	セモマ	セモコ	トモコ
[No. 45]	a b d c d a	クユテ	クカセ	クユセ	トユテ	トカテ
[No. 46]	c b a d d c	マテユ	マチカ	フチカ	マテカ	フテユ
[No. 47]	c c c a a d	ルモカ	フマチ	フマカ	ルモチ	ルマカ
[No. 48]	d a a b c c	テクル	チクル	テクカ	テトル	テトカ
[No. 49]	b b b c d d	クフメ	メカク	メフク	メカメ	クコメ
[No. 50]	c c a a b c	ルエコ	ルトコ	ルエフ	フエコ	ルエチ

[No. 51]	奥返傷世品非席容	品席奥	傷奥席	品非場	奥品世
[No. 52]	刀室倫庭還大員矢	矢員太	失倫室	大輪庭	力矢庭
[No. 53]	図手彩兄追花未夫	天彩図	花干追	花追兑	化図夫
[No. 54]	河朱困非補後的減	非減困	後的朱	減捕的	朱河減
[No. 55]	例所私戻剤付典浮	私典浮	列所付	所例典	房付所
[No. 56]	奥線訪糸県南出松	松綿県	訪山糸	線訟県	糸県出
[No. 57]	枚固短技文票気恋	固枚気	文抗短	気枚恋	栗恋短
[No. 58]	上橋産前輪劣好白	百前上	好努輪	産白好	橋好前
[No. 59]	多暑今海色形満発	発今暑	海今多	満発色	形色多
[No. 60]	詞開地中埋受紫増	紫増詞	理紫中	地埋受	増地紫

18

トレーニング18 図形・置換・照合

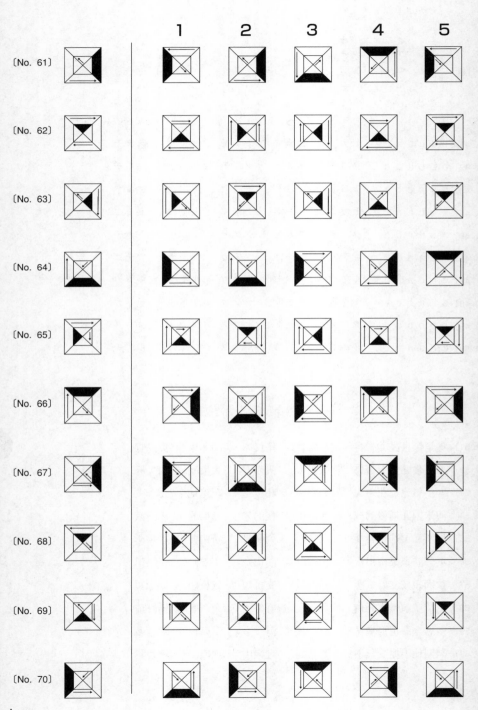

手引き		後			
		a	b	c	d
前	a	リ	ユ	ラ	マ
	b	ケ	ヤ	ツ	テ
	c	コ	ロ	カ	ヘ
	d	ハ	ン	レ	ミ

		1	2	3	4	5
[No. 71]	d b a c a b	ンラユ	ヤコユ	ンコマ	ヤラユ	ヤラマ
[No. 72]	d a a d d c	ハマツ	ケハツ	ハマレ	ケハレ	ケマツ
[No. 73]	d b d d d a	テヤハ	テミハ	テミケ	ンミハ	ンヤケ
[No. 74]	b a c a b d	ケコテ	ユラテ	ケコミ	ケラテ	ユコミ
[No. 75]	d b b a a a	ヤケリ	ンケリ	ヤユレ	ンユリ	ンユレ
[No. 76]	d d c c a c	ンミラ	ンカラ	ミカラ	ンミコ	ミカコ
[No. 77]	d a b b c d	ケヤヘ	ケミレ	ハヤレ	ケミヘ	ハヤヘ
[No. 78]	a b a d d c	ユハヘ	ユハレ	ユマレ	ケハレ	ユマヘ
[No. 79]	d b b b d a	ヤンハ	ンヤハ	ヤンユ	ンミハ	ンミユ
[No. 80]	b c a c b a	ツラハ	レラケ	レコケ	ツコハ	ツラケ

[No. 81]	婦分役半判状届増	役増状	役半婦	分合役	届婦状
[No. 82]	帰源父合犬述共草	草帰合	合共交	源述合	帰共父
[No. 83]	素席巧柱昔強湯計	強素場	計強巧	昔計麦	湯村席
[No. 84]	失浜今私時平室追	私時失	兵失時	失室平	室令平
[No. 85]	留婦採湯認幸甘浮	認浮採	採浮幸	婦湯幸	認甘留
[No. 86]	涌月銅葉料朝裕医	朝銅葉	裕銅涌	料銅涌	朝裕月
[No. 87]	庭根裁橋日豊淡短	裁廃根	眼日豊	豊裁短	根橋目
[No. 88]	名呼役身涼干衣関	涼各衣	干名涼	間涼衣	身名千
[No. 89]	厚紛票坦裂視間牛	厚裂坦	視粉厚	坦午紛	裂牛胆
[No. 90]	着負可数早絵舶身	数絵舶	舶早着	数負可	絵舶負

18

トレーニング18　図形・置換・照合

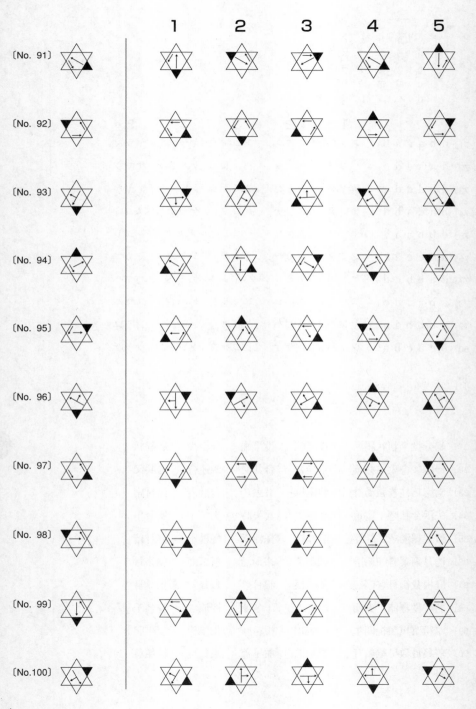

	後			
手引き		a	b	c	d

前	a	ワ	セ	ル	タ
	b	ネ	ノ	ウ	イ
	c	モ	ニ	ク	サ
	d	フ	ハ	キ	シ

		1	2	3	4	5
[No.101]	a a b d d b	ワハイ	ワイハ	ウハイ	ウシハ	ワシハ
[No.102]	d c c a a b	キモセ	サルセ	サモセ	キルフ	サモフ
[No.103]	b d c d d b	ハサイ	イキハ	イサハ	イキシ	イサシ
[No.104]	d a b b b a	ネノセ	フシセ	フノセ	フノネ	ネシネ
[No.105]	c c a b c b	シネニ	クネニ	シネウ	クネウ	クセニ
[No.106]	a c a a c d	ルワサ	モワサ	モワキ	モノキ	ルノサ
[No.107]	a b a c b d	ネルイ	セルイ	ネモハ	セモイ	セモハ
[No.108]	c a d b a a	モハフ	モハワ	ルハフ	モハウ	ルハウ
[No.109]	d d d a a c	ノタモ	シフモ	ノフル	シタル	シフル
[No.110]	b b c c b c	ノクニ	ノサウ	ノクウ	シクニ	シサウ

		1	2	3	4
[No.111]	人適弱秋紀採豆活	入弱秋	括紀人	豆滴紀	採適登
[No.112]	像方和沼平術紫側	和紫側	像術和	和側像	乎紫側
[No.113]	示鹿面木地屋浴庁	本示浴	池木面	慶面示	面丁地
[No.114]	用入感加求南打田	加救用	入打南	用入南	加田感
[No.115]	晩率紛両防粕走横	走防率	晩防走	晩率両	率両横
[No.116]	遇書梅葉妻野開弟	開妻野	開遇梅	野妻遇	妻開野
[No.117]	観用電横粕務悲視	粕観雷	努視悲	勧横視	黄務用
[No.118]	自値医中冬日也台	自冬忠	冬値医	也冬台	値区自
[No.119]	元泳校半再坂個白	個白永	校個白	百半校	半阪校
[No.120]	眠各宿平粒位後表	平位眼	位右平	各表立	平縮眠

18

トレーニング18　図形・置換・照合

[No. 1]	4	[No. 31]	1	[No. 61]	5	[No. 91]	3
[No. 2]	1	[No. 32]	3	[No. 62]	2	[No. 92]	4
[No. 3]	3	[No. 33]	4	[No. 63]	4	[No. 93]	4
[No. 4]	5	[No. 34]	2	[No. 64]	1	[No. 94]	1
[No. 5]	2	[No. 35]	3	[No. 65]	3	[No. 95]	2
[No. 6]	1	[No. 36]	4	[No. 66]	3	[No. 96]	5
[No. 7]	3	[No. 37]	2	[No. 67]	2	[No. 97]	3
[No. 8]	5	[No. 38]	5	[No. 68]	1	[No. 98]	1
[No. 9]	1	[No. 39]	1	[No. 69]	5	[No. 99]	5
[No. 10]	4	[No. 40]	5	[No. 70]	4	[No.100]	2
[No. 11]	5	[No. 41]	2	[No. 71]	1	[No.101]	2
[No. 12]	5	[No. 42]	1	[No. 72]	3	[No.102]	1
[No. 13]	1	[No. 43]	4	[No. 73]	4	[No.103]	3
[No. 14]	4	[No. 44]	2	[No. 74]	1	[No.104]	4
[No. 15]	2	[No. 45]	5	[No. 75]	2	[No.105]	5
[No. 16]	3	[No. 46]	3	[No. 76]	3	[No.106]	1
[No. 17]	4	[No. 47]	4	[No. 77]	5	[No.107]	2
[No. 18]	1	[No. 48]	4	[No. 78]	3	[No.108]	2
[No. 19]	3	[No. 49]	5	[No. 79]	2	[No.109]	5
[No. 20]	4	[No. 50]	1	[No. 80]	5	[No.110]	3
[No. 21]	3	[No. 51]	3	[No. 81]	3	[No.111]	5
[No. 22]	1	[No. 52]	5	[No. 82]	3	[No.112]	3
[No. 23]	2	[No. 53]	5	[No. 83]	1	[No.113]	5
[No. 24]	5	[No. 54]	2	[No. 84]	2	[No.114]	3
[No. 25]	1	[No. 55]	2	[No. 85]	4	[No.115]	4
[No. 26]	2	[No. 56]	1	[No. 86]	4	[No.116]	4
[No. 27]	3	[No. 57]	2	[No. 87]	1	[No.117]	5
[No. 28]	4	[No. 58]	2	[No. 88]	1	[No.118]	2
[No. 29]	4	[No. 59]	4	[No. 89]	1	[No.119]	1
[No. 30]	5	[No. 60]	3	[No. 90]	4	[No.120]	5

●目標点数……………**90**点

●あなたの得点…1回目 ＿＿＿＿＿ 点

●あなたの得点…2回目 ＿＿＿＿＿ 点

照合・計算・図形

Ⅰ　まず各検査のやり方を、5分間で以下の例題をよく読んで理解して下さい。
Ⅱ　本問（次ページから）の解答時間は15分間です。

検査Ⅰ

左側に掲げてあるひらがなが右側の文字列中にいくつ含まれるかを数え、その個数を手引きに基づいて分類しなさい。
例えば【例題1】では、左側に掲げてある3つのひらがなは全部で、4つ（もりのとのはおはし**し**ましけりなどいひてまちよばひ**す**る）含まれている。4は手引きの**5**にあるので、正答は**5**となる。

	1	2	3	4	5
手引き	1	5	6	7	0
	3	2	9	8	4

【例題1】　も　し　す　　もりのとのはおはしましけりなどいひてまちよばひする

【例題2】　つ　け　あ　　こはありつるぬすびとのおそひかかりたるなりけりとこ

【例題1】　**5**　　　【例題2】　**1**

検査Ⅱ

アルファベットと数字の組合せを、手引き1と照合して、それぞれの数の差（絶対値）をすべて合計し、その答えを手引き2をみて分類しなさい。
例えば【例題3】では、Vは9−9＝0、Tは6−1＝5、Jは5−1＝4、Mは2−2＝0、Pは7−3＝4となり、すべての和は13となる。これは手引き2の**5**にあるので、正答は**5**となる。

手引き1	F	M	J	S	V	P	A	X	T
	5	2	1	3	9	7	4	8	6

手引き2	1	2	3	4	5
	9	4	1	7	11
	14	5	8	3	13
	10	2	6	12	0

【例題3】　V 9　T 1　J 5　M 2　P 3

【例題4】　X 8　A 4　T 2　S 9　M 2

【例題3】　**5**

【例題4】　**1**

検査Ⅲ

左側の四角形を線で切り離してできる図形と、形は同じで向きだけが違うものはどれか答えなさい。
例えば【例題5】では、2が四角形を切り離してできる図形と同じなので、正答は**2**となる。

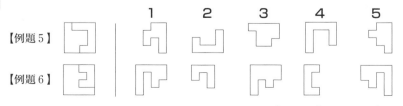

【例題5】　**2**　　　【例題6】　**3**

19

トレーニング19　照合・計算・図形

209

	1	2	3	4	5
手引き	4	6	1	9	3
	2	5	8	7	0

〔No. 1〕 ごきは　　ごいこれをききていはくそのほとけはひとをあはれびた

〔No. 2〕 はちし　　しかるまあめのおとやまずにふるよなかばかりにあめの

〔No. 3〕 しいは　　うまやにはしりいきてみづからうまをひきいだしてあや

〔No. 4〕 りよご　　これもいまはむかしひえのやまにちごありけりそうたち

〔No. 5〕 ひとて　　このいさかひをみるとてさとどなりのひといちをなして

〔No. 6〕 おでな　　そのおりまきひとへやよりいでておんなにいふやうゆめ

〔No. 7〕 しみこ　　かへすがへすめでたくごらんじてそうらふあなかしこあ

〔No. 8〕 つのは　　つつみのちゆうなごんのきみじゆうさんのみこのははみ

〔No. 9〕 あくし　　しりこたへぬときくにあはせてうまのはしりてゆくあぶ

〔No. 10〕 でむさ　　そのまたににゆどうのぼりゐてかねをたたきてあみだぶ

	1	2	3	4	5			1	2	3	4	5
手引き1	B	A	I	U	J	E	R	K	T			
	9	8	1	5	6	3	7	4	2			

	1	2	3	4	5
手引き2	4	8	3	14	11
	10	2	12	6	0
	9	7	1	5	13

〔No. 11〕　T 2　J 6　A 4　I 1　K 9

〔No. 12〕　R 2　B 9　I 1　U 7　T 2

〔No. 13〕　I 2　U 5　R 4　K 6　E 3

〔No. 14〕　R 7　A 2　K 9　T 2　J 3

〔No. 15〕　J 2　A 8　B 9　T 2　R 7

〔No. 16〕　T 4　E 3　I 1　R 7　A 8

〔No. 17〕　E 3　A 8　T 9　E 3　K 1

〔No. 18〕　J 1　R 4　E 3　B 5　A 7

〔No. 19〕　B 8　K 3　I 1　J 6　R 8

〔No. 20〕　E 8　A 3　K 4　J 5　U 6

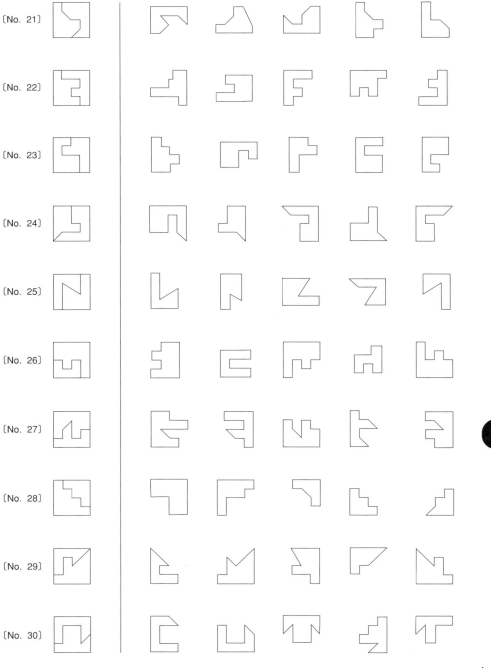

	1	2	3	4	5
手引き	3	1	4	0	2
	6	8	7	5	9

〔No. 31〕　こ ほ な　　われなおこれよりにしにもゆきてうみにもはいりなむと

〔No. 32〕　み す ま　　くるまにのりこぼれてやりよせてみればまことにいまだ

〔No. 33〕　か ふ く　　いとよくさらされたるをきてゐのさかつらのしりさやし

〔No. 34〕　い く ろ　　しりあしをもてふみおりてしゆさかさまにうまにのりな

〔No. 35〕　お く た　　そのきにひらたけのおおくおひたりつればみすてがたく

〔No. 36〕　や す な　　もとよりみこころかしこくおはしますひとはかかるしぬ

〔No. 37〕　ま い に　　やまとのくににりようもんといふところにひじりありけ

〔No. 38〕　の む た　　みちのくにのちにつづきたるにやあらむとてむねたふほ

〔No. 39〕　に い ま　　いにしへよりいまにいたるまでおほやけにかちたてまつ

〔No. 40〕　つ い ま　　だいなごんのむすめいとうつくしうてもとたまうたりけ

手引き1	P	C	N	Q	S	R	F	K	H
	6	5	4	1	8	7	2	3	9

手引き2	1	2	3	4	5
	1	7	3	11	5
	12	4	14	6	13
	9	2	10	8	0

〔No. 41〕　K 8　　N 9　　R 7　　Q 1　　P 5

〔No. 42〕　C 4　　F 8　　H 9　　K 3　　N 2

〔No. 43〕　F 5　　Q 1　　S 8　　H 7　　R 7

〔No. 44〕　Q 5　　H 7　　N 4　　R 7　　P 6

〔No. 45〕　R 7　　S 8　　K 3　　F 2　　N 3

〔No. 46〕　K 2　　C 8　　F 5　　R 9　　P 1

〔No. 47〕　F 3　　H 9　　R 7　　N 5　　S 8

〔No. 48〕　C 1　　P 6　　Q 1　　F 4　　N 3

〔No. 49〕　P 9　　K 3　　S 7　　F 6　　C 1

〔No. 50〕　H 4　　R 2　　C 8　　Q 1　　P 6

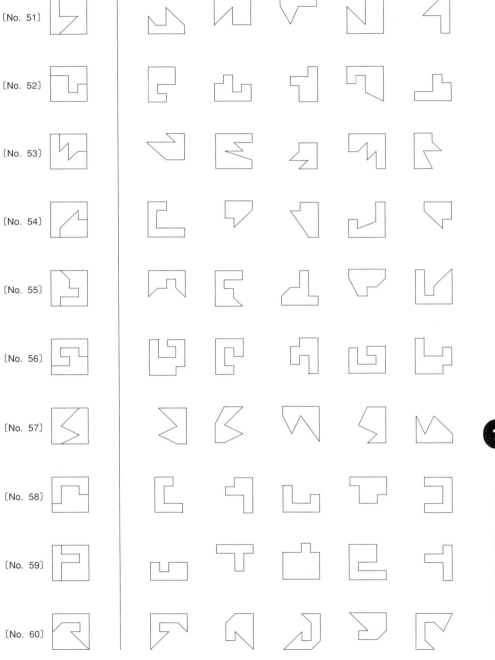

	1	2	3	4	5
手引き	1	8	0	2	7
	6	4	9	5	3

〔No. 61〕 ぬ む こ　つれづれなるをりにいとあまりむつまじうもあらぬまら

〔No. 62〕 ち を あ　よんべのとまりよりこととまりをおひてゆくはるかにや

〔No. 63〕 せ へ い　そこへとていつかにみやづかさにくるまのあないいひて

〔No. 64〕 み る そ　うづきまつりのころいとをかしかんだちめてんじやうび

〔No. 65〕 ひ ろ な　おもふひとのひとにほめられやむごとなきひとなどのく

〔No. 66〕 つ の う　ここのつばかりなるをのわらはとしよりはをさなくぞあ

〔No. 67〕 て も さ　たてるひとどもはさうぞくのきよらてることものにもに

〔No. 68〕 ま よ す　かやうにあまたたびとざまかうざまにするにつゆばかり

〔No. 69〕 は れ く　なにごとをかのたまはんことはうけたまはらざらむへげ

〔No. 70〕 き た か　いかやうにはからはせたまふべきにかとゆかしきかたも

手引き1	Q	E	L	V	J	H	M	A	G
	5	9	6	2	3	8	7	4	1

	1	2	3	4	5
手引き2	3	12	9	2	4
	11	5	1	10	13
	7	0	8	14	6

〔No. 71〕 J 3　Q 3　H 8　L 6　E 7

〔No. 72〕 G 3　H 9　J 4　V 2　A 5

〔No. 73〕 Q 5　J 4　E 9　H 4　V 6

〔No. 74〕 V 9　Q 5　E 6　H 7　J 1

〔No. 75〕 J 3　V 6　E 9　M 4　H 9

〔No. 76〕 M 7　A 4　H 8　L 6　E 9

〔No. 77〕 Q 8　H 9　J 4　V 5　A 2

〔No. 78〕 E 3　L 5　A 3　G 7　H 8

〔No. 79〕 M 6　V 2　G 1　J 3　E 9

〔No. 80〕 J 5　L 6　E 7　H 8　G 3

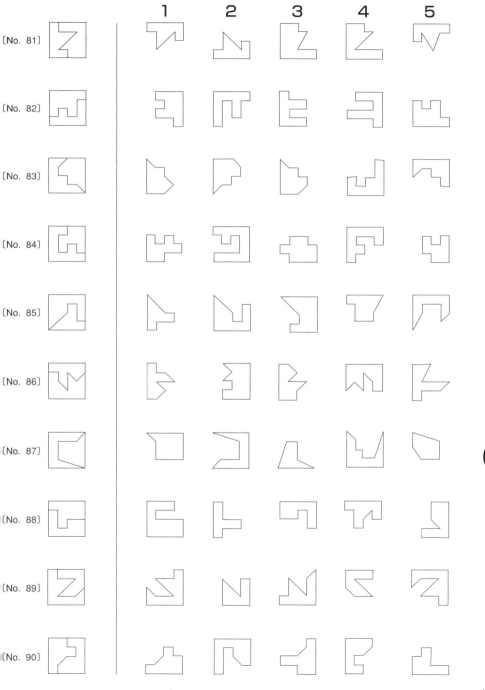

手引き	1	2	3	4	5
	4	1	8	6	5
	2	9	0	3	7

〔No. 91〕 これ く　　これよりいまはこぎはなれてゆくこれをみおくらんとて

〔No. 92〕 そん あ　　なかむつくにいせのくにはいみじきぶもがものをもうば

〔No. 93〕 のら に　　そのころものいみしにさやうのところにいでくるにふつ

〔No. 94〕 もる ふ　　わづらふひとのあるにげんざもとむるにれいあるところ

〔No. 95〕 ちみ し　　かのうれへをしたるたくみをばよびすゑてうれしきひと

〔No. 96〕 まり せ　　あまびとのなかにまたせたるはこありあまのはごろもい

〔No. 97〕 さち う　　いとひさしうありておきさせたまへるになほかちまけな

〔No. 98〕 めわ お　　もとのめはそのくにのひとにてなむありけるそれをばあ

〔No. 99〕 そろ け　　おほせごとなどもなくてひごろになればこころぼそくて

〔No.100〕 へよ さ　　よるはいもねずはつかのよのつきいでにけりやまのはも

手引き1	M	V	Q	J	F	K	Z	E	A
	9	2	7	8	4	1	5	3	6

手引き2	1	2	3	4	5
	12	3	6	9	1
	4	5	10	2	8
	13	7	0	11	14

〔No.101〕　J 4　　E 3　　Z 5　　A 8　　Q 7

〔No.102〕　E 2　　F 8　　J 6　　A 5　　Z 1

〔No.103〕　Z 5　　K 7　　J 6　　E 3　　V 2

〔No.104〕　A 5　　E 3　　F 2　　J 8　　M 7

〔No.105〕　J 4　　E 3　　M 9　　F 1　　Z 5

〔No.106〕　E 3　　A 6　　J 8　　F 4　　K 1

〔No.107〕　M 1　　Z 5　　E 2　　V 2　　J 8

〔No.108〕　J 2　　K 1　　M 8　　A 6　　Z 9

〔No.109〕　E 3　　M 8　　F 4　　Q 7　　V 2

〔No.110〕　Z 4　　J 5　　V 2　　E 3　　K 1

〔No.111〕

〔No.112〕

〔No.113〕

〔No.114〕

〔No.115〕

〔No.116〕

〔No.117〕

〔No.118〕

〔No.119〕

〔No.120〕

19

トレーニング19　照合・計算・図形

[No. 1]	2	[No. 31]	1	[No. 61]	4	[No. 91]	3
[No. 2]	3	[No. 32]	3	[No. 62]	1	[No. 92]	3
[No. 3]	2	[No. 33]	5	[No. 63]	2	[No. 93]	4
[No. 4]	5	[No. 34]	4	[No. 64]	3	[No. 94]	5
[No. 5]	4	[No. 35]	2	[No. 65]	4	[No. 95]	4
[No. 6]	1	[No. 36]	2	[No. 66]	5	[No. 96]	5
[No. 7]	1	[No. 37]	4	[No. 67]	1	[No. 97]	1
[No. 8]	3	[No. 38]	1	[No. 68]	2	[No. 98]	2
[No. 9]	2	[No. 39]	5	[No. 69]	5	[No. 99]	4
[No. 10]	5	[No. 40]	3	[No. 70]	3	[No.100]	1
[No. 11]	1	[No. 41]	4	[No. 71]	5	[No.101]	3
[No. 12]	2	[No. 42]	1	[No. 72]	2	[No.102]	1
[No. 13]	4	[No. 43]	5	[No. 73]	3	[No.103]	5
[No. 14]	4	[No. 44]	4	[No. 74]	5	[No.104]	2
[No. 15]	1	[No. 45]	1	[No. 75]	3	[No.105]	2
[No. 16]	2	[No. 46]	3	[No. 76]	2	[No.106]	3
[No. 17]	1	[No. 47]	2	[No. 77]	4	[No.107]	4
[No. 18]	5	[No. 48]	2	[No. 78]	4	[No.108]	4
[No. 19]	3	[No. 49]	1	[No. 79]	3	[No.109]	5
[No. 20]	3	[No. 50]	5	[No. 80]	5	[No.110]	1
[No. 21]	3	[No. 51]	5	[No. 81]	2	[No.111]	2
[No. 22]	4	[No. 52]	1	[No. 82]	1	[No.112]	5
[No. 23]	2	[No. 53]	4	[No. 83]	3	[No.113]	4
[No. 24]	5	[No. 54]	2	[No. 84]	4	[No.114]	1
[No. 25]	3	[No. 55]	2	[No. 85]	1	[No.115]	3
[No. 26]	5	[No. 56]	3	[No. 86]	4	[No.116]	4
[No. 27]	5	[No. 57]	5	[No. 87]	2	[No.117]	5
[No. 28]	4	[No. 58]	1	[No. 88]	3	[No.118]	2
[No. 29]	1	[No. 59]	2	[No. 89]	5	[No.119]	3
[No. 30]	1	[No. 60]	4	[No. 90]	4	[No.120]	1

●目標点数···················**80**点

●あなたの得点···1回目 ＿＿＿＿＿点

●あなたの得点···2回目 ＿＿＿＿＿点

図形・計算・分類

Ⅰ　まず各検査のやり方を、5分間で以下の例題をよく読んで理解して下さい。
Ⅱ　本問（次ページから）の解答時間は15分間です。

検査Ⅰ

Aの図形を、矢印の位置がBにくるように回転させてできる図形はどれか。ただし、回転させた図形から矢印は省略している。
例えば【例題1】では、左に90°回転させると矢印がBの位置にくるので、それと同じ図形は2となり正答は2となる。

	(A)	(B)	1	2	3	4	5
【例題1】							
【例題2】							

【例題1】　2　　　【例題2】　5

検査Ⅱ

次の問題を計算しなさい。
例えば【例題3】は計算すると5となるので、正答は5となる。

【例題3】　$30 \div 5 - 14 + 13$　　　　　【例題3】　5

【例題4】　$3 \times 2 \times 2 - 11$　　　　　【例題4】　1

検査Ⅲ

次の文字列が、手引きの1～4のどの欄にあてはまるかを答えなさい。ただしどこにもあてはまらない場合は、5を正答とする。
例えば【例題5】では、「ろ－S」は3欄の「り～わ　C～W」に当てはまるので、正答は3となる。

手引き				
1	あ～し	A～F	い～ら	R～T
2	お～た	U～Y	は～へ	D～M
3	す～な	B～J	り～わ	C～W
4	ほ～ら	D～Q	け～の	K～Q

【例題5】　ろ－S　　　　　【例題5】　3

【例題6】　ふ－P　　　　　【例題6】　5

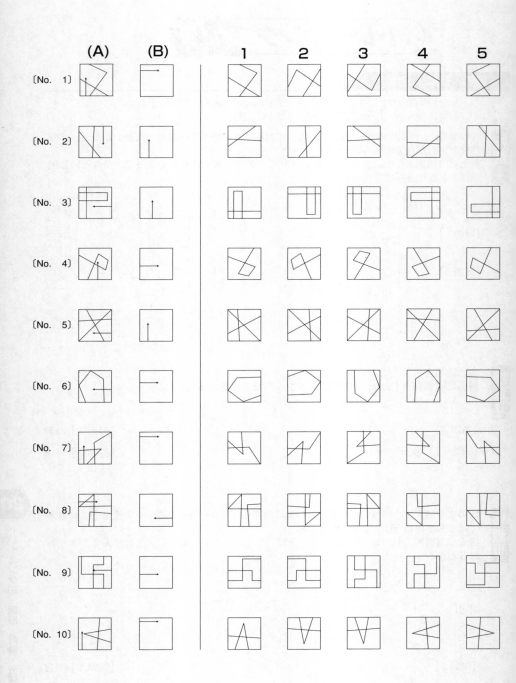

〔No. 1〕

〔No. 2〕

〔No. 3〕

〔No. 4〕

〔No. 5〕

〔No. 6〕

〔No. 7〕

〔No. 8〕

〔No. 9〕

〔No. 10〕

(A)　(B)　1　2　3　4　5

〔No. 11〕 $84 \div 3 \div 7 - 3$

〔No. 12〕 $2 \times 4 + 7 - 13$

〔No. 13〕 $7 + 8 - 12 \times 1$

〔No. 14〕 $6 \times 8 \div 6 - 7$

〔No. 15〕 $4 - 52 \div 2 \div 13$

〔No. 16〕 $70 \div 2 \div 7 - 4$

〔No. 17〕 $5 - 24 \div 4 + 5$

〔No. 18〕 $2 \times 2 \times 3 - 7$

〔No. 19〕 $12 - 96 \div 2 \div 6$

〔No. 20〕 $3 \times 12 - 5 \times 7$

手引き				
1	あ～て	B～J	も～れ	N～W
2	な～ふ	A～H	か～け	K～Y
3	ほ～ろ	C～M	こ～は	T～W
4	て～へ	K～Q	ひ～め	R～Z

〔No. 21〕 そ－H

〔No. 22〕 む－W

〔No. 23〕 ち－V

〔No. 24〕 や－O

〔No. 25〕 き－T

〔No. 26〕 み－K

〔No. 27〕 ね－G

〔No. 28〕 ろ－T

〔No. 29〕 ふ－P

〔No. 30〕 す－Q

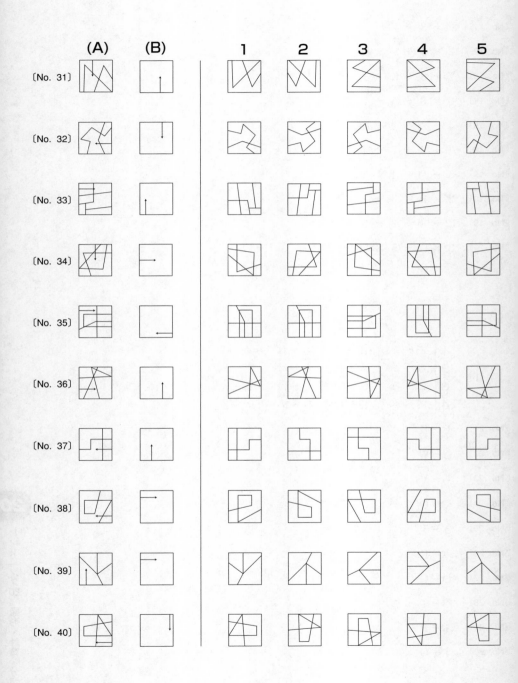

〔No. 31〕
〔No. 32〕
〔No. 33〕
〔No. 34〕
〔No. 35〕
〔No. 36〕
〔No. 37〕
〔No. 38〕
〔No. 39〕
〔No. 40〕

(A) (B) 1 2 3 4 5

[No. 41]　$32 \div 4 - 9 + 4$

[No. 42]　$16 - 72 \div 2 \div 3$

[No. 43]　$64 \times 2 \div 16 - 5$

[No. 44]　$5 \times 3 - 23 + 13$

[No. 45]　$9 + 15 - 11 \times 2$

[No. 46]　$21 \div 7 \times 4 - 9$

[No. 47]　$15 + 20 \div 4 - 15$

[No. 48]　$3 - 30 \div 5 \div 3$

[No. 49]　$9 - 6 + 12 \div 6$

[No. 50]　$2 \times 7 \times 3 - 38$

手引き					
1	ウ〜レ	p〜t	ホ〜レ	a〜k
2	エ〜ケ	b〜l	ツ〜ヌ	u〜z
3	セ〜テ	e〜m	ヒ〜ユ	v〜y
4	コ〜ス	d〜n	ヌ〜ヘ	h〜o

[No. 51]　キ － j

[No. 52]　シ － r

[No. 53]　ム － n

[No. 54]　チ － g

[No. 55]　ネ － s

[No. 56]　サ － f

[No. 57]　ヤ － x

[No. 58]　ミ － i

[No. 59]　ノ － k

[No. 60]　ニ － w

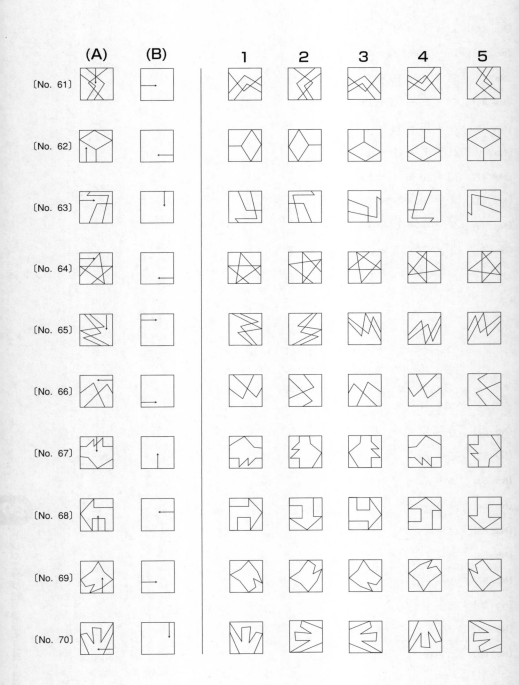

[No. 61]　(A)　(B)　1　2　3　4　5

[No. 62]

[No. 63]

[No. 64]

[No. 65]

[No. 66]

[No. 67]

[No. 68]

[No. 69]

[No. 70]

〔No. 71〕 $84 \div 7 \div 6 + 1$

〔No. 72〕 $10 + 32 \div 8 - 11$

〔No. 73〕 $3 \times 3 \times 2 - 16$

〔No. 74〕 $30 \div 5 \div 2 - 1$

〔No. 75〕 $2 + 12 \div 3 \div 2$

〔No. 76〕 $60 \times 1 \div 10 - 3$

〔No. 77〕 $4 \times 5 - 2 \times 8$

〔No. 78〕 $36 \div 9 \times 3 - 9$

〔No. 79〕 $21 \div 7 - 22 \div 11$

〔No. 80〕 $48 \div 2 \div 12 + 3$

手引き				
1	あ〜ふ	K〜P	ほ〜れ	U〜Z
2	て〜へ	U〜Y	へ〜も	H〜P
3	か〜め	Q〜T	う〜ひ	C〜I
4	や〜わ	C〜T	お〜ち	V〜Y

〔No. 81〕 し − L

〔No. 82〕 け − V

〔No. 83〕 つ − X

〔No. 84〕 に − Q

〔No. 85〕 す − H

〔No. 86〕 り − S

〔No. 87〕 め − W

〔No. 88〕 な − G

〔No. 89〕 れ − R

〔No. 90〕 み − O

20

トレーニング20 図形・計算・分類

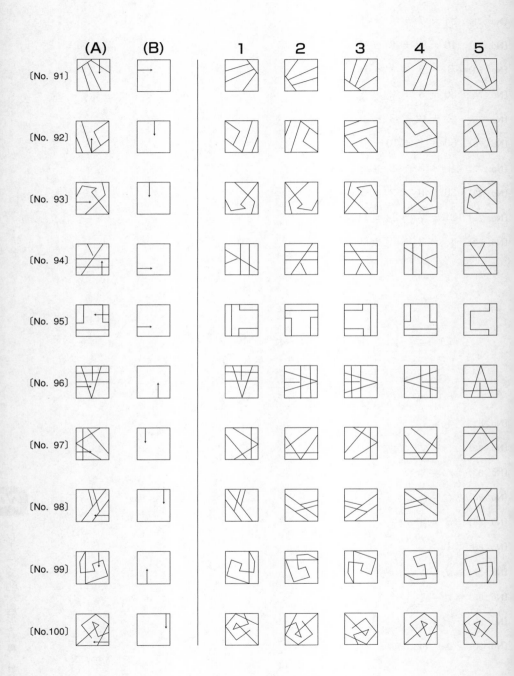

[No.101] $3 \times 5 \times 2 - 28$

[No.102] $48 \div 16 \times 9 - 25$

[No.103] $15 \div 5 - 28 \div 14$

[No.104] $16 \times 5 - 5 \times 15$

[No.105] $90 \div 9 \div 5 + 2$

[No.106] $49 \div 7 - 48 \div 16$

[No.107] $34 \times 13 \div 17 - 25$

[No.108] $33 \div 11 + 18 \div 9$

[No.109] $21 - 3 \times 3 \times 2$

[No.110] $17 \times 3 - 7 \times 7$

手引き

1	ユ～ワ	b～s	ト～ハ	k～o
2	ア～ハ	a～i	チ～レ	v～z
3	フ～ヤ	e～n	イ～シ	j～z
4	ソ～テ	j～s	ナ～ヘ	p～u

[No.111] ヌ － g

[No.112] ノ － m

[No.113] ヒ － n

[No.114] ニ － j

[No.115] ケ － q

[No.116] チ － p

[No.117] ト － r

[No.118] ニ － l

[No.119] メ － t

[No.120] ユ － w

[No. 1]	3	[No. 31]	2	[No. 61]	1	[No. 91]	2
[No. 2]	5	[No. 32]	4	[No. 62]	2	[No. 92]	5
[No. 3]	2	[No. 33]	1	[No. 63]	3	[No. 93]	4
[No. 4]	1	[No. 34]	1	[No. 64]	3	[No. 94]	4
[No. 5]	2	[No. 35]	3	[No. 65]	4	[No. 95]	2
[No. 6]	3	[No. 36]	4	[No. 66]	4	[No. 96]	3
[No. 7]	1	[No. 37]	2	[No. 67]	1	[No. 97]	5
[No. 8]	2	[No. 38]	4	[No. 68]	5	[No. 98]	4
[No. 9]	3	[No. 39]	3	[No. 69]	5	[No. 99]	5
[No. 10]	1	[No. 40]	5	[No. 70]	5	[No.100]	1
[No. 11]	1	[No. 41]	3	[No. 71]	3	[No.101]	2
[No. 12]	2	[No. 42]	4	[No. 72]	3	[No.102]	2
[No. 13]	3	[No. 43]	3	[No. 73]	2	[No.103]	1
[No. 14]	1	[No. 44]	5	[No. 74]	2	[No.104]	5
[No. 15]	2	[No. 45]	2	[No. 75]	4	[No.105]	4
[No. 16]	1	[No. 46]	3	[No. 76]	3	[No.106]	4
[No. 17]	4	[No. 47]	5	[No. 77]	4	[No.107]	1
[No. 18]	5	[No. 48]	1	[No. 78]	3	[No.108]	5
[No. 19]	4	[No. 49]	5	[No. 79]	1	[No.109]	3
[No. 20]	1	[No. 50]	4	[No. 80]	5	[No.110]	2
[No. 21]	1	[No. 51]	2	[No. 81]	1	[No.111]	2
[No. 22]	4	[No. 52]	1	[No. 82]	4	[No.112]	1
[No. 23]	3	[No. 53]	5	[No. 83]	5	[No.113]	5
[No. 24]	1	[No. 54]	3	[No. 84]	3	[No.114]	5
[No. 25]	2	[No. 55]	1	[No. 85]	3	[No.115]	3
[No. 26]	3	[No. 56]	4	[No. 86]	4	[No.116]	4
[No. 27]	2	[No. 57]	3	[No. 87]	1	[No.117]	5
[No. 28]	5	[No. 58]	1	[No. 88]	3	[No.118]	1
[No. 29]	4	[No. 59]	4	[No. 89]	4	[No.119]	5
[No. 30]	5	[No. 60]	2	[No. 90]	2	[No.120]	2

●目標点数……………**80**点

●あなたの得点…1回目＿＿＿＿＿点

●あなたの得点…2回目＿＿＿＿＿点

下記のサイトに、追補、情報の更新および訂正を掲載しております。
http://koumuin.info/book/shusei.html

公務員合格ゼミ　**適性**

編著者	学校法人　公務員ゼミナール
発行者	三森正啓
発行所	学校法人　公務員ゼミナール

専門学校　公務員ゼミナール
〒812-0016　福岡市博多区博多駅南 2-14-5
TEL 092-432-3591　FAX 092-432-3592
http://kouzemi.ac.jp/
専門学校　公務員ゼミナール熊本校
〒860-0071　熊本市西区池亀町 5-5
TEL 096-325-6373　FAX 096-325-6380
http://www.kumamoto-koumuin.info/

発売元　株式会社　いいずな書店
〒110-0016　東京都台東区台東 1-32-8　清鷹ビル 4F
TEL 03-5826-4370
振替 00150-4-281286
ホームページ http://www.iizuna-shoten.com

印刷・製本所　株式会社　ウイル・コーポレーション

装丁／駒田　康高
乱丁、落丁本はお取り替えいたします。
定価はカバーに表示されています。

ISBN978-4-86460-076-7 C2011

公務員合格ゼミ

これで合格

合格ゼミ

学校法人 公務員ゼミナール 編著

適　性

解答用マークシート

いいずな書店

解答用紙　アンサーシート

	1	2	3	4	5
[No. 1]	○	○	○	○	○
[No. 2]	○	○	○	○	○
[No. 3]	○	○	○	○	○
[No. 4]	○	○	○	○	○
[No. 5]	○	○	○	○	○
[No. 6]	○	○	○	○	○
[No. 7]	○	○	○	○	○
[No. 8]	○	○	○	○	○
[No. 9]	○	○	○	○	○
[No. 10]	○	○	○	○	○
[No. 11]	○	○	○	○	○
[No. 12]	○	○	○	○	○
[No. 13]	○	○	○	○	○
[No. 14]	○	○	○	○	○
[No. 15]	○	○	○	○	○
[No. 16]	○	○	○	○	○
[No. 17]	○	○	○	○	○
[No. 18]	○	○	○	○	○
[No. 19]	○	○	○	○	○
[No. 20]	○	○	○	○	○
[No. 21]	○	○	○	○	○
[No. 22]	○	○	○	○	○
[No. 23]	○	○	○	○	○
[No. 24]	○	○	○	○	○
[No. 25]	○	○	○	○	○
[No. 26]	○	○	○	○	○
[No. 27]	○	○	○	○	○
[No. 28]	○	○	○	○	○
[No. 29]	○	○	○	○	○
[No. 30]	○	○	○	○	○

	1	2	3	4	5
[No. 31]	○	○	○	○	○
[No. 32]	○	○	○	○	○
[No. 33]	○	○	○	○	○
[No. 34]	○	○	○	○	○
[No. 35]	○	○	○	○	○
[No. 36]	○	○	○	○	○
[No. 37]	○	○	○	○	○
[No. 38]	○	○	○	○	○
[No. 39]	○	○	○	○	○
[No. 40]	○	○	○	○	○
[No. 41]	○	○	○	○	○
[No. 42]	○	○	○	○	○
[No. 43]	○	○	○	○	○
[No. 44]	○	○	○	○	○
[No. 45]	○	○	○	○	○
[No. 46]	○	○	○	○	○
[No. 47]	○	○	○	○	○
[No. 48]	○	○	○	○	○
[No. 49]	○	○	○	○	○
[No. 50]	○	○	○	○	○
[No. 51]	○	○	○	○	○
[No. 52]	○	○	○	○	○
[No. 53]	○	○	○	○	○
[No. 54]	○	○	○	○	○
[No. 55]	○	○	○	○	○
[No. 56]	○	○	○	○	○
[No. 57]	○	○	○	○	○
[No. 58]	○	○	○	○	○
[No. 59]	○	○	○	○	○
[No. 60]	○	○	○	○	○

	1	2	3	4	5
[No. 61]	○	○	○	○	○
[No. 62]	○	○	○	○	○
[No. 63]	○	○	○	○	○
[No. 64]	○	○	○	○	○
[No. 65]	○	○	○	○	○
[No. 66]	○	○	○	○	○
[No. 67]	○	○	○	○	○
[No. 68]	○	○	○	○	○
[No. 69]	○	○	○	○	○
[No. 70]	○	○	○	○	○
[No. 71]	○	○	○	○	○
[No. 72]	○	○	○	○	○
[No. 73]	○	○	○	○	○
[No. 74]	○	○	○	○	○
[No. 75]	○	○	○	○	○
[No. 76]	○	○	○	○	○
[No. 77]	○	○	○	○	○
[No. 78]	○	○	○	○	○
[No. 79]	○	○	○	○	○
[No. 80]	○	○	○	○	○
[No. 81]	○	○	○	○	○
[No. 82]	○	○	○	○	○
[No. 83]	○	○	○	○	○
[No. 84]	○	○	○	○	○
[No. 85]	○	○	○	○	○
[No. 86]	○	○	○	○	○
[No. 87]	○	○	○	○	○
[No. 88]	○	○	○	○	○
[No. 89]	○	○	○	○	○
[No. 90]	○	○	○	○	○

	1	2	3	4	5
[No. 91]	○	○	○	○	○
[No. 92]	○	○	○	○	○
[No. 93]	○	○	○	○	○
[No. 94]	○	○	○	○	○
[No. 95]	○	○	○	○	○
[No. 96]	○	○	○	○	○
[No. 97]	○	○	○	○	○
[No. 98]	○	○	○	○	○
[No. 99]	○	○	○	○	○
[No. 100]	○	○	○	○	○
[No. 101]	○	○	○	○	○
[No. 102]	○	○	○	○	○
[No. 103]	○	○	○	○	○
[No. 104]	○	○	○	○	○
[No. 105]	○	○	○	○	○
[No. 106]	○	○	○	○	○
[No. 107]	○	○	○	○	○
[No. 108]	○	○	○	○	○
[No. 109]	○	○	○	○	○
[No. 110]	○	○	○	○	○
[No. 111]	○	○	○	○	○
[No. 112]	○	○	○	○	○
[No. 113]	○	○	○	○	○
[No. 114]	○	○	○	○	○
[No. 115]	○	○	○	○	○
[No. 116]	○	○	○	○	○
[No. 117]	○	○	○	○	○
[No. 118]	○	○	○	○	○
[No. 119]	○	○	○	○	○
[No. 120]	○	○	○	○	○

目標得点 100点　[採点方法]

解答数 － 誤答数 ×2 ＝ 得点

目標得点 110点　[採点方法]

解答数　－　誤答数　×2 ＝　得点

	1	2	3	4	5
[No. 1)]	○	○	○	○	○
[No. 2)]	○	○	○	○	○
[No. 3)]	○	○	○	○	○
[No. 4)]	○	○	○	○	○
[No. 5)]	○	○	○	○	○
[No. 6)]	○	○	○	○	○
[No. 7)]	○	○	○	○	○
[No. 8)]	○	○	○	○	○
[No. 9)]	○	○	○	○	○
[No. 10)]	○	○	○	○	○
[No. 11)]	○	○	○	○	○
[No. 12)]	○	○	○	○	○
[No. 13)]	○	○	○	○	○
[No. 14)]	○	○	○	○	○
[No. 15)]	○	○	○	○	○
[No. 16)]	○	○	○	○	○
[No. 17)]	○	○	○	○	○
[No. 18)]	○	○	○	○	○
[No. 19)]	○	○	○	○	○
[No. 20)]	○	○	○	○	○
[No. 21)]	○	○	○	○	○
[No. 22)]	○	○	○	○	○
[No. 23)]	○	○	○	○	○
[No. 24)]	○	○	○	○	○
[No. 25)]	○	○	○	○	○
[No. 26)]	○	○	○	○	○
[No. 27)]	○	○	○	○	○
[No. 28)]	○	○	○	○	○
[No. 29)]	○	○	○	○	○
[No. 30)]	○	○	○	○	○
[No. 31)]	○	○	○	○	○
[No. 32)]	○	○	○	○	○
[No. 33)]	○	○	○	○	○
[No. 34)]	○	○	○	○	○
[No. 35)]	○	○	○	○	○
[No. 36)]	○	○	○	○	○
[No. 37)]	○	○	○	○	○
[No. 38)]	○	○	○	○	○
[No. 39)]	○	○	○	○	○
[No. 40)]	○	○	○	○	○
[No. 41)]	○	○	○	○	○
[No. 42)]	○	○	○	○	○
[No. 43)]	○	○	○	○	○
[No. 44)]	○	○	○	○	○
[No. 45)]	○	○	○	○	○
[No. 46)]	○	○	○	○	○
[No. 47)]	○	○	○	○	○
[No. 48)]	○	○	○	○	○
[No. 49)]	○	○	○	○	○
[No. 50)]	○	○	○	○	○
[No. 51)]	○	○	○	○	○
[No. 52)]	○	○	○	○	○
[No. 53)]	○	○	○	○	○
[No. 54)]	○	○	○	○	○
[No. 55)]	○	○	○	○	○
[No. 56)]	○	○	○	○	○
[No. 57)]	○	○	○	○	○
[No. 58)]	○	○	○	○	○
[No. 59)]	○	○	○	○	○
[No. 60)]	○	○	○	○	○
[No. 61)]	○	○	○	○	○
[No. 62)]	○	○	○	○	○
[No. 63)]	○	○	○	○	○
[No. 64)]	○	○	○	○	○
[No. 65)]	○	○	○	○	○
[No. 66)]	○	○	○	○	○
[No. 67)]	○	○	○	○	○
[No. 68)]	○	○	○	○	○
[No. 69)]	○	○	○	○	○
[No. 70)]	○	○	○	○	○
[No. 71)]	○	○	○	○	○
[No. 72)]	○	○	○	○	○
[No. 73)]	○	○	○	○	○
[No. 74)]	○	○	○	○	○
[No. 75)]	○	○	○	○	○
[No. 76)]	○	○	○	○	○
[No. 77)]	○	○	○	○	○
[No. 78)]	○	○	○	○	○
[No. 79)]	○	○	○	○	○
[No. 80)]	○	○	○	○	○
[No. 81)]	○	○	○	○	○
[No. 82)]	○	○	○	○	○
[No. 83)]	○	○	○	○	○
[No. 84)]	○	○	○	○	○
[No. 85)]	○	○	○	○	○
[No. 86)]	○	○	○	○	○
[No. 87)]	○	○	○	○	○
[No. 88)]	○	○	○	○	○
[No. 89)]	○	○	○	○	○
[No. 90)]	○	○	○	○	○
[No. 91)]	○	○	○	○	○
[No. 92)]	○	○	○	○	○
[No. 93)]	○	○	○	○	○
[No. 94)]	○	○	○	○	○
[No. 95)]	○	○	○	○	○
[No. 96)]	○	○	○	○	○
[No. 97)]	○	○	○	○	○
[No. 98)]	○	○	○	○	○
[No. 99)]	○	○	○	○	○
[No.100)]	○	○	○	○	○
[No.101)]	○	○	○	○	○
[No.102)]	○	○	○	○	○
[No.103)]	○	○	○	○	○
[No.104)]	○	○	○	○	○
[No.105)]	○	○	○	○	○
[No.106)]	○	○	○	○	○
[No.107)]	○	○	○	○	○
[No.108)]	○	○	○	○	○
[No.109)]	○	○	○	○	○
[No.110)]	○	○	○	○	○
[No.111)]	○	○	○	○	○
[No.112)]	○	○	○	○	○
[No.113)]	○	○	○	○	○
[No.114)]	○	○	○	○	○
[No.115)]	○	○	○	○	○
[No.116)]	○	○	○	○	○
[No.117)]	○	○	○	○	○
[No.118)]	○	○	○	○	○
[No.119)]	○	○	○	○	○
[No.120)]	○	○	○	○	○

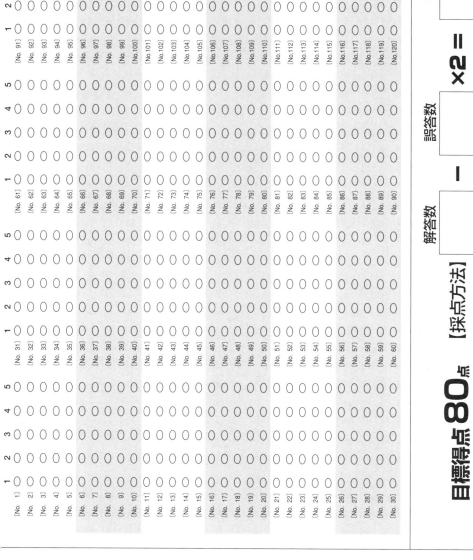

マークシート **3** 解答用紙

目標得点 **80**点 [採点方法]

解答数 □ − 誤答数 □ ×**2** = 得点 □

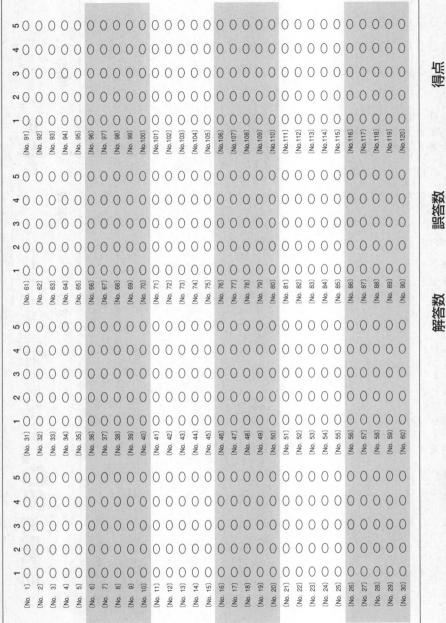

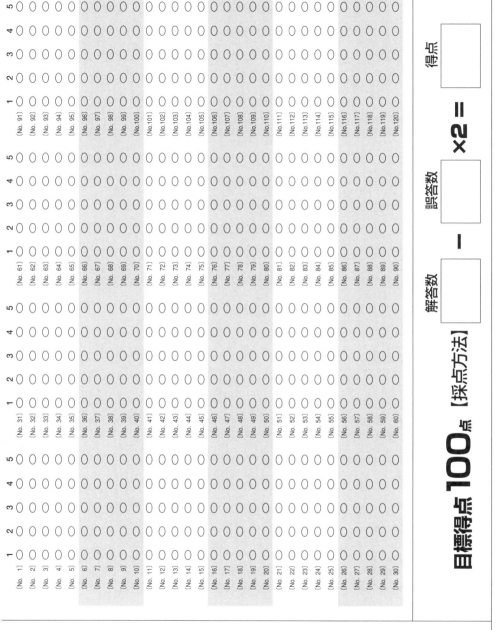

リスニング 5 解答用紙

	1	2	3	4	5
[No. 1]	○	○	○	○	○
[No. 2]	○	○	○	○	○
[No. 3]	○	○	○	○	○
[No. 4]	○	○	○	○	○
[No. 5]	○	○	○	○	○
[No. 6]	○	○	○	○	○
[No. 7]	○	○	○	○	○
[No. 8]	○	○	○	○	○
[No. 9]	○	○	○	○	○
[No. 10]	○	○	○	○	○
[No. 11]	○	○	○	○	○
[No. 12]	○	○	○	○	○
[No. 13]	○	○	○	○	○
[No. 14]	○	○	○	○	○
[No. 15]	○	○	○	○	○
[No. 16]	○	○	○	○	○
[No. 17]	○	○	○	○	○
[No. 18]	○	○	○	○	○
[No. 19]	○	○	○	○	○
[No. 20]	○	○	○	○	○
[No. 21]	○	○	○	○	○
[No. 22]	○	○	○	○	○
[No. 23]	○	○	○	○	○
[No. 24]	○	○	○	○	○
[No. 25]	○	○	○	○	○
[No. 26]	○	○	○	○	○
[No. 27]	○	○	○	○	○
[No. 28]	○	○	○	○	○
[No. 29]	○	○	○	○	○
[No. 30]	○	○	○	○	○

	1	2	3	4	5
[No. 31]	○	○	○	○	○
[No. 32]	○	○	○	○	○
[No. 33]	○	○	○	○	○
[No. 34]	○	○	○	○	○
[No. 35]	○	○	○	○	○
[No. 36]	○	○	○	○	○
[No. 37]	○	○	○	○	○
[No. 38]	○	○	○	○	○
[No. 39]	○	○	○	○	○
[No. 40]	○	○	○	○	○
[No. 41]	○	○	○	○	○
[No. 42]	○	○	○	○	○
[No. 43]	○	○	○	○	○
[No. 44]	○	○	○	○	○
[No. 45]	○	○	○	○	○
[No. 46]	○	○	○	○	○
[No. 47]	○	○	○	○	○
[No. 48]	○	○	○	○	○
[No. 49]	○	○	○	○	○
[No. 50]	○	○	○	○	○
[No. 51]	○	○	○	○	○
[No. 52]	○	○	○	○	○
[No. 53]	○	○	○	○	○
[No. 54]	○	○	○	○	○
[No. 55]	○	○	○	○	○
[No. 56]	○	○	○	○	○
[No. 57]	○	○	○	○	○
[No. 58]	○	○	○	○	○
[No. 59]	○	○	○	○	○
[No. 60]	○	○	○	○	○

	1	2	3	4	5
[No. 61]	○	○	○	○	○
[No. 62]	○	○	○	○	○
[No. 63]	○	○	○	○	○
[No. 64]	○	○	○	○	○
[No. 65]	○	○	○	○	○
[No. 66]	○	○	○	○	○
[No. 67]	○	○	○	○	○
[No. 68]	○	○	○	○	○
[No. 69]	○	○	○	○	○
[No. 70]	○	○	○	○	○
[No. 71]	○	○	○	○	○
[No. 72]	○	○	○	○	○
[No. 73]	○	○	○	○	○
[No. 74]	○	○	○	○	○
[No. 75]	○	○	○	○	○
[No. 76]	○	○	○	○	○
[No. 77]	○	○	○	○	○
[No. 78]	○	○	○	○	○
[No. 79]	○	○	○	○	○
[No. 80]	○	○	○	○	○
[No. 81]	○	○	○	○	○
[No. 82]	○	○	○	○	○
[No. 83]	○	○	○	○	○
[No. 84]	○	○	○	○	○
[No. 85]	○	○	○	○	○
[No. 86]	○	○	○	○	○
[No. 87]	○	○	○	○	○
[No. 88]	○	○	○	○	○
[No. 89]	○	○	○	○	○
[No. 90]	○	○	○	○	○

	1	2	3	4	5
[No. 91]	○	○	○	○	○
[No. 92]	○	○	○	○	○
[No. 93]	○	○	○	○	○
[No. 94]	○	○	○	○	○
[No. 95]	○	○	○	○	○
[No. 96]	○	○	○	○	○
[No. 97]	○	○	○	○	○
[No. 98]	○	○	○	○	○
[No. 99]	○	○	○	○	○
[No. 100]	○	○	○	○	○
[No. 101]	○	○	○	○	○
[No. 102]	○	○	○	○	○
[No. 103]	○	○	○	○	○
[No. 104]	○	○	○	○	○
[No. 105]	○	○	○	○	○
[No. 106]	○	○	○	○	○
[No. 107]	○	○	○	○	○
[No. 108]	○	○	○	○	○
[No. 109]	○	○	○	○	○
[No. 110]	○	○	○	○	○
[No. 111]	○	○	○	○	○
[No. 112]	○	○	○	○	○
[No. 113]	○	○	○	○	○
[No. 114]	○	○	○	○	○
[No. 115]	○	○	○	○	○
[No. 116]	○	○	○	○	○
[No. 117]	○	○	○	○	○
[No. 118]	○	○	○	○	○
[No. 119]	○	○	○	○	○
[No. 120]	○	○	○	○	○

目標得点 100点

【採点方法】

解答数 ☐ － 誤答数 ☐ ×2 ＝ 得点 ☐

解答用紙 ケイミ9

	1	2	3	4	5			1	2	3	4	5			1	2	3	4	5			1	2	3	4	5
[No. 1]	○	○	○	○	○		[No. 31]	○	○	○	○	○		[No. 61]	○	○	○	○	○		[No. 91]	○	○	○	○	○
[No. 2]	○	○	○	○	○		[No. 32]	○	○	○	○	○		[No. 62]	○	○	○	○	○		[No. 92]	○	○	○	○	○
[No. 3]	○	○	○	○	○		[No. 33]	○	○	○	○	○		[No. 63]	○	○	○	○	○		[No. 93]	○	○	○	○	○
[No. 4]	○	○	○	○	○		[No. 34]	○	○	○	○	○		[No. 64]	○	○	○	○	○		[No. 94]	○	○	○	○	○
[No. 5]	○	○	○	○	○		[No. 35]	○	○	○	○	○		[No. 65]	○	○	○	○	○		[No. 95]	○	○	○	○	○
[No. 6]	○	○	○	○	○		[No. 36]	○	○	○	○	○		[No. 66]	○	○	○	○	○		[No. 96]	○	○	○	○	○
[No. 7]	○	○	○	○	○		[No. 37]	○	○	○	○	○		[No. 67]	○	○	○	○	○		[No. 97]	○	○	○	○	○
[No. 8]	○	○	○	○	○		[No. 38]	○	○	○	○	○		[No. 68]	○	○	○	○	○		[No. 98]	○	○	○	○	○
[No. 9]	○	○	○	○	○		[No. 39]	○	○	○	○	○		[No. 69]	○	○	○	○	○		[No. 99]	○	○	○	○	○
[No. 10]	○	○	○	○	○		[No. 40]	○	○	○	○	○		[No. 70]	○	○	○	○	○		[No.100]	○	○	○	○	○
[No. 11]	○	○	○	○	○		[No. 41]	○	○	○	○	○		[No. 71]	○	○	○	○	○		[No.101]	○	○	○	○	○
[No. 12]	○	○	○	○	○		[No. 42]	○	○	○	○	○		[No. 72]	○	○	○	○	○		[No.102]	○	○	○	○	○
[No. 13]	○	○	○	○	○		[No. 43]	○	○	○	○	○		[No. 73]	○	○	○	○	○		[No.103]	○	○	○	○	○
[No. 14]	○	○	○	○	○		[No. 44]	○	○	○	○	○		[No. 74]	○	○	○	○	○		[No.104]	○	○	○	○	○
[No. 15]	○	○	○	○	○		[No. 45]	○	○	○	○	○		[No. 75]	○	○	○	○	○		[No.105]	○	○	○	○	○
[No. 16]	○	○	○	○	○		[No. 46]	○	○	○	○	○		[No. 76]	○	○	○	○	○		[No.106]	○	○	○	○	○
[No. 17]	○	○	○	○	○		[No. 47]	○	○	○	○	○		[No. 77]	○	○	○	○	○		[No.107]	○	○	○	○	○
[No. 18]	○	○	○	○	○		[No. 48]	○	○	○	○	○		[No. 78]	○	○	○	○	○		[No.108]	○	○	○	○	○
[No. 19]	○	○	○	○	○		[No. 49]	○	○	○	○	○		[No. 79]	○	○	○	○	○		[No.109]	○	○	○	○	○
[No. 20]	○	○	○	○	○		[No. 50]	○	○	○	○	○		[No. 80]	○	○	○	○	○		[No.110]	○	○	○	○	○
[No. 21]	○	○	○	○	○		[No. 51]	○	○	○	○	○		[No. 81]	○	○	○	○	○		[No.111]	○	○	○	○	○
[No. 22]	○	○	○	○	○		[No. 52]	○	○	○	○	○		[No. 82]	○	○	○	○	○		[No.112]	○	○	○	○	○
[No. 23]	○	○	○	○	○		[No. 53]	○	○	○	○	○		[No. 83]	○	○	○	○	○		[No.113]	○	○	○	○	○
[No. 24]	○	○	○	○	○		[No. 54]	○	○	○	○	○		[No. 84]	○	○	○	○	○		[No.114]	○	○	○	○	○
[No. 25]	○	○	○	○	○		[No. 55]	○	○	○	○	○		[No. 85]	○	○	○	○	○		[No.115]	○	○	○	○	○
[No. 26]	○	○	○	○	○		[No. 56]	○	○	○	○	○		[No. 86]	○	○	○	○	○		[No.116]	○	○	○	○	○
[No. 27]	○	○	○	○	○		[No. 57]	○	○	○	○	○		[No. 87]	○	○	○	○	○		[No.117]	○	○	○	○	○
[No. 28]	○	○	○	○	○		[No. 58]	○	○	○	○	○		[No. 88]	○	○	○	○	○		[No.118]	○	○	○	○	○
[No. 29]	○	○	○	○	○		[No. 59]	○	○	○	○	○		[No. 89]	○	○	○	○	○		[No.119]	○	○	○	○	○
[No. 30]	○	○	○	○	○		[No. 60]	○	○	○	○	○		[No. 90]	○	○	○	○	○		[No.120]	○	○	○	○	○

目標得点 90点 【採点方法】 解答数 [ ] ー 誤答数 [ ] ×2 = 得点 [ ]

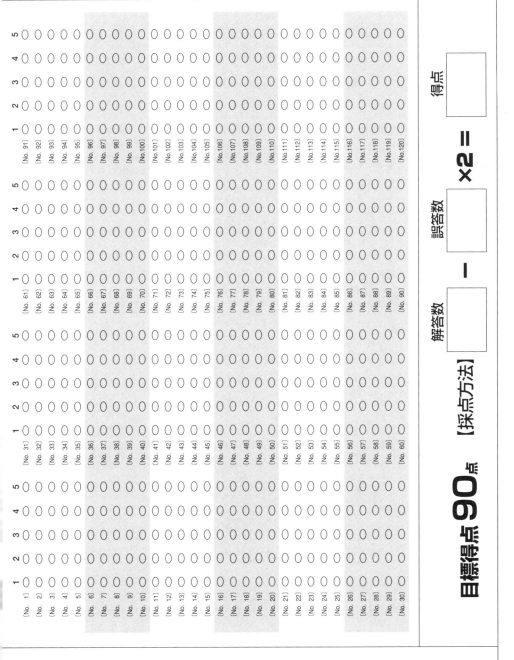

リスニング8　解答用紙

	1	2	3	4	5
[No. 1]	○	○	○	○	○
[No. 2]	○	○	○	○	○
[No. 3]	○	○	○	○	○
[No. 4]	○	○	○	○	○
[No. 5]	○	○	○	○	○
[No. 6]	○	○	○	○	○
[No. 7]	○	○	○	○	○
[No. 8]	○	○	○	○	○
[No. 9]	○	○	○	○	○
[No. 10]	○	○	○	○	○
[No. 11]	○	○	○	○	○
[No. 12]	○	○	○	○	○
[No. 13]	○	○	○	○	○
[No. 14]	○	○	○	○	○
[No. 15]	○	○	○	○	○
[No. 16]	○	○	○	○	○
[No. 17]	○	○	○	○	○
[No. 18]	○	○	○	○	○
[No. 19]	○	○	○	○	○
[No. 20]	○	○	○	○	○
[No. 21]	○	○	○	○	○
[No. 22]	○	○	○	○	○
[No. 23]	○	○	○	○	○
[No. 24]	○	○	○	○	○
[No. 25]	○	○	○	○	○
[No. 26]	○	○	○	○	○
[No. 27]	○	○	○	○	○
[No. 28]	○	○	○	○	○
[No. 29]	○	○	○	○	○
[No. 30]	○	○	○	○	○

	1	2	3	4	5
[No. 31]	○	○	○	○	○
[No. 32]	○	○	○	○	○
[No. 33]	○	○	○	○	○
[No. 34]	○	○	○	○	○
[No. 35]	○	○	○	○	○
[No. 36]	○	○	○	○	○
[No. 37]	○	○	○	○	○
[No. 38]	○	○	○	○	○
[No. 39]	○	○	○	○	○
[No. 40]	○	○	○	○	○
[No. 41]	○	○	○	○	○
[No. 42]	○	○	○	○	○
[No. 43]	○	○	○	○	○
[No. 44]	○	○	○	○	○
[No. 45]	○	○	○	○	○
[No. 46]	○	○	○	○	○
[No. 47]	○	○	○	○	○
[No. 48]	○	○	○	○	○
[No. 49]	○	○	○	○	○
[No. 50]	○	○	○	○	○
[No. 51]	○	○	○	○	○
[No. 52]	○	○	○	○	○
[No. 53]	○	○	○	○	○
[No. 54]	○	○	○	○	○
[No. 55]	○	○	○	○	○
[No. 56]	○	○	○	○	○
[No. 57]	○	○	○	○	○
[No. 58]	○	○	○	○	○
[No. 59]	○	○	○	○	○
[No. 60]	○	○	○	○	○

	1	2	3	4	5
[No. 61]	○	○	○	○	○
[No. 62]	○	○	○	○	○
[No. 63]	○	○	○	○	○
[No. 64]	○	○	○	○	○
[No. 65]	○	○	○	○	○
[No. 66]	○	○	○	○	○
[No. 67]	○	○	○	○	○
[No. 68]	○	○	○	○	○
[No. 69]	○	○	○	○	○
[No. 70]	○	○	○	○	○
[No. 71]	○	○	○	○	○
[No. 72]	○	○	○	○	○
[No. 73]	○	○	○	○	○
[No. 74]	○	○	○	○	○
[No. 75]	○	○	○	○	○
[No. 76]	○	○	○	○	○
[No. 77]	○	○	○	○	○
[No. 78]	○	○	○	○	○
[No. 79]	○	○	○	○	○
[No. 80]	○	○	○	○	○
[No. 81]	○	○	○	○	○
[No. 82]	○	○	○	○	○
[No. 83]	○	○	○	○	○
[No. 84]	○	○	○	○	○
[No. 85]	○	○	○	○	○
[No. 86]	○	○	○	○	○
[No. 87]	○	○	○	○	○
[No. 88]	○	○	○	○	○
[No. 89]	○	○	○	○	○
[No. 90]	○	○	○	○	○

	1	2	3	4	5
[No. 91]	○	○	○	○	○
[No. 92]	○	○	○	○	○
[No. 93]	○	○	○	○	○
[No. 94]	○	○	○	○	○
[No. 95]	○	○	○	○	○
[No. 96]	○	○	○	○	○
[No. 97]	○	○	○	○	○
[No. 98]	○	○	○	○	○
[No. 99]	○	○	○	○	○
[No. 100]	○	○	○	○	○
[No. 101]	○	○	○	○	○
[No. 102]	○	○	○	○	○
[No. 103]	○	○	○	○	○
[No. 104]	○	○	○	○	○
[No. 105]	○	○	○	○	○
[No. 106]	○	○	○	○	○
[No. 107]	○	○	○	○	○
[No. 108]	○	○	○	○	○
[No. 109]	○	○	○	○	○
[No. 110]	○	○	○	○	○
[No. 111]	○	○	○	○	○
[No. 112]	○	○	○	○	○
[No. 113]	○	○	○	○	○
[No. 114]	○	○	○	○	○
[No. 115]	○	○	○	○	○
[No. 116]	○	○	○	○	○
[No. 117]	○	○	○	○	○
[No. 118]	○	○	○	○	○
[No. 119]	○	○	○	○	○
[No. 120]	○	○	○	○	○

目標得点100点　[採点方法]　解答数 □ － 誤答数 □ ×2 = 得点 □

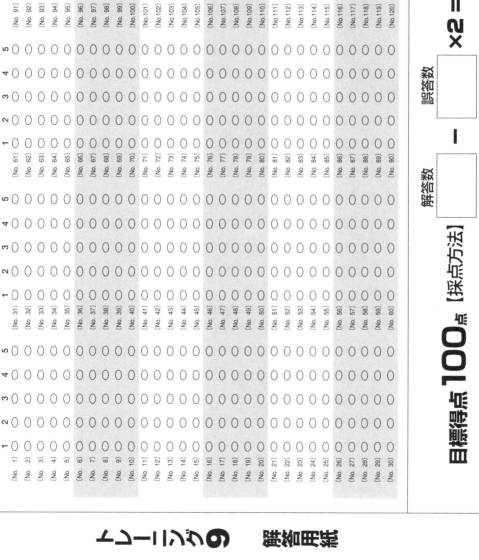

グレード6　解答用紙

目標得点 100点 [採点方法]

解答数 － 誤答数 ×2 ＝ 得点

	1	2	3	4	5
[No. 1]	○	○	○	○	○
[No. 2]	○	○	○	○	○
[No. 3]	○	○	○	○	○
[No. 4]	○	○	○	○	○
[No. 5]	○	○	○	○	○
[No. 6]	○	○	○	○	○
[No. 7]	○	○	○	○	○
[No. 8]	○	○	○	○	○
[No. 9]	○	○	○	○	○
[No. 10]	○	○	○	○	○
[No. 11]	○	○	○	○	○
[No. 12]	○	○	○	○	○
[No. 13]	○	○	○	○	○
[No. 14]	○	○	○	○	○
[No. 15]	○	○	○	○	○
[No. 16]	○	○	○	○	○
[No. 17]	○	○	○	○	○
[No. 18]	○	○	○	○	○
[No. 19]	○	○	○	○	○
[No. 20]	○	○	○	○	○
[No. 21]	○	○	○	○	○
[No. 22]	○	○	○	○	○
[No. 23]	○	○	○	○	○
[No. 24]	○	○	○	○	○
[No. 25]	○	○	○	○	○
[No. 26]	○	○	○	○	○
[No. 27]	○	○	○	○	○
[No. 28]	○	○	○	○	○
[No. 29]	○	○	○	○	○
[No. 30]	○	○	○	○	○

	1	2	3	4	5
[No. 31]	○	○	○	○	○
[No. 32]	○	○	○	○	○
[No. 33]	○	○	○	○	○
[No. 34]	○	○	○	○	○
[No. 35]	○	○	○	○	○
[No. 36]	○	○	○	○	○
[No. 37]	○	○	○	○	○
[No. 38]	○	○	○	○	○
[No. 39]	○	○	○	○	○
[No. 40]	○	○	○	○	○
[No. 41]	○	○	○	○	○
[No. 42]	○	○	○	○	○
[No. 43]	○	○	○	○	○
[No. 44]	○	○	○	○	○
[No. 45]	○	○	○	○	○
[No. 46]	○	○	○	○	○
[No. 47]	○	○	○	○	○
[No. 48]	○	○	○	○	○
[No. 49]	○	○	○	○	○
[No. 50]	○	○	○	○	○
[No. 51]	○	○	○	○	○
[No. 52]	○	○	○	○	○
[No. 53]	○	○	○	○	○
[No. 54]	○	○	○	○	○
[No. 55]	○	○	○	○	○
[No. 56]	○	○	○	○	○
[No. 57]	○	○	○	○	○
[No. 58]	○	○	○	○	○
[No. 59]	○	○	○	○	○
[No. 60]	○	○	○	○	○

	1	2	3	4	5
[No. 61]	○	○	○	○	○
[No. 62]	○	○	○	○	○
[No. 63]	○	○	○	○	○
[No. 64]	○	○	○	○	○
[No. 65]	○	○	○	○	○
[No. 66]	○	○	○	○	○
[No. 67]	○	○	○	○	○
[No. 68]	○	○	○	○	○
[No. 69]	○	○	○	○	○
[No. 70]	○	○	○	○	○
[No. 71]	○	○	○	○	○
[No. 72]	○	○	○	○	○
[No. 73]	○	○	○	○	○
[No. 74]	○	○	○	○	○
[No. 75]	○	○	○	○	○
[No. 76]	○	○	○	○	○
[No. 77]	○	○	○	○	○
[No. 78]	○	○	○	○	○
[No. 79]	○	○	○	○	○
[No. 80]	○	○	○	○	○
[No. 81]	○	○	○	○	○
[No. 82]	○	○	○	○	○
[No. 83]	○	○	○	○	○
[No. 84]	○	○	○	○	○
[No. 85]	○	○	○	○	○
[No. 86]	○	○	○	○	○
[No. 87]	○	○	○	○	○
[No. 88]	○	○	○	○	○
[No. 89]	○	○	○	○	○
[No. 90]	○	○	○	○	○

	1	2	3	4	5
[No. 91]	○	○	○	○	○
[No. 92]	○	○	○	○	○
[No. 93]	○	○	○	○	○
[No. 94]	○	○	○	○	○
[No. 95]	○	○	○	○	○
[No. 96]	○	○	○	○	○
[No. 97]	○	○	○	○	○
[No. 98]	○	○	○	○	○
[No. 99]	○	○	○	○	○
[No.100]	○	○	○	○	○
[No.101]	○	○	○	○	○
[No.102]	○	○	○	○	○
[No.103]	○	○	○	○	○
[No.104]	○	○	○	○	○
[No.105]	○	○	○	○	○
[No.106]	○	○	○	○	○
[No.107]	○	○	○	○	○
[No.108]	○	○	○	○	○
[No.109]	○	○	○	○	○
[No.110]	○	○	○	○	○
[No.111]	○	○	○	○	○
[No.112]	○	○	○	○	○
[No.113]	○	○	○	○	○
[No.114]	○	○	○	○	○
[No.115]	○	○	○	○	○
[No.116]	○	○	○	○	○
[No.117]	○	○	○	○	○
[No.118]	○	○	○	○	○
[No.119]	○	○	○	○	○
[No.120]	○	○	○	○	○

トレーニング10 解答用紙

	1	2	3	4	5		1	2	3	4	5		1	2	3	4	5		1	2	3	4	5
[No. 1]	○	○	○	○	○	[No. 31]	○	○	○	○	○	[No. 61]	○	○	○	○	○	[No. 91]	○	○	○	○	○
[No. 2]	○	○	○	○	○	[No. 32]	○	○	○	○	○	[No. 62]	○	○	○	○	○	[No. 92]	○	○	○	○	○
[No. 3]	○	○	○	○	○	[No. 33]	○	○	○	○	○	[No. 63]	○	○	○	○	○	[No. 93]	○	○	○	○	○
[No. 4]	○	○	○	○	○	[No. 34]	○	○	○	○	○	[No. 64]	○	○	○	○	○	[No. 94]	○	○	○	○	○
[No. 5]	○	○	○	○	○	[No. 35]	○	○	○	○	○	[No. 65]	○	○	○	○	○	[No. 95]	○	○	○	○	○
[No. 6]	○	○	○	○	○	[No. 36]	○	○	○	○	○	[No. 66]	○	○	○	○	○	[No. 96]	○	○	○	○	○
[No. 7]	○	○	○	○	○	[No. 37]	○	○	○	○	○	[No. 67]	○	○	○	○	○	[No. 97]	○	○	○	○	○
[No. 8]	○	○	○	○	○	[No. 38]	○	○	○	○	○	[No. 68]	○	○	○	○	○	[No. 98]	○	○	○	○	○
[No. 9]	○	○	○	○	○	[No. 39]	○	○	○	○	○	[No. 69]	○	○	○	○	○	[No. 99]	○	○	○	○	○
[No. 10]	○	○	○	○	○	[No. 40]	○	○	○	○	○	[No. 70]	○	○	○	○	○	[No.100]	○	○	○	○	○
[No. 11]	○	○	○	○	○	[No. 41]	○	○	○	○	○	[No. 71]	○	○	○	○	○	[No.101]	○	○	○	○	○
[No. 12]	○	○	○	○	○	[No. 42]	○	○	○	○	○	[No. 72]	○	○	○	○	○	[No.102]	○	○	○	○	○
[No. 13]	○	○	○	○	○	[No. 43]	○	○	○	○	○	[No. 73]	○	○	○	○	○	[No.103]	○	○	○	○	○
[No. 14]	○	○	○	○	○	[No. 44]	○	○	○	○	○	[No. 74]	○	○	○	○	○	[No.104]	○	○	○	○	○
[No. 15]	○	○	○	○	○	[No. 45]	○	○	○	○	○	[No. 75]	○	○	○	○	○	[No.105]	○	○	○	○	○
[No. 16]	○	○	○	○	○	[No. 46]	○	○	○	○	○	[No. 76]	○	○	○	○	○	[No.106]	○	○	○	○	○
[No. 17]	○	○	○	○	○	[No. 47]	○	○	○	○	○	[No. 77]	○	○	○	○	○	[No.107]	○	○	○	○	○
[No. 18]	○	○	○	○	○	[No. 48]	○	○	○	○	○	[No. 78]	○	○	○	○	○	[No.108]	○	○	○	○	○
[No. 19]	○	○	○	○	○	[No. 49]	○	○	○	○	○	[No. 79]	○	○	○	○	○	[No.109]	○	○	○	○	○
[No. 20]	○	○	○	○	○	[No. 50]	○	○	○	○	○	[No. 80]	○	○	○	○	○	[No.110]	○	○	○	○	○
[No. 21]	○	○	○	○	○	[No. 51]	○	○	○	○	○	[No. 81]	○	○	○	○	○	[No.111]	○	○	○	○	○
[No. 22]	○	○	○	○	○	[No. 52]	○	○	○	○	○	[No. 82]	○	○	○	○	○	[No.112]	○	○	○	○	○
[No. 23]	○	○	○	○	○	[No. 53]	○	○	○	○	○	[No. 83]	○	○	○	○	○	[No.113]	○	○	○	○	○
[No. 24]	○	○	○	○	○	[No. 54]	○	○	○	○	○	[No. 84]	○	○	○	○	○	[No.114]	○	○	○	○	○
[No. 25]	○	○	○	○	○	[No. 55]	○	○	○	○	○	[No. 85]	○	○	○	○	○	[No.115]	○	○	○	○	○
[No. 26]	○	○	○	○	○	[No. 56]	○	○	○	○	○	[No. 86]	○	○	○	○	○	[No.116]	○	○	○	○	○
[No. 27]	○	○	○	○	○	[No. 57]	○	○	○	○	○	[No. 87]	○	○	○	○	○	[No.117]	○	○	○	○	○
[No. 28]	○	○	○	○	○	[No. 58]	○	○	○	○	○	[No. 88]	○	○	○	○	○	[No.118]	○	○	○	○	○
[No. 29]	○	○	○	○	○	[No. 59]	○	○	○	○	○	[No. 89]	○	○	○	○	○	[No.119]	○	○	○	○	○
[No. 30]	○	○	○	○	○	[No. 60]	○	○	○	○	○	[No. 90]	○	○	○	○	○	[No.120]	○	○	○	○	○

目標得点 **90**点　[採点方法]　解答数　誤答数

解答数 □ － 誤答数 □ ×2 ＝ 得点 □

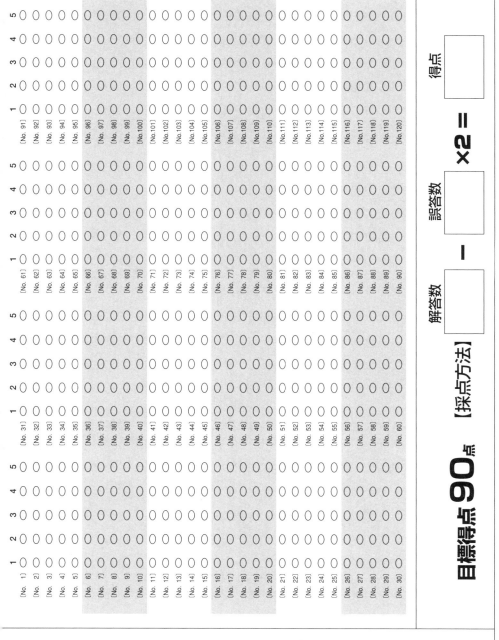

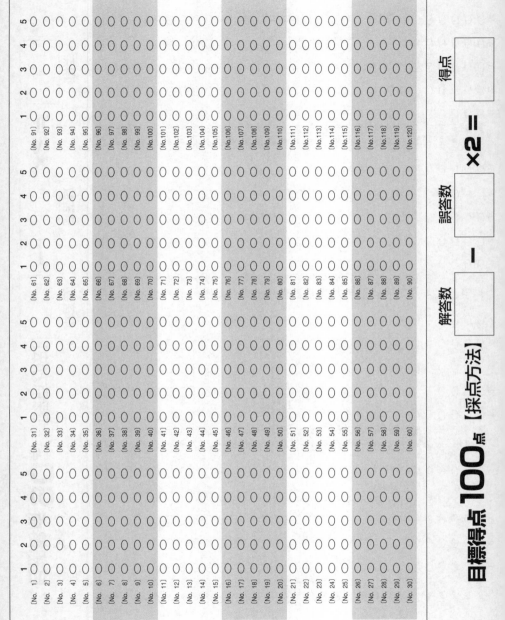

トレーニング12　解答用紙

目標得点 100点　[採点方法]

解答数 □ － 誤答数 □ ×2 ＝ 得点 □

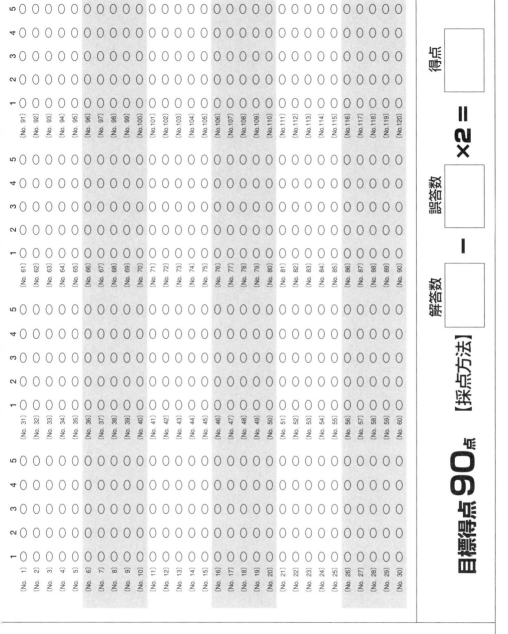

リスニング13 解答用紙

目標得点 **90**点 [採点方法] 解答数 − 誤答数 = **×2** = 得点

リスニング14　解答用紙

目標得点 **80**点　【採点方法】

解答数 ☐ － 誤答数 ☐ ×2 ＝ 得点 ☐

	1	2	3	4	5
[No. 1]	○	○	○	○	○
[No. 2]	○	○	○	○	○
[No. 3]	○	○	○	○	○
[No. 4]	○	○	○	○	○
[No. 5]	○	○	○	○	○
[No. 6]	○	○	○	○	○
[No. 7]	○	○	○	○	○
[No. 8]	○	○	○	○	○
[No. 9]	○	○	○	○	○
[No. 10]	○	○	○	○	○
[No. 11]	○	○	○	○	○
[No. 12]	○	○	○	○	○
[No. 13]	○	○	○	○	○
[No. 14]	○	○	○	○	○
[No. 15]	○	○	○	○	○
[No. 16]	○	○	○	○	○
[No. 17]	○	○	○	○	○
[No. 18]	○	○	○	○	○
[No. 19]	○	○	○	○	○
[No. 20]	○	○	○	○	○
[No. 21]	○	○	○	○	○
[No. 22]	○	○	○	○	○
[No. 23]	○	○	○	○	○
[No. 24]	○	○	○	○	○
[No. 25]	○	○	○	○	○
[No. 26]	○	○	○	○	○
[No. 27]	○	○	○	○	○
[No. 28]	○	○	○	○	○
[No. 29]	○	○	○	○	○
[No. 30]	○	○	○	○	○

	1	2	3	4	5
[No. 31]	○	○	○	○	○
[No. 32]	○	○	○	○	○
[No. 33]	○	○	○	○	○
[No. 34]	○	○	○	○	○
[No. 35]	○	○	○	○	○
[No. 36]	○	○	○	○	○
[No. 37]	○	○	○	○	○
[No. 38]	○	○	○	○	○
[No. 39]	○	○	○	○	○
[No. 40]	○	○	○	○	○
[No. 41]	○	○	○	○	○
[No. 42]	○	○	○	○	○
[No. 43]	○	○	○	○	○
[No. 44]	○	○	○	○	○
[No. 45]	○	○	○	○	○
[No. 46]	○	○	○	○	○
[No. 47]	○	○	○	○	○
[No. 48]	○	○	○	○	○
[No. 49]	○	○	○	○	○
[No. 50]	○	○	○	○	○
[No. 51]	○	○	○	○	○
[No. 52]	○	○	○	○	○
[No. 53]	○	○	○	○	○
[No. 54]	○	○	○	○	○
[No. 55]	○	○	○	○	○
[No. 56]	○	○	○	○	○
[No. 57]	○	○	○	○	○
[No. 58]	○	○	○	○	○
[No. 59]	○	○	○	○	○
[No. 60]	○	○	○	○	○

	1	2	3	4	5
[No. 61]	○	○	○	○	○
[No. 62]	○	○	○	○	○
[No. 63]	○	○	○	○	○
[No. 64]	○	○	○	○	○
[No. 65]	○	○	○	○	○
[No. 66]	○	○	○	○	○
[No. 67]	○	○	○	○	○
[No. 68]	○	○	○	○	○
[No. 69]	○	○	○	○	○
[No. 70]	○	○	○	○	○
[No. 71]	○	○	○	○	○
[No. 72]	○	○	○	○	○
[No. 73]	○	○	○	○	○
[No. 74]	○	○	○	○	○
[No. 75]	○	○	○	○	○
[No. 76]	○	○	○	○	○
[No. 77]	○	○	○	○	○
[No. 78]	○	○	○	○	○
[No. 79]	○	○	○	○	○
[No. 80]	○	○	○	○	○
[No. 81]	○	○	○	○	○
[No. 82]	○	○	○	○	○
[No. 83]	○	○	○	○	○
[No. 84]	○	○	○	○	○
[No. 85]	○	○	○	○	○
[No. 86]	○	○	○	○	○
[No. 87]	○	○	○	○	○
[No. 88]	○	○	○	○	○
[No. 89]	○	○	○	○	○
[No. 90]	○	○	○	○	○

	1	2	3	4	5
[No. 91]	○	○	○	○	○
[No. 92]	○	○	○	○	○
[No. 93]	○	○	○	○	○
[No. 94]	○	○	○	○	○
[No. 95]	○	○	○	○	○
[No. 96]	○	○	○	○	○
[No. 97]	○	○	○	○	○
[No. 98]	○	○	○	○	○
[No. 99]	○	○	○	○	○
[No. 100]	○	○	○	○	○
[No. 101]	○	○	○	○	○
[No. 102]	○	○	○	○	○
[No. 103]	○	○	○	○	○
[No. 104]	○	○	○	○	○
[No. 105]	○	○	○	○	○
[No. 106]	○	○	○	○	○
[No. 107]	○	○	○	○	○
[No. 108]	○	○	○	○	○
[No. 109]	○	○	○	○	○
[No. 110]	○	○	○	○	○
[No. 111]	○	○	○	○	○
[No. 112]	○	○	○	○	○
[No. 113]	○	○	○	○	○
[No. 114]	○	○	○	○	○
[No. 115]	○	○	○	○	○
[No. 116]	○	○	○	○	○
[No. 117]	○	○	○	○	○
[No. 118]	○	○	○	○	○
[No. 119]	○	○	○	○	○
[No. 120]	○	○	○	○	○

トレーニング**15**　解答用紙

	1	2	3	4	5
[No. 1]	○	○	○	○	○
[No. 2]	○	○	○	○	○
[No. 3]	○	○	○	○	○
[No. 4]	○	○	○	○	○
[No. 5]	○	○	○	○	○
[No. 6]	○	○	○	○	○
[No. 7]	○	○	○	○	○
[No. 8]	○	○	○	○	○
[No. 9]	○	○	○	○	○
[No. 10]	○	○	○	○	○
[No. 11]	○	○	○	○	○
[No. 12]	○	○	○	○	○
[No. 13]	○	○	○	○	○
[No. 14]	○	○	○	○	○
[No. 15]	○	○	○	○	○
[No. 16]	○	○	○	○	○
[No. 17]	○	○	○	○	○
[No. 18]	○	○	○	○	○
[No. 19]	○	○	○	○	○
[No. 20]	○	○	○	○	○
[No. 21]	○	○	○	○	○
[No. 22]	○	○	○	○	○
[No. 23]	○	○	○	○	○
[No. 24]	○	○	○	○	○
[No. 25]	○	○	○	○	○
[No. 26]	○	○	○	○	○
[No. 27]	○	○	○	○	○
[No. 28]	○	○	○	○	○
[No. 29]	○	○	○	○	○
[No. 30]	○	○	○	○	○

	1	2	3	4	5
[No. 31]	○	○	○	○	○
[No. 32]	○	○	○	○	○
[No. 33]	○	○	○	○	○
[No. 34]	○	○	○	○	○
[No. 35]	○	○	○	○	○
[No. 36]	○	○	○	○	○
[No. 37]	○	○	○	○	○
[No. 38]	○	○	○	○	○
[No. 39]	○	○	○	○	○
[No. 40]	○	○	○	○	○
[No. 41]	○	○	○	○	○
[No. 42]	○	○	○	○	○
[No. 43]	○	○	○	○	○
[No. 44]	○	○	○	○	○
[No. 45]	○	○	○	○	○
[No. 46]	○	○	○	○	○
[No. 47]	○	○	○	○	○
[No. 48]	○	○	○	○	○
[No. 49]	○	○	○	○	○
[No. 50]	○	○	○	○	○
[No. 51]	○	○	○	○	○
[No. 52]	○	○	○	○	○
[No. 53]	○	○	○	○	○
[No. 54]	○	○	○	○	○
[No. 55]	○	○	○	○	○
[No. 56]	○	○	○	○	○
[No. 57]	○	○	○	○	○
[No. 58]	○	○	○	○	○
[No. 59]	○	○	○	○	○
[No. 60]	○	○	○	○	○

	1	2	3	4	5
[No. 61]	○	○	○	○	○
[No. 62]	○	○	○	○	○
[No. 63]	○	○	○	○	○
[No. 64]	○	○	○	○	○
[No. 65]	○	○	○	○	○
[No. 66]	○	○	○	○	○
[No. 67]	○	○	○	○	○
[No. 68]	○	○	○	○	○
[No. 69]	○	○	○	○	○
[No. 70]	○	○	○	○	○
[No. 71]	○	○	○	○	○
[No. 72]	○	○	○	○	○
[No. 73]	○	○	○	○	○
[No. 74]	○	○	○	○	○
[No. 75]	○	○	○	○	○
[No. 76]	○	○	○	○	○
[No. 77]	○	○	○	○	○
[No. 78]	○	○	○	○	○
[No. 79]	○	○	○	○	○
[No. 80]	○	○	○	○	○
[No. 81]	○	○	○	○	○
[No. 82]	○	○	○	○	○
[No. 83]	○	○	○	○	○
[No. 84]	○	○	○	○	○
[No. 85]	○	○	○	○	○
[No. 86]	○	○	○	○	○
[No. 87]	○	○	○	○	○
[No. 88]	○	○	○	○	○
[No. 89]	○	○	○	○	○
[No. 90]	○	○	○	○	○

	1	2	3	4	5
[No. 91]	○	○	○	○	○
[No. 92]	○	○	○	○	○
[No. 93]	○	○	○	○	○
[No. 94]	○	○	○	○	○
[No. 95]	○	○	○	○	○
[No. 96]	○	○	○	○	○
[No. 97]	○	○	○	○	○
[No. 98]	○	○	○	○	○
[No. 99]	○	○	○	○	○
[No.100]	○	○	○	○	○
[No.101]	○	○	○	○	○
[No.102]	○	○	○	○	○
[No.103]	○	○	○	○	○
[No.104]	○	○	○	○	○
[No.105]	○	○	○	○	○
[No.106]	○	○	○	○	○
[No.107]	○	○	○	○	○
[No.108]	○	○	○	○	○
[No.109]	○	○	○	○	○
[No.110]	○	○	○	○	○
[No.111]	○	○	○	○	○
[No.112]	○	○	○	○	○
[No.113]	○	○	○	○	○
[No.114]	○	○	○	○	○
[No.115]	○	○	○	○	○
[No.116]	○	○	○	○	○
[No.117]	○	○	○	○	○
[No.118]	○	○	○	○	○
[No.119]	○	○	○	○	○
[No.120]	○	○	○	○	○

目標得点**90**点　【採点方法】　解答数 ☐ － 誤答数 ☐ ×**2** = 得点 ☐

トレーニング16　解答用紙

目標得点 90点　【採点方法】

解答数 　－　 誤答数 　×2 ＝ 得点

[No. 1)] [No. 2)] [No. 3)] [No. 4)] [No. 5)] [No. 6)] [No. 7)] [No. 8)] [No. 9)] [No.10)] [No.11)] [No.12)] [No.13)] [No.14)] [No.15)] [No.16)] [No.17)] [No.18)] [No.19)] [No.20)] [No.21)] [No.22)] [No.23)] [No.24)] [No.25)] [No.26)] [No.27)] [No.28)] [No.29)] [No.30)]

[No.31)] [No.32)] [No.33)] [No.34)] [No.35)] [No.36)] [No.37)] [No.38)] [No.39)] [No.40)] [No.41)] [No.42)] [No.43)] [No.44)] [No.45)] [No.46)] [No.47)] [No.48)] [No.49)] [No.50)] [No.51)] [No.52)] [No.53)] [No.54)] [No.55)] [No.56)] [No.57)] [No.58)] [No.59)] [No.60)]

[No.61)] [No.62)] [No.63)] [No.64)] [No.65)] [No.66)] [No.67)] [No.68)] [No.69)] [No.70)] [No.71)] [No.72)] [No.73)] [No.74)] [No.75)] [No.76)] [No.77)] [No.78)] [No.79)] [No.80)] [No.81)] [No.82)] [No.83)] [No.84)] [No.85)] [No.86)] [No.87)] [No.88)] [No.89)] [No.90)]

[No. 91)] [No. 92)] [No. 93)] [No. 94)] [No. 95)] [No. 96)] [No. 97)] [No. 98)] [No. 99)] [No.100)] [No.101)] [No.102)] [No.103)] [No.104)] [No.105)] [No.106)] [No.107)] [No.108)] [No.109)] [No.110)] [No.111)] [No.112)] [No.113)] [No.114)] [No.115)] [No.116)] [No.117)] [No.118)] [No.119)] [No.120)]

リスニング 17　解答用紙

	1	2	3	4	5
[No. 1]	○	○	○	○	○
[No. 2]	○	○	○	○	○
[No. 3]	○	○	○	○	○
[No. 4]	○	○	○	○	○
[No. 5]	○	○	○	○	○
[No. 6]	○	○	○	○	○
[No. 7]	○	○	○	○	○
[No. 8]	○	○	○	○	○
[No. 9]	○	○	○	○	○
[No. 10]	○	○	○	○	○
[No. 11]	○	○	○	○	○
[No. 12]	○	○	○	○	○
[No. 13]	○	○	○	○	○
[No. 14]	○	○	○	○	○
[No. 15]	○	○	○	○	○
[No. 16]	○	○	○	○	○
[No. 17]	○	○	○	○	○
[No. 18]	○	○	○	○	○
[No. 19]	○	○	○	○	○
[No. 20]	○	○	○	○	○
[No. 21]	○	○	○	○	○
[No. 22]	○	○	○	○	○
[No. 23]	○	○	○	○	○
[No. 24]	○	○	○	○	○
[No. 25]	○	○	○	○	○
[No. 26]	○	○	○	○	○
[No. 27]	○	○	○	○	○
[No. 28]	○	○	○	○	○
[No. 29]	○	○	○	○	○
[No. 30]	○	○	○	○	○
[No. 31]	○	○	○	○	○
[No. 32]	○	○	○	○	○
[No. 33]	○	○	○	○	○
[No. 34]	○	○	○	○	○
[No. 35]	○	○	○	○	○
[No. 36]	○	○	○	○	○
[No. 37]	○	○	○	○	○
[No. 38]	○	○	○	○	○
[No. 39]	○	○	○	○	○
[No. 40]	○	○	○	○	○
[No. 41]	○	○	○	○	○
[No. 42]	○	○	○	○	○
[No. 43]	○	○	○	○	○
[No. 44]	○	○	○	○	○
[No. 45]	○	○	○	○	○
[No. 46]	○	○	○	○	○
[No. 47]	○	○	○	○	○
[No. 48]	○	○	○	○	○
[No. 49]	○	○	○	○	○
[No. 50]	○	○	○	○	○
[No. 51]	○	○	○	○	○
[No. 52]	○	○	○	○	○
[No. 53]	○	○	○	○	○
[No. 54]	○	○	○	○	○
[No. 55]	○	○	○	○	○
[No. 56]	○	○	○	○	○
[No. 57]	○	○	○	○	○
[No. 58]	○	○	○	○	○
[No. 59]	○	○	○	○	○
[No. 60]	○	○	○	○	○
[No. 61]	○	○	○	○	○
[No. 62]	○	○	○	○	○
[No. 63]	○	○	○	○	○
[No. 64]	○	○	○	○	○
[No. 65]	○	○	○	○	○
[No. 66]	○	○	○	○	○
[No. 67]	○	○	○	○	○
[No. 68]	○	○	○	○	○
[No. 69]	○	○	○	○	○
[No. 70]	○	○	○	○	○
[No. 71]	○	○	○	○	○
[No. 72]	○	○	○	○	○
[No. 73]	○	○	○	○	○
[No. 74]	○	○	○	○	○
[No. 75]	○	○	○	○	○
[No. 76]	○	○	○	○	○
[No. 77]	○	○	○	○	○
[No. 78]	○	○	○	○	○
[No. 79]	○	○	○	○	○
[No. 80]	○	○	○	○	○
[No. 81]	○	○	○	○	○
[No. 82]	○	○	○	○	○
[No. 83]	○	○	○	○	○
[No. 84]	○	○	○	○	○
[No. 85]	○	○	○	○	○
[No. 86]	○	○	○	○	○
[No. 87]	○	○	○	○	○
[No. 88]	○	○	○	○	○
[No. 89]	○	○	○	○	○
[No. 90]	○	○	○	○	○
[No. 91]	○	○	○	○	○
[No. 92]	○	○	○	○	○
[No. 93]	○	○	○	○	○
[No. 94]	○	○	○	○	○
[No. 95]	○	○	○	○	○
[No. 96]	○	○	○	○	○
[No. 97]	○	○	○	○	○
[No. 98]	○	○	○	○	○
[No. 99]	○	○	○	○	○
[No.100]	○	○	○	○	○
[No.101]	○	○	○	○	○
[No.102]	○	○	○	○	○
[No.103]	○	○	○	○	○
[No.104]	○	○	○	○	○
[No.105]	○	○	○	○	○
[No.106]	○	○	○	○	○
[No.107]	○	○	○	○	○
[No.108]	○	○	○	○	○
[No.109]	○	○	○	○	○
[No.110]	○	○	○	○	○
[No.111]	○	○	○	○	○
[No.112]	○	○	○	○	○
[No.113]	○	○	○	○	○
[No.114]	○	○	○	○	○
[No.115]	○	○	○	○	○
[No.116]	○	○	○	○	○
[No.117]	○	○	○	○	○
[No.118]	○	○	○	○	○
[No.119]	○	○	○	○	○
[No.120]	○	○	○	○	○

目標得点 100 点　【採点方法】　解答数 □ － 誤答数 □ ×2 ＝ 得点 □

ブリーグ18 解答用紙

目標得点 **90**点 [採点方法]

解答数 － 誤答数 ×**2** = 得点

	1	2	3	4	5
[No. 1]	○	○	○	○	○
[No. 2]	○	○	○	○	○
[No. 3]	○	○	○	○	○
[No. 4]	○	○	○	○	○
[No. 5]	○	○	○	○	○
[No. 6]	○	○	○	○	○
[No. 7]	○	○	○	○	○
[No. 8]	○	○	○	○	○
[No. 9]	○	○	○	○	○
[No. 10]	○	○	○	○	○
[No. 11]	○	○	○	○	○
[No. 12]	○	○	○	○	○
[No. 13]	○	○	○	○	○
[No. 14]	○	○	○	○	○
[No. 15]	○	○	○	○	○
[No. 16]	○	○	○	○	○
[No. 17]	○	○	○	○	○
[No. 18]	○	○	○	○	○
[No. 19]	○	○	○	○	○
[No. 20]	○	○	○	○	○
[No. 21]	○	○	○	○	○
[No. 22]	○	○	○	○	○
[No. 23]	○	○	○	○	○
[No. 24]	○	○	○	○	○
[No. 25]	○	○	○	○	○
[No. 26]	○	○	○	○	○
[No. 27]	○	○	○	○	○
[No. 28]	○	○	○	○	○
[No. 29]	○	○	○	○	○
[No. 30]	○	○	○	○	○
[No. 31]	○	○	○	○	○
[No. 32]	○	○	○	○	○
[No. 33]	○	○	○	○	○
[No. 34]	○	○	○	○	○
[No. 35]	○	○	○	○	○
[No. 36]	○	○	○	○	○
[No. 37]	○	○	○	○	○
[No. 38]	○	○	○	○	○
[No. 39]	○	○	○	○	○
[No. 40]	○	○	○	○	○
[No. 41]	○	○	○	○	○
[No. 42]	○	○	○	○	○
[No. 43]	○	○	○	○	○
[No. 44]	○	○	○	○	○
[No. 45]	○	○	○	○	○
[No. 46]	○	○	○	○	○
[No. 47]	○	○	○	○	○
[No. 48]	○	○	○	○	○
[No. 49]	○	○	○	○	○
[No. 50]	○	○	○	○	○
[No. 51]	○	○	○	○	○
[No. 52]	○	○	○	○	○
[No. 53]	○	○	○	○	○
[No. 54]	○	○	○	○	○
[No. 55]	○	○	○	○	○
[No. 56]	○	○	○	○	○
[No. 57]	○	○	○	○	○
[No. 58]	○	○	○	○	○
[No. 59]	○	○	○	○	○
[No. 60]	○	○	○	○	○
[No. 61]	○	○	○	○	○
[No. 62]	○	○	○	○	○
[No. 63]	○	○	○	○	○
[No. 64]	○	○	○	○	○
[No. 65]	○	○	○	○	○
[No. 66]	○	○	○	○	○
[No. 67]	○	○	○	○	○
[No. 68]	○	○	○	○	○
[No. 69]	○	○	○	○	○
[No. 70]	○	○	○	○	○
[No. 71]	○	○	○	○	○
[No. 72]	○	○	○	○	○
[No. 73]	○	○	○	○	○
[No. 74]	○	○	○	○	○
[No. 75]	○	○	○	○	○
[No. 76]	○	○	○	○	○
[No. 77]	○	○	○	○	○
[No. 78]	○	○	○	○	○
[No. 79]	○	○	○	○	○
[No. 80]	○	○	○	○	○
[No. 81]	○	○	○	○	○
[No. 82]	○	○	○	○	○
[No. 83]	○	○	○	○	○
[No. 84]	○	○	○	○	○
[No. 85]	○	○	○	○	○
[No. 86]	○	○	○	○	○
[No. 87]	○	○	○	○	○
[No. 88]	○	○	○	○	○
[No. 89]	○	○	○	○	○
[No. 90]	○	○	○	○	○
[No. 91]	○	○	○	○	○
[No. 92]	○	○	○	○	○
[No. 93]	○	○	○	○	○
[No. 94]	○	○	○	○	○
[No. 95]	○	○	○	○	○
[No. 96]	○	○	○	○	○
[No. 97]	○	○	○	○	○
[No. 98]	○	○	○	○	○
[No. 99]	○	○	○	○	○
[No. 100]	○	○	○	○	○
[No. 101]	○	○	○	○	○
[No. 102]	○	○	○	○	○
[No. 103]	○	○	○	○	○
[No. 104]	○	○	○	○	○
[No. 105]	○	○	○	○	○
[No. 106]	○	○	○	○	○
[No. 107]	○	○	○	○	○
[No. 108]	○	○	○	○	○
[No. 109]	○	○	○	○	○
[No. 110]	○	○	○	○	○
[No. 111]	○	○	○	○	○
[No. 112]	○	○	○	○	○
[No. 113]	○	○	○	○	○
[No. 114]	○	○	○	○	○
[No. 115]	○	○	○	○	○
[No. 116]	○	○	○	○	○
[No. 117]	○	○	○	○	○
[No. 118]	○	○	○	○	○
[No. 119]	○	○	○	○	○
[No. 120]	○	○	○	○	○

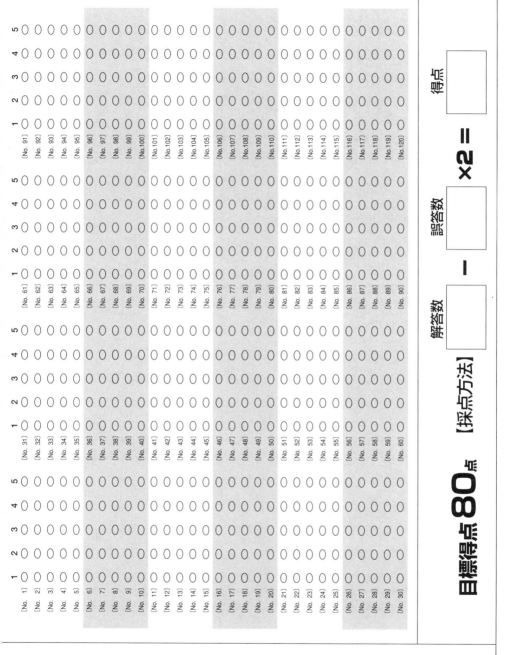

トレーニング20 解答用紙

	1	2	3	4	5		1	2	3	4	5		1	2	3	4	5		1	2	3	4	5
〔No. 1〕	○	○	○	○	○	〔No. 31〕	○	○	○	○	○	〔No. 61〕	○	○	○	○	○	〔No. 91〕	○	○	○	○	○
〔No. 2〕	○	○	○	○	○	〔No. 32〕	○	○	○	○	○	〔No. 62〕	○	○	○	○	○	〔No. 92〕	○	○	○	○	○
〔No. 3〕	○	○	○	○	○	〔No. 33〕	○	○	○	○	○	〔No. 63〕	○	○	○	○	○	〔No. 93〕	○	○	○	○	○
〔No. 4〕	○	○	○	○	○	〔No. 34〕	○	○	○	○	○	〔No. 64〕	○	○	○	○	○	〔No. 94〕	○	○	○	○	○
〔No. 5〕	○	○	○	○	○	〔No. 35〕	○	○	○	○	○	〔No. 65〕	○	○	○	○	○	〔No. 95〕	○	○	○	○	○
〔No. 6〕	○	○	○	○	○	〔No. 36〕	○	○	○	○	○	〔No. 66〕	○	○	○	○	○	〔No. 96〕	○	○	○	○	○
〔No. 7〕	○	○	○	○	○	〔No. 37〕	○	○	○	○	○	〔No. 67〕	○	○	○	○	○	〔No. 97〕	○	○	○	○	○
〔No. 8〕	○	○	○	○	○	〔No. 38〕	○	○	○	○	○	〔No. 68〕	○	○	○	○	○	〔No. 98〕	○	○	○	○	○
〔No. 9〕	○	○	○	○	○	〔No. 39〕	○	○	○	○	○	〔No. 69〕	○	○	○	○	○	〔No. 99〕	○	○	○	○	○
〔No. 10〕	○	○	○	○	○	〔No. 40〕	○	○	○	○	○	〔No. 70〕	○	○	○	○	○	〔No.100〕	○	○	○	○	○
〔No. 11〕	○	○	○	○	○	〔No. 41〕	○	○	○	○	○	〔No. 71〕	○	○	○	○	○	〔No.101〕	○	○	○	○	○
〔No. 12〕	○	○	○	○	○	〔No. 42〕	○	○	○	○	○	〔No. 72〕	○	○	○	○	○	〔No.102〕	○	○	○	○	○
〔No. 13〕	○	○	○	○	○	〔No. 43〕	○	○	○	○	○	〔No. 73〕	○	○	○	○	○	〔No.103〕	○	○	○	○	○
〔No. 14〕	○	○	○	○	○	〔No. 44〕	○	○	○	○	○	〔No. 74〕	○	○	○	○	○	〔No.104〕	○	○	○	○	○
〔No. 15〕	○	○	○	○	○	〔No. 45〕	○	○	○	○	○	〔No. 75〕	○	○	○	○	○	〔No.105〕	○	○	○	○	○
〔No. 16〕	○	○	○	○	○	〔No. 46〕	○	○	○	○	○	〔No. 76〕	○	○	○	○	○	〔No.106〕	○	○	○	○	○
〔No. 17〕	○	○	○	○	○	〔No. 47〕	○	○	○	○	○	〔No. 77〕	○	○	○	○	○	〔No.107〕	○	○	○	○	○
〔No. 18〕	○	○	○	○	○	〔No. 48〕	○	○	○	○	○	〔No. 78〕	○	○	○	○	○	〔No.108〕	○	○	○	○	○
〔No. 19〕	○	○	○	○	○	〔No. 49〕	○	○	○	○	○	〔No. 79〕	○	○	○	○	○	〔No.109〕	○	○	○	○	○
〔No. 20〕	○	○	○	○	○	〔No. 50〕	○	○	○	○	○	〔No. 80〕	○	○	○	○	○	〔No.110〕	○	○	○	○	○
〔No. 21〕	○	○	○	○	○	〔No. 51〕	○	○	○	○	○	〔No. 81〕	○	○	○	○	○	〔No.111〕	○	○	○	○	○
〔No. 22〕	○	○	○	○	○	〔No. 52〕	○	○	○	○	○	〔No. 82〕	○	○	○	○	○	〔No.112〕	○	○	○	○	○
〔No. 23〕	○	○	○	○	○	〔No. 53〕	○	○	○	○	○	〔No. 83〕	○	○	○	○	○	〔No.113〕	○	○	○	○	○
〔No. 24〕	○	○	○	○	○	〔No. 54〕	○	○	○	○	○	〔No. 84〕	○	○	○	○	○	〔No.114〕	○	○	○	○	○
〔No. 25〕	○	○	○	○	○	〔No. 55〕	○	○	○	○	○	〔No. 85〕	○	○	○	○	○	〔No.115〕	○	○	○	○	○
〔No. 26〕	○	○	○	○	○	〔No. 56〕	○	○	○	○	○	〔No. 86〕	○	○	○	○	○	〔No.116〕	○	○	○	○	○
〔No. 27〕	○	○	○	○	○	〔No. 57〕	○	○	○	○	○	〔No. 87〕	○	○	○	○	○	〔No.117〕	○	○	○	○	○
〔No. 28〕	○	○	○	○	○	〔No. 58〕	○	○	○	○	○	〔No. 88〕	○	○	○	○	○	〔No.118〕	○	○	○	○	○
〔No. 29〕	○	○	○	○	○	〔No. 59〕	○	○	○	○	○	〔No. 89〕	○	○	○	○	○	〔No.119〕	○	○	○	○	○
〔No. 30〕	○	○	○	○	○	〔No. 60〕	○	○	○	○	○	〔No. 90〕	○	○	○	○	○	〔No.120〕	○	○	○	○	○

目標得点 80点

【採点方法】 解答数 [　　] − 誤答数 [　　] ×2 = 得点 [　　]

グループ　　解答用紙

	1	2	3	4	5
[No. 1]	○	○	○	○	○
[No. 2]	○	○	○	○	○
[No. 3]	○	○	○	○	○
[No. 4]	○	○	○	○	○
[No. 5]	○	○	○	○	○
[No. 6]	○	○	○	○	○
[No. 7]	○	○	○	○	○
[No. 8]	○	○	○	○	○
[No. 9]	○	○	○	○	○
[No. 10]	○	○	○	○	○
[No. 11]	○	○	○	○	○
[No. 12]	○	○	○	○	○
[No. 13]	○	○	○	○	○
[No. 14]	○	○	○	○	○
[No. 15]	○	○	○	○	○
[No. 16]	○	○	○	○	○
[No. 17]	○	○	○	○	○
[No. 18]	○	○	○	○	○
[No. 19]	○	○	○	○	○
[No. 20]	○	○	○	○	○
[No. 21]	○	○	○	○	○
[No. 22]	○	○	○	○	○
[No. 23]	○	○	○	○	○
[No. 24]	○	○	○	○	○
[No. 25]	○	○	○	○	○
[No. 26]	○	○	○	○	○
[No. 27]	○	○	○	○	○
[No. 28]	○	○	○	○	○
[No. 29]	○	○	○	○	○
[No. 30]	○	○	○	○	○

	1	2	3	4	5
[No. 31]	○	○	○	○	○
[No. 32]	○	○	○	○	○
[No. 33]	○	○	○	○	○
[No. 34]	○	○	○	○	○
[No. 35]	○	○	○	○	○
[No. 36]	○	○	○	○	○
[No. 37]	○	○	○	○	○
[No. 38]	○	○	○	○	○
[No. 39]	○	○	○	○	○
[No. 40]	○	○	○	○	○
[No. 41]	○	○	○	○	○
[No. 42]	○	○	○	○	○
[No. 43]	○	○	○	○	○
[No. 44]	○	○	○	○	○
[No. 45]	○	○	○	○	○
[No. 46]	○	○	○	○	○
[No. 47]	○	○	○	○	○
[No. 48]	○	○	○	○	○
[No. 49]	○	○	○	○	○
[No. 50]	○	○	○	○	○
[No. 51]	○	○	○	○	○
[No. 52]	○	○	○	○	○
[No. 53]	○	○	○	○	○
[No. 54]	○	○	○	○	○
[No. 55]	○	○	○	○	○
[No. 56]	○	○	○	○	○
[No. 57]	○	○	○	○	○
[No. 58]	○	○	○	○	○
[No. 59]	○	○	○	○	○
[No. 60]	○	○	○	○	○

	1	2	3	4	5
[No. 61]	○	○	○	○	○
[No. 62]	○	○	○	○	○
[No. 63]	○	○	○	○	○
[No. 64]	○	○	○	○	○
[No. 65]	○	○	○	○	○
[No. 66]	○	○	○	○	○
[No. 67]	○	○	○	○	○
[No. 68]	○	○	○	○	○
[No. 69]	○	○	○	○	○
[No. 70]	○	○	○	○	○
[No. 71]	○	○	○	○	○
[No. 72]	○	○	○	○	○
[No. 73]	○	○	○	○	○
[No. 74]	○	○	○	○	○
[No. 75]	○	○	○	○	○
[No. 76]	○	○	○	○	○
[No. 77]	○	○	○	○	○
[No. 78]	○	○	○	○	○
[No. 79]	○	○	○	○	○
[No. 80]	○	○	○	○	○
[No. 81]	○	○	○	○	○
[No. 82]	○	○	○	○	○
[No. 83]	○	○	○	○	○
[No. 84]	○	○	○	○	○
[No. 85]	○	○	○	○	○
[No. 86]	○	○	○	○	○
[No. 87]	○	○	○	○	○
[No. 88]	○	○	○	○	○
[No. 89]	○	○	○	○	○
[No. 90]	○	○	○	○	○

	1	2	3	4	5
[No. 91]	○	○	○	○	○
[No. 92]	○	○	○	○	○
[No. 93]	○	○	○	○	○
[No. 94]	○	○	○	○	○
[No. 95]	○	○	○	○	○
[No. 96]	○	○	○	○	○
[No. 97]	○	○	○	○	○
[No. 98]	○	○	○	○	○
[No. 99]	○	○	○	○	○
[No.100]	○	○	○	○	○
[No.101]	○	○	○	○	○
[No.102]	○	○	○	○	○
[No.103]	○	○	○	○	○
[No.104]	○	○	○	○	○
[No.105]	○	○	○	○	○
[No.106]	○	○	○	○	○
[No.107]	○	○	○	○	○
[No.108]	○	○	○	○	○
[No.109]	○	○	○	○	○
[No.110]	○	○	○	○	○
[No.111]	○	○	○	○	○
[No.112]	○	○	○	○	○
[No.113]	○	○	○	○	○
[No.114]	○	○	○	○	○
[No.115]	○	○	○	○	○
[No.116]	○	○	○	○	○
[No.117]	○	○	○	○	○
[No.118]	○	○	○	○	○
[No.119]	○	○	○	○	○
[No.120]	○	○	○	○	○

目標得点　　点　[採点方法]

解答数 $-$ 誤答数 $\times 2 =$ 得点

リーディング ☐ 解答用紙

	1	2	3	4	5
[No. 1)]	○	○	○	○	○
[No. 2)]	○	○	○	○	○
[No. 3)]	○	○	○	○	○
[No. 4)]	○	○	○	○	○
[No. 5)]	○	○	○	○	○
[No. 6)]	○	○	○	○	○
[No. 7)]	○	○	○	○	○
[No. 8)]	○	○	○	○	○
[No. 9)]	○	○	○	○	○
[No. 10)]	○	○	○	○	○
[No. 11)]	○	○	○	○	○
[No. 12)]	○	○	○	○	○
[No. 13)]	○	○	○	○	○
[No. 14)]	○	○	○	○	○
[No. 15)]	○	○	○	○	○
[No. 16)]	○	○	○	○	○
[No. 17)]	○	○	○	○	○
[No. 18)]	○	○	○	○	○
[No. 19)]	○	○	○	○	○
[No. 20)]	○	○	○	○	○
[No. 21)]	○	○	○	○	○
[No. 22)]	○	○	○	○	○
[No. 23)]	○	○	○	○	○
[No. 24)]	○	○	○	○	○
[No. 25)]	○	○	○	○	○
[No. 26)]	○	○	○	○	○
[No. 27)]	○	○	○	○	○
[No. 28)]	○	○	○	○	○
[No. 29)]	○	○	○	○	○
[No. 30)]	○	○	○	○	○

	1	2	3	4	5
[No. 31)]	○	○	○	○	○
[No. 32)]	○	○	○	○	○
[No. 33)]	○	○	○	○	○
[No. 34)]	○	○	○	○	○
[No. 35)]	○	○	○	○	○
[No. 36)]	○	○	○	○	○
[No. 37)]	○	○	○	○	○
[No. 38)]	○	○	○	○	○
[No. 39)]	○	○	○	○	○
[No. 40)]	○	○	○	○	○
[No. 41)]	○	○	○	○	○
[No. 42)]	○	○	○	○	○
[No. 43)]	○	○	○	○	○
[No. 44)]	○	○	○	○	○
[No. 45)]	○	○	○	○	○
[No. 46)]	○	○	○	○	○
[No. 47)]	○	○	○	○	○
[No. 48)]	○	○	○	○	○
[No. 49)]	○	○	○	○	○
[No. 50)]	○	○	○	○	○
[No. 51)]	○	○	○	○	○
[No. 52)]	○	○	○	○	○
[No. 53)]	○	○	○	○	○
[No. 54)]	○	○	○	○	○
[No. 55)]	○	○	○	○	○
[No. 56)]	○	○	○	○	○
[No. 57)]	○	○	○	○	○
[No. 58)]	○	○	○	○	○
[No. 59)]	○	○	○	○	○
[No. 60)]	○	○	○	○	○

	1	2	3	4	5
[No. 61)]	○	○	○	○	○
[No. 62)]	○	○	○	○	○
[No. 63)]	○	○	○	○	○
[No. 64)]	○	○	○	○	○
[No. 65)]	○	○	○	○	○
[No. 66)]	○	○	○	○	○
[No. 67)]	○	○	○	○	○
[No. 68)]	○	○	○	○	○
[No. 69)]	○	○	○	○	○
[No. 70)]	○	○	○	○	○
[No. 71)]	○	○	○	○	○
[No. 72)]	○	○	○	○	○
[No. 73)]	○	○	○	○	○
[No. 74)]	○	○	○	○	○
[No. 75)]	○	○	○	○	○
[No. 76)]	○	○	○	○	○
[No. 77)]	○	○	○	○	○
[No. 78)]	○	○	○	○	○
[No. 79)]	○	○	○	○	○
[No. 80)]	○	○	○	○	○
[No. 81)]	○	○	○	○	○
[No. 82)]	○	○	○	○	○
[No. 83)]	○	○	○	○	○
[No. 84)]	○	○	○	○	○
[No. 85)]	○	○	○	○	○
[No. 86)]	○	○	○	○	○
[No. 87)]	○	○	○	○	○
[No. 88)]	○	○	○	○	○
[No. 89)]	○	○	○	○	○
[No. 90)]	○	○	○	○	○

	1	2	3	4	5
[No. 91)]	○	○	○	○	○
[No. 92)]	○	○	○	○	○
[No. 93)]	○	○	○	○	○
[No. 94)]	○	○	○	○	○
[No. 95)]	○	○	○	○	○
[No. 96)]	○	○	○	○	○
[No. 97)]	○	○	○	○	○
[No. 98)]	○	○	○	○	○
[No. 99)]	○	○	○	○	○
[No.100)]	○	○	○	○	○
[No.101)]	○	○	○	○	○
[No.102)]	○	○	○	○	○
[No.103)]	○	○	○	○	○
[No.104)]	○	○	○	○	○
[No.105)]	○	○	○	○	○
[No.106)]	○	○	○	○	○
[No.107)]	○	○	○	○	○
[No.108)]	○	○	○	○	○
[No.109)]	○	○	○	○	○
[No.110)]	○	○	○	○	○
[No.111)]	○	○	○	○	○
[No.112)]	○	○	○	○	○
[No.113)]	○	○	○	○	○
[No.114)]	○	○	○	○	○
[No.115)]	○	○	○	○	○
[No.116)]	○	○	○	○	○
[No.117)]	○	○	○	○	○
[No.118)]	○	○	○	○	○
[No.119)]	○	○	○	○	○
[No.120)]	○	○	○	○	○

目標得点 ☐ 点　【採点方法】　解答数 ☐ ー 誤答数 ☐ ×2 = 得点 ☐

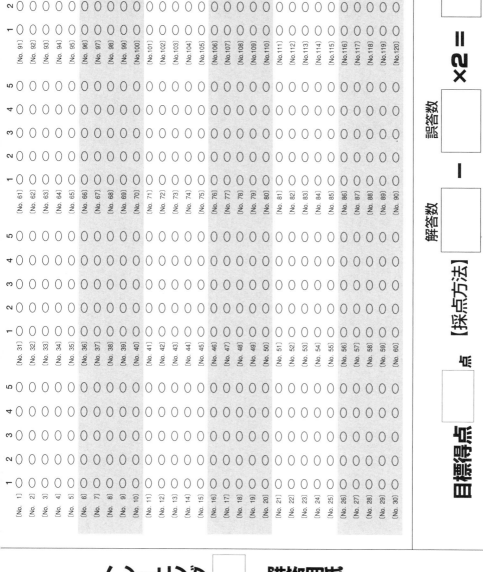

トレーニング　解答用紙

目標得点 □ 点　[採点方法]　解答数 □ − 誤答数 □ ×2 = 得点 □

	1	2	3	4	5
[No. 1]	○	○	○	○	○
[No. 2]	○	○	○	○	○
[No. 3]	○	○	○	○	○
[No. 4]	○	○	○	○	○
[No. 5]	○	○	○	○	○
[No. 6]	○	○	○	○	○
[No. 7]	○	○	○	○	○
[No. 8]	○	○	○	○	○
[No. 9]	○	○	○	○	○
[No. 10]	○	○	○	○	○
[No. 11]	○	○	○	○	○
[No. 12]	○	○	○	○	○
[No. 13]	○	○	○	○	○
[No. 14]	○	○	○	○	○
[No. 15]	○	○	○	○	○
[No. 16]	○	○	○	○	○
[No. 17]	○	○	○	○	○
[No. 18]	○	○	○	○	○
[No. 19]	○	○	○	○	○
[No. 20]	○	○	○	○	○
[No. 21]	○	○	○	○	○
[No. 22]	○	○	○	○	○
[No. 23]	○	○	○	○	○
[No. 24]	○	○	○	○	○
[No. 25]	○	○	○	○	○
[No. 26]	○	○	○	○	○
[No. 27]	○	○	○	○	○
[No. 28]	○	○	○	○	○
[No. 29]	○	○	○	○	○
[No. 30]	○	○	○	○	○

	1	2	3	4	5
[No. 31]	○	○	○	○	○
[No. 32]	○	○	○	○	○
[No. 33]	○	○	○	○	○
[No. 34]	○	○	○	○	○
[No. 35]	○	○	○	○	○
[No. 36]	○	○	○	○	○
[No. 37]	○	○	○	○	○
[No. 38]	○	○	○	○	○
[No. 39]	○	○	○	○	○
[No. 40]	○	○	○	○	○
[No. 41]	○	○	○	○	○
[No. 42]	○	○	○	○	○
[No. 43]	○	○	○	○	○
[No. 44]	○	○	○	○	○
[No. 45]	○	○	○	○	○
[No. 46]	○	○	○	○	○
[No. 47]	○	○	○	○	○
[No. 48]	○	○	○	○	○
[No. 49]	○	○	○	○	○
[No. 50]	○	○	○	○	○
[No. 51]	○	○	○	○	○
[No. 52]	○	○	○	○	○
[No. 53]	○	○	○	○	○
[No. 54]	○	○	○	○	○
[No. 55]	○	○	○	○	○
[No. 56]	○	○	○	○	○
[No. 57]	○	○	○	○	○
[No. 58]	○	○	○	○	○
[No. 59]	○	○	○	○	○
[No. 60]	○	○	○	○	○

	1	2	3	4	5
[No. 61]	○	○	○	○	○
[No. 62]	○	○	○	○	○
[No. 63]	○	○	○	○	○
[No. 64]	○	○	○	○	○
[No. 65]	○	○	○	○	○
[No. 66]	○	○	○	○	○
[No. 67]	○	○	○	○	○
[No. 68]	○	○	○	○	○
[No. 69]	○	○	○	○	○
[No. 70]	○	○	○	○	○
[No. 71]	○	○	○	○	○
[No. 72]	○	○	○	○	○
[No. 73]	○	○	○	○	○
[No. 74]	○	○	○	○	○
[No. 75]	○	○	○	○	○
[No. 76]	○	○	○	○	○
[No. 77]	○	○	○	○	○
[No. 78]	○	○	○	○	○
[No. 79]	○	○	○	○	○
[No. 80]	○	○	○	○	○
[No. 81]	○	○	○	○	○
[No. 82]	○	○	○	○	○
[No. 83]	○	○	○	○	○
[No. 84]	○	○	○	○	○
[No. 85]	○	○	○	○	○
[No. 86]	○	○	○	○	○
[No. 87]	○	○	○	○	○
[No. 88]	○	○	○	○	○
[No. 89]	○	○	○	○	○
[No. 90]	○	○	○	○	○

	1	2	3	4	5
[No. 91]	○	○	○	○	○
[No. 92]	○	○	○	○	○
[No. 93]	○	○	○	○	○
[No. 94]	○	○	○	○	○
[No. 95]	○	○	○	○	○
[No. 96]	○	○	○	○	○
[No. 97]	○	○	○	○	○
[No. 98]	○	○	○	○	○
[No. 99]	○	○	○	○	○
[No.100]	○	○	○	○	○
[No.101]	○	○	○	○	○
[No.102]	○	○	○	○	○
[No.103]	○	○	○	○	○
[No.104]	○	○	○	○	○
[No.105]	○	○	○	○	○
[No.106]	○	○	○	○	○
[No.107]	○	○	○	○	○
[No.108]	○	○	○	○	○
[No.109]	○	○	○	○	○
[No.110]	○	○	○	○	○
[No.111]	○	○	○	○	○
[No.112]	○	○	○	○	○
[No.113]	○	○	○	○	○
[No.114]	○	○	○	○	○
[No.115]	○	○	○	○	○
[No.116]	○	○	○	○	○
[No.117]	○	○	○	○	○
[No.118]	○	○	○	○	○
[No.119]	○	○	○	○	○
[No.120]	○	○	○	○	○

トレーニング 解答用紙

目標得点 ☐ 点 【採点方法】 解答数 ☐ − 誤答数 ☐ ×2 = 得点 ☐

	1	2	3	4	5
[No. 1]	○	○	○	○	○
[No. 2]	○	○	○	○	○
[No. 3]	○	○	○	○	○
[No. 4]	○	○	○	○	○
[No. 5]	○	○	○	○	○
[No. 6]	○	○	○	○	○
[No. 7]	○	○	○	○	○
[No. 8]	○	○	○	○	○
[No. 9]	○	○	○	○	○
[No. 10]	○	○	○	○	○
[No. 11]	○	○	○	○	○
[No. 12]	○	○	○	○	○
[No. 13]	○	○	○	○	○
[No. 14]	○	○	○	○	○
[No. 15]	○	○	○	○	○
[No. 16]	○	○	○	○	○
[No. 17]	○	○	○	○	○
[No. 18]	○	○	○	○	○
[No. 19]	○	○	○	○	○
[No. 20]	○	○	○	○	○
[No. 21]	○	○	○	○	○
[No. 22]	○	○	○	○	○
[No. 23]	○	○	○	○	○
[No. 24]	○	○	○	○	○
[No. 25]	○	○	○	○	○
[No. 26]	○	○	○	○	○
[No. 27]	○	○	○	○	○
[No. 28]	○	○	○	○	○
[No. 29]	○	○	○	○	○
[No. 30]	○	○	○	○	○

	1	2	3	4	5
[No. 31]	○	○	○	○	○
[No. 32]	○	○	○	○	○
[No. 33]	○	○	○	○	○
[No. 34]	○	○	○	○	○
[No. 35]	○	○	○	○	○
[No. 36]	○	○	○	○	○
[No. 37]	○	○	○	○	○
[No. 38]	○	○	○	○	○
[No. 39]	○	○	○	○	○
[No. 40]	○	○	○	○	○
[No. 41]	○	○	○	○	○
[No. 42]	○	○	○	○	○
[No. 43]	○	○	○	○	○
[No. 44]	○	○	○	○	○
[No. 45]	○	○	○	○	○
[No. 46]	○	○	○	○	○
[No. 47]	○	○	○	○	○
[No. 48]	○	○	○	○	○
[No. 49]	○	○	○	○	○
[No. 50]	○	○	○	○	○
[No. 51]	○	○	○	○	○
[No. 52]	○	○	○	○	○
[No. 53]	○	○	○	○	○
[No. 54]	○	○	○	○	○
[No. 55]	○	○	○	○	○
[No. 56]	○	○	○	○	○
[No. 57]	○	○	○	○	○
[No. 58]	○	○	○	○	○
[No. 59]	○	○	○	○	○
[No. 60]	○	○	○	○	○

	1	2	3	4	5
[No. 61]	○	○	○	○	○
[No. 62]	○	○	○	○	○
[No. 63]	○	○	○	○	○
[No. 64]	○	○	○	○	○
[No. 65]	○	○	○	○	○
[No. 66]	○	○	○	○	○
[No. 67]	○	○	○	○	○
[No. 68]	○	○	○	○	○
[No. 69]	○	○	○	○	○
[No. 70]	○	○	○	○	○
[No. 71]	○	○	○	○	○
[No. 72]	○	○	○	○	○
[No. 73]	○	○	○	○	○
[No. 74]	○	○	○	○	○
[No. 75]	○	○	○	○	○
[No. 76]	○	○	○	○	○
[No. 77]	○	○	○	○	○
[No. 78]	○	○	○	○	○
[No. 79]	○	○	○	○	○
[No. 80]	○	○	○	○	○
[No. 81]	○	○	○	○	○
[No. 82]	○	○	○	○	○
[No. 83]	○	○	○	○	○
[No. 84]	○	○	○	○	○
[No. 85]	○	○	○	○	○
[No. 86]	○	○	○	○	○
[No. 87]	○	○	○	○	○
[No. 88]	○	○	○	○	○
[No. 89]	○	○	○	○	○
[No. 90]	○	○	○	○	○

	1	2	3	4	5
[No. 91]	○	○	○	○	○
[No. 92]	○	○	○	○	○
[No. 93]	○	○	○	○	○
[No. 94]	○	○	○	○	○
[No. 95]	○	○	○	○	○
[No. 96]	○	○	○	○	○
[No. 97]	○	○	○	○	○
[No. 98]	○	○	○	○	○
[No. 99]	○	○	○	○	○
[No.100]	○	○	○	○	○
[No.101]	○	○	○	○	○
[No.102]	○	○	○	○	○
[No.103]	○	○	○	○	○
[No.104]	○	○	○	○	○
[No.105]	○	○	○	○	○
[No.106]	○	○	○	○	○
[No.107]	○	○	○	○	○
[No.108]	○	○	○	○	○
[No.109]	○	○	○	○	○
[No.110]	○	○	○	○	○
[No.111]	○	○	○	○	○
[No.112]	○	○	○	○	○
[No.113]	○	○	○	○	○
[No.114]	○	○	○	○	○
[No.115]	○	○	○	○	○
[No.116]	○	○	○	○	○
[No.117]	○	○	○	○	○
[No.118]	○	○	○	○	○
[No.119]	○	○	○	○	○
[No.120]	○	○	○	○	○

マークシート 解答用紙

目標得点 ☐ 点　【採点方法】　解答数 ☐ － 誤答数 ☐ ×2 ＝ 得点 ☐

	1	2	3	4	5
[No. 1]	○	○	○	○	○
[No. 2]	○	○	○	○	○
[No. 3]	○	○	○	○	○
[No. 4]	○	○	○	○	○
[No. 5]	○	○	○	○	○
[No. 6]	○	○	○	○	○
[No. 7]	○	○	○	○	○
[No. 8]	○	○	○	○	○
[No. 9]	○	○	○	○	○
[No. 10]	○	○	○	○	○
[No. 11]	○	○	○	○	○
[No. 12]	○	○	○	○	○
[No. 13]	○	○	○	○	○
[No. 14]	○	○	○	○	○
[No. 15]	○	○	○	○	○
[No. 16]	○	○	○	○	○
[No. 17]	○	○	○	○	○
[No. 18]	○	○	○	○	○
[No. 19]	○	○	○	○	○
[No. 20]	○	○	○	○	○
[No. 21]	○	○	○	○	○
[No. 22]	○	○	○	○	○
[No. 23]	○	○	○	○	○
[No. 24]	○	○	○	○	○
[No. 25]	○	○	○	○	○
[No. 26]	○	○	○	○	○
[No. 27]	○	○	○	○	○
[No. 28]	○	○	○	○	○
[No. 29]	○	○	○	○	○
[No. 30]	○	○	○	○	○
[No. 31]	○	○	○	○	○
[No. 32]	○	○	○	○	○
[No. 33]	○	○	○	○	○
[No. 34]	○	○	○	○	○
[No. 35]	○	○	○	○	○
[No. 36]	○	○	○	○	○
[No. 37]	○	○	○	○	○
[No. 38]	○	○	○	○	○
[No. 39]	○	○	○	○	○
[No. 40]	○	○	○	○	○
[No. 41]	○	○	○	○	○
[No. 42]	○	○	○	○	○
[No. 43]	○	○	○	○	○
[No. 44]	○	○	○	○	○
[No. 45]	○	○	○	○	○
[No. 46]	○	○	○	○	○
[No. 47]	○	○	○	○	○
[No. 48]	○	○	○	○	○
[No. 49]	○	○	○	○	○
[No. 50]	○	○	○	○	○
[No. 51]	○	○	○	○	○
[No. 52]	○	○	○	○	○
[No. 53]	○	○	○	○	○
[No. 54]	○	○	○	○	○
[No. 55]	○	○	○	○	○
[No. 56]	○	○	○	○	○
[No. 57]	○	○	○	○	○
[No. 58]	○	○	○	○	○
[No. 59]	○	○	○	○	○
[No. 60]	○	○	○	○	○
[No. 61]	○	○	○	○	○
[No. 62]	○	○	○	○	○
[No. 63]	○	○	○	○	○
[No. 64]	○	○	○	○	○
[No. 65]	○	○	○	○	○
[No. 66]	○	○	○	○	○
[No. 67]	○	○	○	○	○
[No. 68]	○	○	○	○	○
[No. 69]	○	○	○	○	○
[No. 70]	○	○	○	○	○
[No. 71]	○	○	○	○	○
[No. 72]	○	○	○	○	○
[No. 73]	○	○	○	○	○
[No. 74]	○	○	○	○	○
[No. 75]	○	○	○	○	○
[No. 76]	○	○	○	○	○
[No. 77]	○	○	○	○	○
[No. 78]	○	○	○	○	○
[No. 79]	○	○	○	○	○
[No. 80]	○	○	○	○	○
[No. 81]	○	○	○	○	○
[No. 82]	○	○	○	○	○
[No. 83]	○	○	○	○	○
[No. 84]	○	○	○	○	○
[No. 85]	○	○	○	○	○
[No. 86]	○	○	○	○	○
[No. 87]	○	○	○	○	○
[No. 88]	○	○	○	○	○
[No. 89]	○	○	○	○	○
[No. 90]	○	○	○	○	○
[No. 91]	○	○	○	○	○
[No. 92]	○	○	○	○	○
[No. 93]	○	○	○	○	○
[No. 94]	○	○	○	○	○
[No. 95]	○	○	○	○	○
[No. 96]	○	○	○	○	○
[No. 97]	○	○	○	○	○
[No. 98]	○	○	○	○	○
[No. 99]	○	○	○	○	○
[No. 100]	○	○	○	○	○
[No. 101]	○	○	○	○	○
[No. 102]	○	○	○	○	○
[No. 103]	○	○	○	○	○
[No. 104]	○	○	○	○	○
[No. 105]	○	○	○	○	○
[No. 106]	○	○	○	○	○
[No. 107]	○	○	○	○	○
[No. 108]	○	○	○	○	○
[No. 109]	○	○	○	○	○
[No. 110]	○	○	○	○	○
[No. 111]	○	○	○	○	○
[No. 112]	○	○	○	○	○
[No. 113]	○	○	○	○	○
[No. 114]	○	○	○	○	○
[No. 115]	○	○	○	○	○
[No. 116]	○	○	○	○	○
[No. 117]	○	○	○	○	○
[No. 118]	○	○	○	○	○
[No. 119]	○	○	○	○	○
[No. 120]	○	○	○	○	○

	1	2	3	4	5		1	2	3	4	5		1	2	3	4	5		1	2	3	4	5
[No. 1]	○	○	○	○	○	[No. 31]	○	○	○	○	○	[No. 61]	○	○	○	○	○	[No. 91]	○	○	○	○	○
[No. 2]	○	○	○	○	○	[No. 32]	○	○	○	○	○	[No. 62]	○	○	○	○	○	[No. 92]	○	○	○	○	○
[No. 3]	○	○	○	○	○	[No. 33]	○	○	○	○	○	[No. 63]	○	○	○	○	○	[No. 93]	○	○	○	○	○
[No. 4]	○	○	○	○	○	[No. 34]	○	○	○	○	○	[No. 64]	○	○	○	○	○	[No. 94]	○	○	○	○	○
[No. 5]	○	○	○	○	○	[No. 35]	○	○	○	○	○	[No. 65]	○	○	○	○	○	[No. 95]	○	○	○	○	○
[No. 6]	○	○	○	○	○	[No. 36]	○	○	○	○	○	[No. 66]	○	○	○	○	○	[No. 96]	○	○	○	○	○
[No. 7]	○	○	○	○	○	[No. 37]	○	○	○	○	○	[No. 67]	○	○	○	○	○	[No. 97]	○	○	○	○	○
[No. 8]	○	○	○	○	○	[No. 38]	○	○	○	○	○	[No. 68]	○	○	○	○	○	[No. 98]	○	○	○	○	○
[No. 9]	○	○	○	○	○	[No. 39]	○	○	○	○	○	[No. 69]	○	○	○	○	○	[No. 99]	○	○	○	○	○
[No. 10]	○	○	○	○	○	[No. 40]	○	○	○	○	○	[No. 70]	○	○	○	○	○	[No.100]	○	○	○	○	○
[No. 11]	○	○	○	○	○	[No. 41]	○	○	○	○	○	[No. 71]	○	○	○	○	○	[No.101]	○	○	○	○	○
[No. 12]	○	○	○	○	○	[No. 42]	○	○	○	○	○	[No. 72]	○	○	○	○	○	[No.102]	○	○	○	○	○
[No. 13]	○	○	○	○	○	[No. 43]	○	○	○	○	○	[No. 73]	○	○	○	○	○	[No.103]	○	○	○	○	○
[No. 14]	○	○	○	○	○	[No. 44]	○	○	○	○	○	[No. 74]	○	○	○	○	○	[No.104]	○	○	○	○	○
[No. 15]	○	○	○	○	○	[No. 45]	○	○	○	○	○	[No. 75]	○	○	○	○	○	[No.105]	○	○	○	○	○
[No. 16]	○	○	○	○	○	[No. 46]	○	○	○	○	○	[No. 76]	○	○	○	○	○	[No.106]	○	○	○	○	○
[No. 17]	○	○	○	○	○	[No. 47]	○	○	○	○	○	[No. 77]	○	○	○	○	○	[No.107]	○	○	○	○	○
[No. 18]	○	○	○	○	○	[No. 48]	○	○	○	○	○	[No. 78]	○	○	○	○	○	[No.108]	○	○	○	○	○
[No. 19]	○	○	○	○	○	[No. 49]	○	○	○	○	○	[No. 79]	○	○	○	○	○	[No.109]	○	○	○	○	○
[No. 20]	○	○	○	○	○	[No. 50]	○	○	○	○	○	[No. 80]	○	○	○	○	○	[No.110]	○	○	○	○	○
[No. 21]	○	○	○	○	○	[No. 51]	○	○	○	○	○	[No. 81]	○	○	○	○	○	[No.111]	○	○	○	○	○
[No. 22]	○	○	○	○	○	[No. 52]	○	○	○	○	○	[No. 82]	○	○	○	○	○	[No.112]	○	○	○	○	○
[No. 23]	○	○	○	○	○	[No. 53]	○	○	○	○	○	[No. 83]	○	○	○	○	○	[No.113]	○	○	○	○	○
[No. 24]	○	○	○	○	○	[No. 54]	○	○	○	○	○	[No. 84]	○	○	○	○	○	[No.114]	○	○	○	○	○
[No. 25]	○	○	○	○	○	[No. 55]	○	○	○	○	○	[No. 85]	○	○	○	○	○	[No.115]	○	○	○	○	○
[No. 26]	○	○	○	○	○	[No. 56]	○	○	○	○	○	[No. 86]	○	○	○	○	○	[No.116]	○	○	○	○	○
[No. 27]	○	○	○	○	○	[No. 57]	○	○	○	○	○	[No. 87]	○	○	○	○	○	[No.117]	○	○	○	○	○
[No. 28]	○	○	○	○	○	[No. 58]	○	○	○	○	○	[No. 88]	○	○	○	○	○	[No.118]	○	○	○	○	○
[No. 29]	○	○	○	○	○	[No. 59]	○	○	○	○	○	[No. 89]	○	○	○	○	○	[No.119]	○	○	○	○	○
[No. 30]	○	○	○	○	○	[No. 60]	○	○	○	○	○	[No. 90]	○	○	○	○	○	[No.120]	○	○	○	○	○

目標得点　　　点　【採点方法】　解答数　　　　誤答数　　　×2＝　　　得点

リスニング　　　解答用紙

リスニング 解答用紙

No.	1	2	3	4	5
[No. 1]	○	○	○	○	○
[No. 2]	○	○	○	○	○
[No. 3]	○	○	○	○	○
[No. 4]	○	○	○	○	○
[No. 5]	○	○	○	○	○
[No. 6]	○	○	○	○	○
[No. 7]	○	○	○	○	○
[No. 8]	○	○	○	○	○
[No. 9]	○	○	○	○	○
[No. 10]	○	○	○	○	○
[No. 11]	○	○	○	○	○
[No. 12]	○	○	○	○	○
[No. 13]	○	○	○	○	○
[No. 14]	○	○	○	○	○
[No. 15]	○	○	○	○	○
[No. 16]	○	○	○	○	○
[No. 17]	○	○	○	○	○
[No. 18]	○	○	○	○	○
[No. 19]	○	○	○	○	○
[No. 20]	○	○	○	○	○
[No. 21]	○	○	○	○	○
[No. 22]	○	○	○	○	○
[No. 23]	○	○	○	○	○
[No. 24]	○	○	○	○	○
[No. 25]	○	○	○	○	○
[No. 26]	○	○	○	○	○
[No. 27]	○	○	○	○	○
[No. 28]	○	○	○	○	○
[No. 29]	○	○	○	○	○
[No. 30]	○	○	○	○	○
[No. 31]	○	○	○	○	○
[No. 32]	○	○	○	○	○
[No. 33]	○	○	○	○	○
[No. 34]	○	○	○	○	○
[No. 35]	○	○	○	○	○
[No. 36]	○	○	○	○	○
[No. 37]	○	○	○	○	○
[No. 38]	○	○	○	○	○
[No. 39]	○	○	○	○	○
[No. 40]	○	○	○	○	○
[No. 41]	○	○	○	○	○
[No. 42]	○	○	○	○	○
[No. 43]	○	○	○	○	○
[No. 44]	○	○	○	○	○
[No. 45]	○	○	○	○	○
[No. 46]	○	○	○	○	○
[No. 47]	○	○	○	○	○
[No. 48]	○	○	○	○	○
[No. 49]	○	○	○	○	○
[No. 50]	○	○	○	○	○
[No. 51]	○	○	○	○	○
[No. 52]	○	○	○	○	○
[No. 53]	○	○	○	○	○
[No. 54]	○	○	○	○	○
[No. 55]	○	○	○	○	○
[No. 56]	○	○	○	○	○
[No. 57]	○	○	○	○	○
[No. 58]	○	○	○	○	○
[No. 59]	○	○	○	○	○
[No. 60]	○	○	○	○	○
[No. 61]	○	○	○	○	○
[No. 62]	○	○	○	○	○
[No. 63]	○	○	○	○	○
[No. 64]	○	○	○	○	○
[No. 65]	○	○	○	○	○
[No. 66]	○	○	○	○	○
[No. 67]	○	○	○	○	○
[No. 68]	○	○	○	○	○
[No. 69]	○	○	○	○	○
[No. 70]	○	○	○	○	○
[No. 71]	○	○	○	○	○
[No. 72]	○	○	○	○	○
[No. 73]	○	○	○	○	○
[No. 74]	○	○	○	○	○
[No. 75]	○	○	○	○	○
[No. 76]	○	○	○	○	○
[No. 77]	○	○	○	○	○
[No. 78]	○	○	○	○	○
[No. 79]	○	○	○	○	○
[No. 80]	○	○	○	○	○
[No. 81]	○	○	○	○	○
[No. 82]	○	○	○	○	○
[No. 83]	○	○	○	○	○
[No. 84]	○	○	○	○	○
[No. 85]	○	○	○	○	○
[No. 86]	○	○	○	○	○
[No. 87]	○	○	○	○	○
[No. 88]	○	○	○	○	○
[No. 89]	○	○	○	○	○
[No. 90]	○	○	○	○	○
[No. 91]	○	○	○	○	○
[No. 92]	○	○	○	○	○
[No. 93]	○	○	○	○	○
[No. 94]	○	○	○	○	○
[No. 95]	○	○	○	○	○
[No. 96]	○	○	○	○	○
[No. 97]	○	○	○	○	○
[No. 98]	○	○	○	○	○
[No. 99]	○	○	○	○	○
[No.100]	○	○	○	○	○
[No.101]	○	○	○	○	○
[No.102]	○	○	○	○	○
[No.103]	○	○	○	○	○
[No.104]	○	○	○	○	○
[No.105]	○	○	○	○	○
[No.106]	○	○	○	○	○
[No.107]	○	○	○	○	○
[No.108]	○	○	○	○	○
[No.109]	○	○	○	○	○
[No.110]	○	○	○	○	○
[No.111]	○	○	○	○	○
[No.112]	○	○	○	○	○
[No.113]	○	○	○	○	○
[No.114]	○	○	○	○	○
[No.115]	○	○	○	○	○
[No.116]	○	○	○	○	○
[No.117]	○	○	○	○	○
[No.118]	○	○	○	○	○
[No.119]	○	○	○	○	○
[No.120]	○	○	○	○	○

目標得点 □ 点 【採点方法】 解答数 □ － 誤答数 □ ×2 ＝ 得点 □

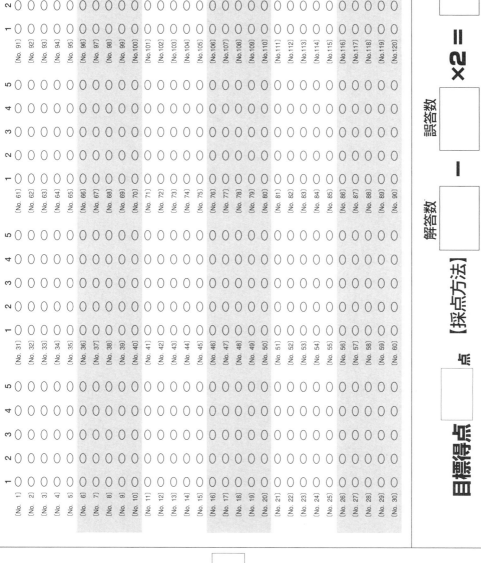

解答用紙　リーディング

目標得点　　　点　[採点方法]

解答数　　　－　誤答数　　　×2＝　得点

	1	2	3	4	5
[No. 1)	○	○	○	○	○
[No. 2)	○	○	○	○	○
[No. 3)	○	○	○	○	○
[No. 4)	○	○	○	○	○
[No. 5)	○	○	○	○	○
[No. 6)	○	○	○	○	○
[No. 7)	○	○	○	○	○
[No. 8)	○	○	○	○	○
[No. 9)	○	○	○	○	○
[No. 10)	○	○	○	○	○
[No. 11)	○	○	○	○	○
[No. 12)	○	○	○	○	○
[No. 13)	○	○	○	○	○
[No. 14)	○	○	○	○	○
[No. 15)	○	○	○	○	○
[No. 16)	○	○	○	○	○
[No. 17)	○	○	○	○	○
[No. 18)	○	○	○	○	○
[No. 19)	○	○	○	○	○
[No. 20)	○	○	○	○	○
[No. 21)	○	○	○	○	○
[No. 22)	○	○	○	○	○
[No. 23)	○	○	○	○	○
[No. 24)	○	○	○	○	○
[No. 25)	○	○	○	○	○
[No. 26)	○	○	○	○	○
[No. 27)	○	○	○	○	○
[No. 28)	○	○	○	○	○
[No. 29)	○	○	○	○	○
[No. 30)	○	○	○	○	○

	1	2	3	4	5
[No. 31)	○	○	○	○	○
[No. 32)	○	○	○	○	○
[No. 33)	○	○	○	○	○
[No. 34)	○	○	○	○	○
[No. 35)	○	○	○	○	○
[No. 36)	○	○	○	○	○
[No. 37)	○	○	○	○	○
[No. 38)	○	○	○	○	○
[No. 39)	○	○	○	○	○
[No. 40)	○	○	○	○	○
[No. 41)	○	○	○	○	○
[No. 42)	○	○	○	○	○
[No. 43)	○	○	○	○	○
[No. 44)	○	○	○	○	○
[No. 45)	○	○	○	○	○
[No. 46)	○	○	○	○	○
[No. 47)	○	○	○	○	○
[No. 48)	○	○	○	○	○
[No. 49)	○	○	○	○	○
[No. 50)	○	○	○	○	○
[No. 51)	○	○	○	○	○
[No. 52)	○	○	○	○	○
[No. 53)	○	○	○	○	○
[No. 54)	○	○	○	○	○
[No. 55)	○	○	○	○	○
[No. 56)	○	○	○	○	○
[No. 57)	○	○	○	○	○
[No. 58)	○	○	○	○	○
[No. 59)	○	○	○	○	○
[No. 60)	○	○	○	○	○

	1	2	3	4	5
[No. 61)	○	○	○	○	○
[No. 62)	○	○	○	○	○
[No. 63)	○	○	○	○	○
[No. 64)	○	○	○	○	○
[No. 65)	○	○	○	○	○
[No. 66)	○	○	○	○	○
[No. 67)	○	○	○	○	○
[No. 68)	○	○	○	○	○
[No. 69)	○	○	○	○	○
[No. 70)	○	○	○	○	○
[No. 71)	○	○	○	○	○
[No. 72)	○	○	○	○	○
[No. 73)	○	○	○	○	○
[No. 74)	○	○	○	○	○
[No. 75)	○	○	○	○	○
[No. 76)	○	○	○	○	○
[No. 77)	○	○	○	○	○
[No. 78)	○	○	○	○	○
[No. 79)	○	○	○	○	○
[No. 80)	○	○	○	○	○
[No. 81)	○	○	○	○	○
[No. 82)	○	○	○	○	○
[No. 83)	○	○	○	○	○
[No. 84)	○	○	○	○	○
[No. 85)	○	○	○	○	○
[No. 86)	○	○	○	○	○
[No. 87)	○	○	○	○	○
[No. 88)	○	○	○	○	○
[No. 89)	○	○	○	○	○
[No. 90)	○	○	○	○	○

	1	2	3	4	5
[No. 91)	○	○	○	○	○
[No. 92)	○	○	○	○	○
[No. 93)	○	○	○	○	○
[No. 94)	○	○	○	○	○
[No. 95)	○	○	○	○	○
[No. 96)	○	○	○	○	○
[No. 97)	○	○	○	○	○
[No. 98)	○	○	○	○	○
[No. 99)	○	○	○	○	○
[No.100)	○	○	○	○	○
[No.101)	○	○	○	○	○
[No.102)	○	○	○	○	○
[No.103)	○	○	○	○	○
[No.104)	○	○	○	○	○
[No.105)	○	○	○	○	○
[No.106)	○	○	○	○	○
[No.107)	○	○	○	○	○
[No.108)	○	○	○	○	○
[No.109)	○	○	○	○	○
[No.110)	○	○	○	○	○
[No.111)	○	○	○	○	○
[No.112)	○	○	○	○	○
[No.113)	○	○	○	○	○
[No.114)	○	○	○	○	○
[No.115)	○	○	○	○	○
[No.116)	○	○	○	○	○
[No.117)	○	○	○	○	○
[No.118)	○	○	○	○	○
[No.119)	○	○	○	○	○
[No.120)	○	○	○	○	○

[採点方法]

解答数 □ － 誤答数 □ ×2 ＝ 得点

目標得点 □ 点

マークシート □ 解答用紙

No. 1) – No. 120) マークシート解答欄（選択肢 1 2 3 4 5）

目標得点 [　　　] 点　【採点方法】

解答数 [　　　] － 誤答数 [　　　] ×2 ＝ 得点 [　　　]

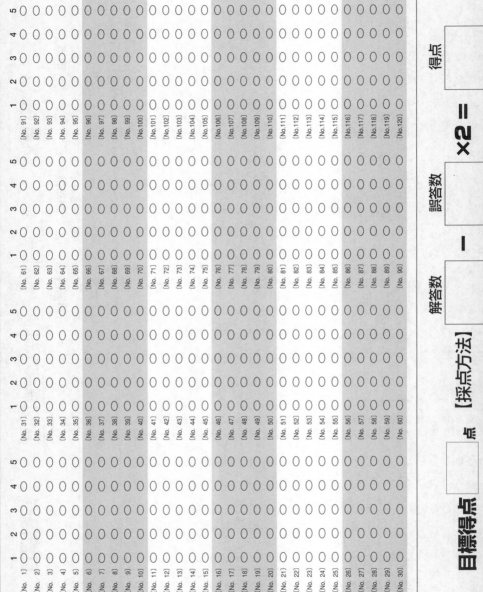

トレーニング　　解答用紙

目標得点　　点　[採点方法]　解答数　　－　誤答数　　×2 ＝　得点

いいずな書店